Э.И. Гоникман

ТАЙНА И КАРМА ЛУННОЙ БОГИНИ

**СЕРИЯ
"ПРЕКРАСНОЕ И ЦЕЛЕСООБРАЗНОЕ:
ЧЕЛОВЕК, КАМНИ, ЦВЕТ,
ЗДОРОВЬЕ,
МОДА"**

КНИГА ПЕРВАЯ

**"САНТАНА"
МИНСК
1995**

ББК 53.58
Г 65
УДК 615.85

Серия основана в 1992 году.

Художник В. Шахлевич.
Слайды Г. Маскалевой.

Гоникман Э.И.

Г 65   Тайна и Карма Лунной Богини /Художник В.Л.Шахлевич. – Мн.: НВМЦНМ "Сантана", 1995. 400с. /Прекрасное и целесообразное: человек, камни, цвет, здоровье, мода/.

    "Тайна и Карма Лунной Богини" – третья книга из серии известного в Республике Беларусь врача-целителя, президента Научно-внедренческого многопрофильного центра народной медицины "Сантана". Предыдущие две книги из этой серии "Ваш талисман" и "Лечебная радуга камня" были несколько раз переизданы по многочисленным просьбам читателей. В книге "Тайна и Карма Лунной Богини" освещаются транснациональные проблемы взаимоотношения полов, их гармонии как основы мироздания, возможности гармонизации межличностных отношений с использованием всего, что окружает человека (царство минералов, цвет и т.д.). Поднимаются вопросы об ответственности в Новой Эпохе человека за свои мысли, поступки и жизнь в свете Закона перевоплощения и Кармы, приводятся особенности женской Кармы.

    Книга рассчитана на широкий круг читателей, понимающих ответственность за проблему выживания в Новой Эпохе.

    "A Mystery and Carma of the Moon Goddess" is the third book from the series "The Beautiful and Expedient (man -- stone-colour -- fashion -- health)" by Emma Gonikman, a famous healer, President of the Natural Centre "Santana". The previous books of this series "Your Talisman" and "Medical Rainbow of Stone" were re-edited many times on reader's requests.

    In this book the author raises transnational problems of sexual interrelations, shows the significance of their harmony as a basis of the Universe, the possibilities of human harmonisation with the help of different natural methods. The questions of men responsibility for their thoughts, actions and life in the New Epoch of Aquarius are also under consideration.

    The book is intended for a wide circle of readers who understands the importance and responsibility for the survival in the New Epoch.

Г 6150850000   ББК 53.58

ISBN 985-6220-01-7

*Посвящается моей
дорогой дочери Алле и
внучке Светлане,
маленькой Лунной Богине.
С любовью и надеждой*

Автор

От автора

Все мысли и идеи, изложенные в этой книге, а также обширная литература, изученная по этим проблемам, были мне подсказаны Духовным Миром. За все, что мне дано, моя Душа выражает безграничную благодарность и любовь Великому Творцу Вселенной. Аминь!

«Будьте совершенны как совершенен Отец Ваш Небесный.»

ВСТУПЛЕНИЕ

Учение К.Г.Юнга удивительным образом совпадает с воззрениями некоторых сектантов, пророчествующих об Апокалипсисе и последующем тысячелетнем правлении Богородицы. Так ли это на самом деле?

Пророчество М.Нострадамуса о третьей мировой войне, самой тяжкой из всех войн, которые только знало человечество, перекликается с идеей Апокалипсиса так же, как наступление после него тысячелетнего благоденствия, «золотого века» и воскресения мертвых. Сегодня во всем мире резко возрос интерес к женщине, к структуре женских энергий, их особенностям, к роли женщины в семье, обществе и государстве. Любая проблема никогда не возникает стихийно или случайно, а появляется именно тогда, когда назревает время для ее решения, для дальнейшего гармоничного развития общества и средств его жизнеобеспечения. Эта проблема нарастает, энергетически созревает и ставится на путь научного мышления, стимулирует интересы и обсуждения. Некоторые размышления автора на эту тему и представлены в этой книге. Сегодня, на мой взгляд, наступающая Новая Эпоха, а вероятнее всего наступившая, требует правильной оценки и ориентации в извечно дискутируемой проблеме полов, проблеме взаимоотношения мужчины и женщины. Правильность понимания роли полов, обеспечивающих про-

цесс продолжения жизни на Земле, является основополага-
ющей, все остальные сферы деятельности человека на протяжении всей истории его существования — это вспомога-
тельные сферы жизнеобеспечения. Основная цель — абсолютно прав в этом вопросе Рон Хаббард — это обеспечение
выживания, поскольку если есть человек и обеспечено его
воспроизводство, то именно вокруг него и возникают все
многочисленные институты и сферы деятельности. А для
того, чтобы в мир приходил именно человек, а не его подобие,
этот процесс должен обеспечиваться гармоничными началами мужской и женской энергии, дающими рождение третьему
гармоничному созданию. Для понимания того, что излагается
в этой книге, для поиска пути очищения и духовного совершенствования, без которых человечество не выживет в Новой
Эпохе, так как новые пространственные энергии требуют и
новых путей гармонизации, а, следовательно, и знаний, я
излагаю некоторые свои взгляды, сформировавшиеся в течение более чем тридцатилетней целительской практики в
качестве профессионального врача, а также врача альтерна-
тивной медицины. Весь накопленный опыт в целительстве и
психологии, философии публикуется с целью помочь каждому, по мере своих сил и возможностей, осмыслить и оценить
свою роль и предназначение в сложной системе человеческих взаимоотношений, исходя из их подобия и различия.
Правильно выбрать спутника по трудной, но прекрасной
дороге жизни, понять, что неудачно выбранный спутник — это
не кармическая предопределенность, а ваш свободный выбор, за который вы несете ответственность, так как либо вы
успешно осуществляете свое предназначение в этой жизни и
обретаете счастье и радость, либо дрязгами и склоками
тормозите свое развитие и своего избранника. Необходимо
себе уяснить и понять, что по мере смены эпох человек
проходит один знак зодиака за другим, переходя из одного
опыта к другому, меняя свои половые полярные принадлежности, следовательно, Великий Творец Вселенной тем самым
уже учредил равенство полов в многоцелевой программе
сохранения и продолжения жизни, а для этих целей одинаково нужна как женская, так и мужская энергия с ее огромным
разнообразием и нюансами вибраций. Этим чередованием

полоролевых функций каждой душой сексопатологическая наука могла бы разрешить некоторые необъяснимые феномены девиантного полового поведения. В каждом знаке человек получает свой опыт, и от него зависит, как он выполнит свой урок: расширит ли свой горизонт видения и «слышания» или будет предпочитать слепоту и глухоту; как он будет интерпретировать свою личность; почувствует ли определяющий путь его Души или замурует ее в темницу невежества; найдет ли свою половину и создаст свою дуальную сущность, внеся этим свой вклад в продление жизни, и оставит после себя достойное потомство. Когда человек определяет свой Путь, ведущий его к очередной ступени эволюции, он находится под постоянным контролем своего Учителя, Ангела Хранителя души и проходит точно двенадцать воплощений в каждом из двенадцати знаков Зодиака. Он взрослеет в борьбе за свою духовную жизнь, свою духовность, проходя через все двенадцать созвездий, семь лучевых влияний, семь энергетических центров, связанных с железами внутренней секреции, изменяющих окраску его личности и определяющих его жизнь и судьбу, подвергаясь самым разнообразным влияниям сил и энергий до тех пор, пока он не завершит свой земной опыт, не расширит рамки своего сознания, не одухотворит материю, не научится резонировать со всеми спектрами вибраций Солнечной системы. Только тогда он войдет в Царство Божье и избежит земных перерождений. Для выполнения и завершения всей этой программы эволюции, которую он начинает, рождаясь впервые в знаке Рака, символизирующего «Врата в жизнь тех, кто должен познать смерть», и закончит знаком Козерога, символизирующим «Врата в жизнь тех, кто не познает смерти», он должен пережить три важных жизненных кризиса: становления личности, Души и Духа, взойти на три креста: кардинальный, фиксированный и мутабельный. Только от него зависит его «участь» — от того, какой он изберет путь, и будет ли прилежным учеником в школе жизни. От его мыслей, слов и дел зависит его карма, суровый, но справедливый Закон Космоса, который, в отличие от земного человеческого правосудия, обойти или изменить нельзя. Карма это не наказание, это одновременно и воздаяние, ибо посеявший пшеницу соберет именно пшеницу, хлеб насущный, а не сорняки, а посеявший сорняк не вырастит пшеницу. В этом отношении на Небесах строгий учет и порядок, и незнание законов, так же как и в земном правосудии, не освобождает от наказания. А поэтому его могут поощрить за праведность и прилежность, а могут и сурово покарать, отправив в «исправительно-трудовые лагеря», либо в путешествие из одной больницы в другую, пока он не поймет, что только от него зависит его жизнь и судьба. Каждый из нас может убедиться в этом, проанализировав собственную жизнь, свой выбор, и, что очень важно знать, чем больше мы отдаем, тем больше мы получаем.

В этой книге, в известных пределах, будет приоткрыта тайна женских энергий, а также специфика женской кармы. Книга дает рекомендации по многим аспектам, важным для женщин в меняющемся мире. Мы не используем уже известные подробные и стандартные рекомендации, они заменены целительными практиками, которые каждая женщина должна знать, которым легко можно обучиться, чтобы оказать помощь себе, своему ребенку и своим близким, а также обучить им своих детей. Даны рекомендации для правильного выбора своего Пути и партнера, который должен быть верным спутником на этом Пути. Книга содержит много ссылок на систему эзотерических знаний и учений, так как автор глубоко убеждена, что уже сейчас официальная наука без этих знаний будет только накапливать сведения, констатировать факты, блуждать в мире теорий и гипотез, не находя им четкого объяснения и применения. До тех пор, пока лучшие умы науки в своей большой и благородной деятельности не поймут, что только волею Великого Творца Вселенной создан этот прекрасный и целесообразный, поражающий нас своей мудростью мир, а будут опираться на процессы, имеющие в своей основе лишь мир грубой физической материи, отрицая наличие другого, тоже материального мира, но в значительно более тонкой дифференцированной материи (квантов, кварков и более мелких частиц), человечество не сможет продвигаться дальше.

Заканчивается Эон Рыб, давший миру христианство, человечество переходит к новому Эону, находящемуся под знаком

Водолея. Великие Посвященные говорили о формировании шестой расы человечества, у которой будут раскрыты центры, способствующие развитию духовности и интуитивного мышления, присущие женскому началу. Вот почему особая роль в Новой Эпохе принадлежит женщине — Знак Воздуха Водолей льет воду познания. Сосуд и Вода — это Знаки Мудрости, достигнутой путем жизненных испытаний. Одновременно Водолей — это и Знак суда, о котором пророчествовали мудрецы древности. Символ Водолея — сосуд, который держит человек, принадлежит Миносу, изливающему «воду смерти» на одних и «воду жизни» на других. И для того, чтобы «вода жизни», чисто женская стихия Инь, питала, одухотворяла и несла жизнь, общество должно предоставить женщине возможность реализовать весь спектр ее энергий, направить все ее усилия, ее творческий потенциал на участие в формировании Новой расы. И если мой скромный труд послужит этой цели, я благодарю за это Великого Творца.

Аминь!

Автор выражает глубокую благодарность своему мужу — директору ЦНМ "Сантана" Г. М. Гоникману — за поддержку и выпуск этой книги.

ЧАСТЬ I

ФИЛОСОФСКИЕ АСПЕКТЫ ДУАЛЬНОСТИ – ОСНОВА МИРОЗДАНИЯ

ГЛАВА 1

ОСОБЕННОСТИ УХОДЯЩЕЙ ЭПОХИ РЫБ И НОВОЙ ЭПОХИ ВОДОЛЕЯ

*"Люди ученые, учите других, люди талант-
ливые, воспитывайте, возвышайте брать-
ев ваших! Вы не ведаете, какое дело вы
тем совершаете: дело Христа, дело, которое вам назначает Бог. Для чего же еще
Бог вам дал ум и знание, как не для того,
чтобы вы поделились ими с братьями своими, дабы помочь продвижению их по пути
счастья и вечного блаженства".*

Св. Людовик, Бл. Августин.

*"Если мы пожелаем однажды достичь ве-
ликих целей, тот час же не только все
добродетели, но и Боги придут к нам на
помощь".*

Ф. Бэкон.

Великое собрание планет, их торжественный парад,
время этот парад обусловливающее, всегда означают
наступление Нового Эона, Новой Эпохи. Вечность не
является бесконечным временем. Это определенный, ог-
раниченный, но огромный Цикл времени, называемый
Эоном. Мистики рассматривают его в аспекте целостности каждого цикла, а в философии гностиков Эон представляет собой не только цикл времени, но и Космическое
целое, Божественное сознание — сочетание времени с
формированием Души. Формирование новых энергий,
которые создают определенный фон, влияющий на весь
процесс жизнедеятельности Вселенной, изменяющий все
условия существования мира, притягивает планеты для
упорядочения энергетических узоров и возвещения о приходе Новой Эпохи.

Предсказанный заблаговременно величественный парад планет произошел в 1982 году и ознаменовал собой
наступление Новой Эпохи, которая сменила Эпоху Рыб и
принесла миру новые энергии, новые задачи и огромные
возможности.

Парад планет — это апогей нашей истории и эволюции,
он принес оживляющий ветер перемен. В мир приходит
новое сознание. Человечество получает новый шанс для

эволюции и развития. От того, как оно использует этот шанс, зависит его выживание и будущее. На мой взгляд, сейчас необходимы знания, так как значительное количество бед человечество перенесло только из-за своего невежества, своей амбициозности.

Какие же признаки, связанные с движением наших иерархических светил, отмеряют периоды времени, которые определенным образом влияют на жизнедеятельность всего сущего на нашей планете?

Движение Земли вокруг своей оси осуществляет смену дня и ночи, движение вокруг Солнца приносит смену времен года: весну — период пробуждения и надежд, лето — период зрелости и расцвета, осень — период накопления опыта и начала заката и зиму с ее холодом, увяданием и смертью. А затем весь цикл повторяется, соблюдаются эти периоды как в жизни растений, животных, так и человека.

Движение Земли в паре с царственным Солнцем, в объятиях его ласковых лучей, за определенное время — означает смену эпох. 25000 лет составляют один оборот Солнца вокруг Галактики. Если 25000 лет разделить на 12 зодиакальных созвездий, получается 2100 лет. Именно каждые 2100 лет происходит изменение энергетики вокруг Земли, меняется характер и окраска вибраций, наступает Новая Эпоха. Прецессия (медленное смещение земной оси) переходит сейчас в созвездие Водолея. Мы уже говорили, что в каждом знаке прецессия пребывает 2100 лет, в каждом градусе знака — 72 года (это один космический день). Последняя трагедия русского народа длилась один космический день — это трудно себе представить, но этот день заставит еще многих и многих в течение ряда жизней произвести полный расчет за свои преступления. В 2003 году прецессия вступит в 30-й "королевский" градус Водолея — это ознаменуется кардинальными переменами на Земле.

Смена энергетических узоров, господствующих лучей, всего ансамбля космических факторов не может не оказывать соответствующего влияния на Землю и ее обитателей, на мир живой и условно "неживой" природы.

Каждый астрологический знак характеризуется одной из четырех стихий. В своем путешествии по Зодиаку Солнце последовательно гостит в созвездиях Овна, Тельца, Близнецов, Рака и т.д. В это же время точка весеннего равноденствия движется в обратном направлении. Уходящая эпоха была Эпохой Рыб. Рыба является символом христианства. Божественный учитель Иисус Христос и его великое учение появились в Эпоху Рыб, и характерно, что ученики Христа были рыбаками. Рыбы в Евангелии занимают выдающееся место. Когда спаситель позвал своих учеников Андрея и Петра, он сказал им: "Идите со Мною, и Я сделаю вас ловцами человеков", — указывая на тождественность людей и рыб.

Стихия Рыб — вода, именно крещение водой знаменует приобщение к христианству, следование его идеалам. Вода связана с миром эмоций, соответствует нашему эмоциональному (астральному) телу, поэтому-то и храм христианства основан на внутреннем фундаменте чувств. С этим связана и внешняя красота православных храмов. В христианстве понимание Духа осуществляется через мир чувств, именно Вода, Рыбы и Эмоции составляют три элемента христианства. Под влиянием созвездий Рыб и Девы христианская религия стремилась развить в душах людей чистоту, непорочность и любовь, открывая им тем самым врата в Царствие Божье. Надо полагать, что именно эти идеалы Великого Мирового Учителя более всего импонируют человеческому сердцу, этим и объясняется широкая распространенность его учения в мире. Золотая формула Любви и ее связь со всепрощением провозглашена Сыном Божьим через его изречение: "Отче, прости им, ибо не знают, что творят". И сегодня только через любовь, через это ведущее чувство можно попасть в самый лучший из миров — в обитель Нашего Отца Небесного.

Земля постепенно, торжественно и плавно входит в новый астрологический знак, призывая к перестройке мышления, духовности и к пониманию Бога. Моисей и царь Давид представляли иудаизм в эпоху Овна (Агнца), и все великие религиозные лидеры были пастухами, пастырями. Великие Аватары, светоносные Души обычно рождаются на смене двух Эпох и частично бывают привязаны к символам Эпохи — и потому Христа называли также Великим пастырем, Агнцем Божьим.

На самом же деле существует тесная связь между Иисусом и греческим словом Jchthus (рыба), начальные буквы которого образуют предложение: "Jesous Christos Theon Hyios Soter" (Иисус Христос, сын Бога, Спаситель).

Переход от одной эпохи к другой не осуществляется внезапно, рывком — в таком случае все живое, не успев приспособиться к новым измененным условиям, неминуемо погибло бы. Этот переход происходит постепенно и длится приблизительно около ста лет. Но даже при таком, казалось бы, ритмичном и плавном переходе Землю сотрясают всевозможные катаклизмы, как природные, так и социальные.

Прежде чем приступить к изложению особенностей Новой Эпохи, нужно уточнить отличительные особенности уходящей Эпохи Рыб. При этом необходимо знать, что любой переход из одного состояния в другое, от одного года к другому, от одной эпохи к другой не имеет четких границ, а несет в себе накопленные особенности, которые подчас являются фундаментом для новых построений и преобразований. Поэтому мы не прощаемся с Рыбами, этим удивительным знаком, — они переходят вместе с нами в Новую Эпоху. Причем стихия Рыб — Вода — приобретает новые качества и свойства, становясь ведущей стихией набирающего силу женского энергетического потока мира.

О любом переходном состоянии или процессе сказано в натурфилософии Древнего Китая при освещении принципов Инь и Ян: "В каждом Инь имеется Ян, и в каждом Ян — элемент Инь". И, если мы говорим о преобладающем влиянии какого-либо знака или о ведущей стихии, это вовсе не значит, что другие стихии не проявляют своих свойств и влияний. Просто в любом ансамбле есть ведущий солист, однако без остальных участников труппы он не в состоянии обеспечить постановку спектакля. В народе образно говорят, что "один в поле не воин". А поэтому любое явление и механизмы его формирования необходимо рассматривать в этом аспекте.

Перечислим кратко особенности уходящей эпохи, ее недостатки и достижения. Это необходимо для устранения всего того, что мешало и мешает человеку в достижении его эволюционных программ, и одновременно осветит те моменты, которые позволят ему выжить, сгармонизироваться с ритмами новых энергий и выполнить свою, Богом намеченную, миссию. И если человечество этого не сделает, а будет продолжать притягивать энергии низких вибраций (алчность, зависть, ненависть, пагубные пристрастия и т.д.), оно погибнет само и погубит планету. Программа уничтожения включена, пытливые наблюдатели уже видят и правильно оценивают ситуацию настоящего — взрывы, междоусобные и межнациональные войны, СПИД, СХУ (синдром хронической усталости), алкоголизм, наркомания, страх, аварии, терроризм, сексуальные преступления и многое другое. В ближайшие годы Земля начнет очищаться от этой накипи.

Все серьезные просчеты человечества, на мой взгляд, связаны с недостатком знаний о роли человека, о его месте на планете, о его ответственности за собственные поступки и судьбу, с одной стороны, и, с другой, с несогласованностью информации и знаний, с разночтениями в важнейших ключевых вопросах мировоззрения, что создает в сознании людей путаницу и неверие.

В уходящей эпохе еще не было осознано до конца, что во Вселенной нет ничего случайного, равно как нет ничего случайного в нашей жизни, что на заре Космического проявления Великим Творцом Вселенной был разработан план эволюционного развития. Для человека планеты Земля он заключается в последовательном развитии сознания, от животного в начале человеческого пути до Божественного Христосознания при его завершении. Эта программа эволюции человека в Эпоху Рыб не была выполнена отчасти из-за искаженной информации, носящей грубо материалистический характер. Лимитирование жизненного цикла одним земным воплощением создало почву для стремления человека ко всем низменным желаниям, согласно принципу "живем один раз", так что "после меня хоть потоп" и т.д. Все это породило зло и затормозило развитие сознания.

Эпоха Рыб продвинула вперед развитие разума, сотворившего чудеса техники, но затормозила сознание и оставила нераскрытыми сокровища Духа, которые сосредоточены в Сердце. Не был проложен тот мост, который делает человека гармоничным, — мост от Разума к Сердцу.

Сегодня уже можно констатировать, что грандиозные достижения науки и техники Эпохи Рыб не сделали человечество более счастливым, более здоровым, не избавили от преступлений; напротив, используя некоторые достижения науки, люди приспособили их для братоубийства, для массового уничтожения друг друга. Значительные технические достижения практически заменили усовершенствование собственной человеческой природы, знание человеком своего назначения, понимания того важнейшего факта, что Сердце — не только насос для питания организма кровью, но и Величайшая Чаша Духа, любви, сострадания, милосердия, доброты.

Позором уходящей эпохи были и останутся религиозные войны, распри, разногласия в толковании законов Бога и великого учения Христа, порождающие неверие и безбожье. Увлечение наукой создало крен и породило односторонний, чисто материалистический подход к ключевым вопросам мироздания, что обеспечило, например, кризис официального здравоохранения, положившего в основу лечебной деятельности физическое тело человека без учета биохимических аспектов Духа, управляющего этим телом.

Истина учения о материальности мира заключается в том, что Великим Творцом созданы материи разной степени тонкости, и по мере расширения сознания человек сможет изучать и постигать все уровни материи и связанные с ней энергии, продвигаясь к познанию и использованию высшей Материи — Материи Духа. Вместо этого человек ограничился миром грубой материи видимого мира, под вывеской научного мировоззрения поставив под сомнение, а порой и совершенно отвергая энергию и материю мира невидимого, тонкого. Люди эпохи Рыб подменили Бытие бытом и склонились к убеждению, что материальные блага могут принести счастье, любовь, уважение. Этого не случилось — напротив, растет волна самоубийств, разочарований, депрессии. Что же касается самоубийц, то нужно сказать, что эти люди не понимают последствий своего решения прервать земной цикл существования вопреки сроку, данному Владыками Кармы. Они не осведомлены о том, что уготавливают себе в мире ином, совершив такой роковой поступок. Земные утехи, погоня за наслаждениями, удовлетворение желаний любыми способами, пребывание в плену у этих желаний затмили жизненные стремления к Высшим идеалам, к совершенствованию Души, к познанию себя самого как частицы Бога.

Амбициозность и гордость за достижения научно-технической революции и успехи цивилизации, пренебрежение к собственному эволюционному совершенствованию позволили забыть об участи других, не менее развитых цивилизаций, погибших по той же причине. Пример тому — гибель великой цивилизации атлантов. Я не преследую цель принизить роль науки, напротив, мое уважение к ней безгранично, но я глубоко убеждена, что без интеграции знаний об истинном строении Вселенной, о материи Мира проявленного и невидимого, без глубокой веры в Творца и его Божественные замыслы наука будущего обречена, так как из одного угла, обращенного вниз, нельзя создать Божественный треугольник.

Нельзя отрицать все то, что сегодня еще недоступно для физического зрения. Третий Духовный глаз, который называется также глазом Быка, а в Новом Завете упоминается как "единственный глаз", открытие которого замещает два глаза в обзоре мира, ибо темнота здесь уступает место свету, концентрирует внимание человека на Духовных достижениях. Вспомним слова Божественного учителя: "Если око твое будет чисто, то все тело твое будет светло".

Проявляя свою полную некомпетентность и безграмотность, некоторые "столпы" официальной науки полностью отрицали то, что было недоступно их пониманию. Мало того, пользуясь своей "инквизиторской" властью, запрещали неординарные идеи, а зачастую и уничтожали талантливых и широко мыслящих своих собратьев.

В связи с этим следует сказать, что люди, которые выбирают для себя определенные сферы деятельности (занятия наукой, религией, философией, общественными дисциплинами) и при этом отрицают взгляды других, не совпадающие с их точкой зрения, являются серьезным препятствием для процессов эволюции. Нетерпимость к чужим взглядам есть зло с соответствующими кармическими последствиями. Все сферы человеческой деятельности практически превратились в зоны, отравленные враждой, ненавистью, завистью и злостью, преступлениями на почве этих негативных эмоций. Экологическая катастрофа, постигшая Землю, возникла и сформировалась из экологической катастрофы Духа, Души и тела. А человечество по-прежнему обращает внимание только на все увеличивающиеся страдания и болезни физического тела. В силу духовного недоразвития большинство людей не в состоянии сгармонизироваться со спектром новых энергий, и этот дисбаланс проявляется на лицах, информируя о тех или иных нарушениях Духа и внутренних органов, причем, в первую очередь страдают почки — "хранители чистой энергии", "корни жизни". Главные симптомы при этом — страх, астения и слабость, частые простудные заболевания, быстрая утомляемость. Отравленное сознание не может оказать действенной помощи. В своих несчастьях люди продолжают обвинять кого угодно, только не себя. Это весьма знаменательно, т.к. уходящая эпоха освободила человека от ответственности за свои мысли, дела и поступки, предоставив ему свободный выбор, но не разъяснив возможности этого выбора и роста долговых счетов. С запретом закона перевоплощения и Кармы была снята ответственность с человека за его мысли и действия, а взамен был предложен поиск "врагов и виновных". И до сих пор вместо визуализации образов святых Душ, Вознесенных мастеров, создаются "образы надуманных врагов" с единственной целью — снять с себя ответственность за недостойные деяния и обвинить в этом других. Сила злобных, похотливых, недоброжелательных, уродливых мыслей отравила, подобно смогу, окружающую среду. Эта смрадная завеса препятствует поступлению на Землю питательных токов высоких энергий и открывает доступ низменным энергиям низшего астрала. Отсюда Земля стала пополняться кадрами алкоголиков, наркоманов, сексуальных извращенцев, образующих последовательно соединенные энерговампирические цепи.

При низком развитии духовных энергий на Земле они не могут быть воспринимаемы из Космоса, т.к. не работает принцип подобия — грубоматериальные вибрации не в состоянии воспринимать тонкодуховные. Возник изолят, где при невозможности сгармонизировать энергетический баланс, существует реальная опасность серьезных катаклизмов. Аналогичная ситуация возникла в Атлантиде перед ее катастрофой. Великие Аватары предупреждали руководство и население об имеющейся угрозе, но те оставались глухи. Только мудрейшие из мудрых заблаговременно покинули страну, унеся бесценные сокровища знаний, среди которых и знания об уникальных свойствах кристаллов.

Высокая Цивилизация Атлантиды, возможно, в чем-то даже была и более развитой, нежели наша, но аналогично нашей она нарушила энергетическое равновесие и вызвала тягчайшую катастрофу. Сегодня на стыке новой и уходящей эпох мы можем с глубокой горечью и болью констатировать, что человечеством наработана огромная негативная Карма, которую надо оплачивать, т.к. сроки оплаты векселей неумолимо приближаются.

Учителя человечества неустанно предупреждают нас об этом, но мы стараемся не замечать предупреждений, зато чутко прислушиваемся к зову пороков и с огромным удовольствием предаемся этим порокам. Человечество уходящей эпохи было убеждено в безнаказанности своих действий, а порой и не видело разницы между злом и добром, находя самые разнообразные оправдания своей пагубной деятельности, создавая даже наукообразные объясняющие теории. Но нельзя безнаказанно убивать миллионы людей, разжигать межнациональные распри, религиозные войны, устраивать провокации, террор, строить газовые камеры и гулаги. Личная карма отягощается коллективной и планетарной. Ведь в черный космический день огромная масса людей энергетически поддерживала "отца народов" своей любовью и воплями "за Сталина". Поистине, народ был наказан лишением рассудка, и многие из этих умалишенных еще живы по сей день и продолжают будоражить незрелые умы. Монстры заполняют низшие слои астрала неотработанной кармой, отравляя атмосферу вокруг Земли. Все это самым печальным образом отражается на состоянии планеты.

Предвестниками катастрофы, которых человечество предпочитает не замечать, являются землетрясения (вспомните Армению и Грузию), аварии на АЭС, ураганы, наводнения, взрывы, резкие смены холода и жары, внезапные гололеды, с жертвами которых не справляется травматологическая служба, засухи, засилье насекомых, эпидемии всевозможных болезней, рост онкологических заболеваний — все это грозные симптомы манифестации зла и других пороков, разрушающих саму Землю и ее ауру.

Сегодня силы Света, Вознесенные Сыны Божьи делают все от них зависящее, чтобы оказать помощь больной планете и ее населению. Каждый из нас должен прислушаться к внутреннему голосу и ответить на вопрос, в каком мире он желает жить и какое будущее он готовит своим детям и внукам. Необходима неустанная и настойчивая просветительская деятельность по разъяснению людям законов строения и жизни Земли и Космоса, работы и взаимодействия энергий, энергетических аспектов взаимоотношений и их последствий, которые осуществляются на основе "Закона сохранения энергии".

Великий Творец Вселенной еще дает человечеству шанс вступить в новую светлую Эпоху Счастья, эпоху "золотого века", Эпоху обмена Вселенскими энергиями творческого начала для ускорения процессов эволюции, ведущих к Высшим формам сознания. Мы уже говорили об отсутствии жестких границ между эпохами, а это значит, что мы прощаемся с темными сторонами Эпохи Рыб, но не прощаемся с теми основами Света, которые заложены в уходящей эпохе.

Алиса Бейли пишет: "Три смерти, настигающие человека как индивидуума и как человеческую семью в целом, отпускают Душу в три великих планетарных центра". Мы прокомментируем в этом аспекте знак Рыб. "Смерть от воды, когда тонешь(знак Рыб), освобождает Душу для того великого Центра, который мы называем человечеством, — и так приобретается опыт. Здесь лежит Мистерия Рыб — богинь этого Знака, которые снова и снова мечут икру".

Со знаком Водолея человечество на данном этапе своего развития связывает свои лучшие чаяния и надежды. Солнце медленно и величаво входит в этот знак, влияние Новой Эпохи усиливается и растет, набирая силы, трансформируя во главе с трехлепестковым пламенем, жизнь планеты.

Мы надеемся, что с уходящими веком и эпохой канут в небытие ужасы темной Эпохи — Кали-Юги — с ее кошмаром религиозной нетерпимости, инквизицией, ужасами застенков тоталитаризма, выступавшего под маской коммунизма, концлагерями фашизма, потрясшими весь мир невиданными никогда ужасами дымящихся труб фабрик смерти, с двумя тяжелейшими мировыми войнами(но нас еще ждут катаклизмы).

Мир вступает в Эпоху Водолея с его всепроникающей и всеобъединяющей стихией Воздуха, которая будет иметь большие последствия для очень многих пытливых умов.

Достаточно присмотреться, какие удивительные дети рождаются после 1982 г., Новая Эпоха даст мощный импульс служению человечеству, вызовет небывалую активность и стремление к совершенствованию Духа, этого истинного сына Божьего, вызовет гуманизацию всех слоев общества. Человек в Эпоху Водолея от служения себе поднимется до уровня служения миру. В воздухе Водолея растворяется понятие о грубой материальности мира, создавая удивительный синтез Духа и материи, не снижая значения последней.

Знак Водолея — двойственный знак, сочетающий Инь-Ян аспекты, две вибрации. Символ Новой Эры — человек, льющий на Землю струи живой и мертвой воды. Это оживление всей Природы, ее садов и парков. Возрожденная Природа станет той силой, которая будет в состоянии связать людей с энергиями Бога. Кроме того, в метафизической интерпретации Водолей — это Знание Неба, проливающееся на планету, Знание, которое будет усваиваться через интуитивный разум, интуитивный интеллект. В этом аспекте будут представлены все области, связанные с высоким менталитетом, в том числе и религии. Ритуалы Новой Религии будут связаны с Огнем, с Духовным фиолетовым пламенем Великих Вознесенных мастеров — Иисуса Христа и Сен-Жермена. Церковь будущего — преображенное христианство, основы и фундамент которого объединят интеллект и науку.

Развитие получит именно творческая часть сознания, духовная алхимия Души, тончайшие биохимические процессы гормонального порядка, осуществляющие контроль и регуляцию духовных процессов над всей материальной частью. Высокоразвитому Духу будет соответствовать аналогично развитый физический вектор — и этот могучий сплав обеспечит человеку Новой Эпохи неслыханные возможности.

Любой астрологический знак, а мы будем говорить об этом подробно, в одной из главных своих ипостасей определяет и контролирует, каким образом человечество понимает Бога. В наступающую эпоху светящаяся точка нашей Души будет обращена к Великой Сияющей Душе Господа. Наступит не просто единство как механическое или насильственное объединение людей в коллективы и т.д., а именно осознанное единство, в основе которого лежит понимание общего жизненного пространства, общих целей созидания и совершенствования Духа, а главное — понимание единого Отца Небесного для всех детей Земли.

Эра Водолея открывает дорогу знаниям, а это значит — конец темноте и невежеству. В разные периоды истории человечества люди получали дозированные знания, соответственно уровню своего восприятия, уровню менталитета. Эти "дозы" не зависели от желания Великих учителей. Человек, погрузившийся в материю, не мог в полном объеме воспринимать данные духовные знания, напротив, он зачастую использовал их во вред, а не во благо. Уровень ментальности не позволял ему воспринимать Высокодуховные материи. Это глубоко понимал Иисус Христос, предупреждавший: "Не мечите бисер перед свиньями..." Именно этим обстоятельством объясняется гибель большинства пророков и Великих Посвященных от рук людей с темным сознанием.

Эпоха Водолея своими энергиями производит переориентацию духовных и материальных ценностей с акцентом на Духовный компонент. Человечество получит от Великих Сияющих Душ сокровенные знания, которые ими будут поняты и реализованы. Созидательная Сила Кундалини сможет объединить в человеке физические и духовные субстанции, обеспечив ему гармонию, но через ментальные усилия.

Вознесенный Мастер Сен-Жермен в своих посланиях-призывах говорит: "...Я рекомендую, чтобы ищущий принес любую жертву, необходимую для того, чтобы выискать золотые возможности, которые светятся сквозь мглу времени и пространства в виде духовной реальности — надежды каждого человека на Земле!"

Инь-Янские аспекты головных центров объединят и сфокусируют все светочувственные и интеллектуальные выражения — и человек станет совершенным существом, сияющим Белым Лотосом, с раскрытым коронным центром, принимающим потоки космической энергии. Эти изменения коснутся всех сфер человеческого существования: системы взглядов, духовно-душевных категорий, физического здоровья. Необходимо учесть, что весь этот ансамбль тесно связан энергетически, а следовательно, элементы его не могут существовать один без другого. Без духовного совершенствования бессмысленно говорить о достижении физического здоровья. В свою очередь, вся господствующая система взглядов — религиозных, философских, социально-общественных — является определенной питательной средой для развития духовности. Достаточно привести такой пример: Новая Эпоха в энергетическом аспекте представляет собой синтез 1-го и 7-го лучей повышенного уровня радиации(этим сегодня можно объяснить высокую эффективность лечебных свойств минералов, о чем мы будем говорить в отдельной главе). Уровень повышенной радиоактивности в значительной степени влияет на содержание фосфора в нервной клетке, вызывая его распад и связанный с этим круг серьезных патологических синдромов, трудно диагностируемых физических и ментальных заболеваний. Уже сегодня мы наблюдаем множество тяжелых физических и ментальных патологий, связанных с поражением гипоталамуса и других эндокринных желез.

Дело в том, что каждая нервная клетка содержит три элемента: нервную ткань, называемую белой тканью, нервные узлы, состоящие из серой ткани, и протоплазму. В протоплазме нервной клетки содержится необходимый для ее жизнедеятельности фосфор, который будет, помимо этого, играть в будущем ведущую роль в функциях симпатической нервной системы.

Духовное, или Божественное Солнце, в отличие от его физического двойника (аналогично тому, как мы различаем сердце духовное и сердце физическое, имеющие разные точки приложения), несет нам гамму своих излучений, которые притягиваются и утилизируются фосфором

24

клетки. В состав этих космических излучений входит повышенная атомная радиация, увеличение которой может быть весьма опасным, если она не будет нейтрализована фосфором.

Эти выводы сделаны также на основании наблюдений за большим количеством пациентов с разным уровнем ментальных процессов и зависящих от них сроков выздоровления, связанных с изменениями этих процессов, пониманием больными той информации, которую они получают вместе с соответствующим методом лечения. Подтверждением этому является и состояние детей, зависящее от уровня менталитета родителей: если мать и отец понимают свои ошибки, связанные с мышлением, и способны убрать негативные блоки мыслей из своего сознания, перестроить их на тонковибрационный уровень, то дети, которые проходят лечение, быстро идут на поправку. Эта корреляция между матерью, отцом и детьми — энергетический баланс или дисбаланс — является ведущей причиной, обусловливающей либо болезнь, либо здоровье.

Сегодня стало невозможным исцелять физическое тело при низком Духе, поэтому врачи Центра "Сантана" сопровождают лечебные сеансы лекциями по этим проблемам.

Отмеченные факты доказывает и наука. Только переключение системы мышления на более высокий уровень позволит произвести перестройку биохимического обеспечения и баланса организма, поможет выжить и адаптироваться в Новой Эпохе.

Мне бы очень хотелось довести это до сведения людей. Ибо это единственный шанс, и упускать его человечество планеты не имеет права.

К сожалению, не каждый в состоянии немедленно достичь уровня великого Учителя, но даже стремление, сделанное в этом направлении, будет оценено Творцом и принесет свои результаты. А для этого нервная клетка и вся нервная система должны быть готовы к увеличению концентрации фосфора в протоплазме своих клеток. Такое увеличение фосфора возможно только в том случае, если будут преобладать процессы духовного мышления с его тончайшими биохимическими субстратами. Это необходимо понять. Низковибрационное мышление, направленное только на бытовой план, сопровождается соответствующей грубоматериальной структурой биохимических реакций.

В этом аспекте объясняется и так называемый фактор "цефализации" — у лиц, занимающихся умственной, духовной практикой, до глубокой старости сохраняется высокий интеллект, что соответствует наблюдениям — "умнейший живет дольше".

Людям следует как можно быстрее осознать всю необходимость и важность духовного роста в Новой Эпохе, в противном случае их ждут тяжелые заболевания в связи с невозможностью нервной ткани нейтрализовать повышенную радиацию энергий Водолея. Лица с низковибрационным мышлением не смогут сгармонизироваться с полем вибраций Водолея и неминуемо погибнут. Искреннее же раскаяние и желание измениться меняют весь спектр жизненных процессов организма, биохимию крови — и это тот шанс, который доступен каждому, тот единственный в мире беспроигрышный лотерейный билет, выигрыш которого — Царствие Божье.

Еще раз считаю необходимым пояснить сказанное: представьте себе энергетическую систему, работающую в режиме большого напряжения, и подключенные к ней приборы с низким напряжением (наши организмы). Что будет происходить в этом случае?

В Эпоху Водолея тонкий мир приближается к нам настолько, что все "тайное станет явным", и человеку откроется другая реальность. Исчезнут понятия сверхъестественных феноменов, мистики — люди поймут, что это лишь разные аспекты материи. Станут понятными и доступными явления телепатии, ясновидения, психометрии и др.

В своих вдохновенных посланиях Марку и Элизабет Профет Вознесенный мастер Сен-Жермен указывает на те грандиозные изменения, которые будут иметь место в науке и технике Новой Эпохи. Без выключателя, посредством мозговой воли, можно будет переключать механические аппараты; новые модели пишущих машинок будут способны печатать с голоса, перенося произносимые предложения непосредственно на клавишную систему и т.д.

Очень важно отметить предсказание Сен-Жермена о фантастических возможностях фотографии в Новой Эпохе в связи с нашими философскими фотоэтюдами, которые обладают интересным спектром излучений, представляющих ансамбль взаимного действия минерала и человека, влияющих на психофизическое состояние изображенного на них человека, его судьбу, а также оказывающих позитивное энергетическое воздействие на зрителя. Сен-Жермен говорит: "Другим усовершенствованием Новой Эры будет фотоаппарат, настолько чувствительный, что его применение сделает возможным фотографирование человеческой ауры. Это позволит врачам найти основные причины физических заболеваний, а также разрешить психиатрические проблемы, связанные с эмоциями и с зафиксированными в подсознании данными прошлого опыта, даже предыдущих жизней, не известных самим пациентам. Волновые узоры, вызванные преступными тенденциями и самими преступлениями, зарегистрированными в эфирном теле, тоже будут "сфотографированы" или записаны чувствительными аппаратами в графической форме, подобно процессу, который сегодня используется для записи мозговых волн и импульсов нервной системы". Весьма любопытное зрелище будут представлять наши фотокомпозиции, снятые новым фотоаппаратом. Надо полагать, взору предстанет картина удивительного энергообмена между человеком и камнем, процесс восстановления нарушенных структур тканей целебным излучением минерала, а, может быть, и нечто иное.

"Наука достигнет небывалого расцвета во всех сферах: в химии, физике, аэронавигации, при изучении погоды и нанесении ее на карту. Огромные достижения произойдут в разведении растений: будет раскрыт величайший секрет, заключенный в сердцевине пустынного кактуса, — и засушливые области мира станут цветущими и плодоносящими" (Сен-Жермен. "Алхимия Души").

Вряд ли сегодня на планете найдется хоть один человек, отрицающий воздействие излучений Космоса на жизнь Земли. Энергии, которые человек и Природа получают из Космоса, безграничны и неисчерпаемы. Вся наша жизнь подчиняется космическим срокам и циклам, основывается на их ритмах, несущих благоденствие и процветание, но очень часто тяжелые катаклизмы, вспышки эпидемий и другие бедствия обрушиваются на Землю. Отец русской гелиобиологии А.Л.Чижевский создал стройную систему взаимоотношений между "Земным эхом Солнечных бурь". Талантливый ученый уловил четкую связь между процессами в Космосе и событиями на Земле, но он не связывал эти совпадения со сроками зрелой Кармы того или иного народа, страны или всей планеты.

Правителем новой Эпохи Водолея является тайная оккультная планета Уран. Воля и влияние Урана могут помочь человечеству ускорить процессы эволюции и расплаты с кармическими долгами. Он несет благоприятные изменения и предоставляет человеческой душе возможности для наиболее полного ее выражения и свободы. Именно воздействие Урана будет особенно ярко и сильно проявляться в Новой Эпохе. Значительное воздействие окажут лучи Юпитера, которые будут содействовать усилению влияния Урана.

Уран проводит на нашу планету влияние седьмого фиолетового луча, определяющего главные принципы Духа и Материи, двух противоположных начал, и способствует их слиянию в единое функциональное целое. Он формирует внутреннюю активность и готовность к эволюционному развитию. Юпитер, со своей стороны, создает внутренние импульсы к слиянию, которые также нельзя остановить.

В настоящее время мы ощущаем постоянно усиливающееся влияние Урана. Это связано с тем, что с 1988 г. он вошел в Козерог, что и вызвало в людях стремление к внутренней свободе, духовному росту, переоценке ценностей, обновлению. С 1 апреля 1995 г. планета Уран входит в собственный дом, в созвездие Водолея, а Водолей — это Россия, и мы с тревогой и надеждой ждем перемен и духовного возрождения тяжело больной страны, но верим, что выздоровление и расцвет не за горами.

Великую надежду и веру вселяют строки Сен-Жермена из его послания человечеству: "В планах Бога есть замысел, который далеко превосходит понимание человеческого разума и историческую память на Земле. Чудеса, которые придут, будут скоро умалены еще большими чудесами, и поэтому все живущее должно пребывать в состоянии постоянного ожидания. Радость ума Бога — щедро раздавать свои дары и благословения. Но превыше всего — позвольте мне теперь посоветовать вам, ученикам Света, и всему человечеству — обретите сначала от Бога-Отца мудрость жить мирно, обращаться мягко и вежливо друг с другом, содействовать образованию человечества по всему миру и особенно — предотвратить посредством искренних усилий возрастание числа тех бедствующих индивидуумов, которые склонны совершать преступления против общества".

Этим мудрым аккордом послания Вознесенного мастера Сен-Жермена мы закончим обозрение уходящей и Новой эпох. Хочется только с оптимизмом и надеждой добавить, что основная масса Посвященных достигнет высшей точки опыта в Водолее и будет изливать "воду жизни" человечеству в виде двух исходящих потоков энергии, сливающихся в "реку жизни".

ГЛАВА 2

БИОХИМИЯ ДУХА

Сегодня, когда мы все чаще и чаще, отзываясь на зов Новой Эпохи, говорим о духовном возрождении, о стремлении к духовности, о возможностях исцеления благодаря выбору Духовного Пути, в своих книгах и лекциях призываем к отказу от негативных эмоций как возможности избавления от болезней физического тела, мы весьма часто уподобляемся «гласу вопиющего в пустыне». А обстановка бездуховности усложняется и тянет общество в пропасть. Нарастает разгул преступности, наркомании, «локтевых ребят» (прокладывающих себе дорогу локтями, отодвигая других, более достойных) и многих других гнойников и язв общества.

Современному человеку, привыкшему верить в научно обоснованные явления и факты, трудно понять, что же такое духовность, которую нельзя измерить приборами. Хотя такое измерение вполне возможно, но не самой субстанции духовности, а ее следствия — показателей восстановленных органов, полученных после изменения образа мышления с переориентацией его. Поэтому мы вводим понятие тонковибрационное (высоковибрационное) и грубовибрационное (низковибрационное) мышление.

Не будем останавливаться еще раз на особенностях энергий Водолея, мы достаточно полно освещали этот вопрос в обзорной главе, имеет смысл лишь добавить, что в Новую Эпоху исчезнут понятия оккультизм, эзотерика, их заменят разделы науки, которые, на наш взгляд, должны носить название «Наука тонкоматериальных частиц». Весь центр тяжести переместится в верхние чакры, и произойдет объединение Ян и Инь на уровне гипофиза и шишковидной железы, позволяющее получить прямой выход на информационные каналы Вселенной и соединение с Абсолютом.

У человечества нет выбора: оставаясь на прежнем уровне своего мышления, люди бросают вызов Космосу, так как управители Водолея — эзотерические планеты Уран и Нептун, действуют на жизнь Души значительно больше, чем на жизнь личности. До сих пор их влияние было открыто только опытным эзотеристам, сегодня человек испытывает на себе их высокие влияния, и поэтому будут открываться все более тонкие силы, влияющие на Дух, Душу и тело.

В чем же особенности двух типов мышления, приводящих в одном случае к богоподобию, в другом — к страданиям и болезням? Попытаемся дать научную интерпретацию этих процессов. Нормальная жизнедеятельность организма имеет место только при кислотно-щелочном равновесии (КЩР). Однако в большинстве случаев оно бывает нарушено вследствие сильной реакционной способности кислот и щелочей. При некомпенсированном отклонении КЩР в сторону кислотности (ацидоз) или щелочности (алкалоз) в организме происходит разрушение, распад клеток и тканей. В норме КЩР составляет pH - 7,3-7,4 (слабая степень щелочности). Отклонение от КЩР на 0,35 в ту или иную сторону ведет организм к гибели. Выравнивание КЩР производится: 1) буферной системой крови, 2) физиологическими механизмами (желудок, печень, почки, легкие и кожа), 3) эпифизом (шишковидной железой), синтезирующим гормон мелатонин (это помимо других, эзотерических функций эпифиза, который в 5000-10000 раз эффективнее, чем гормоны адреналин и норадреналин). Однако мелатонин вырабатывается лишь при физиологически нормальном состоянии психики — без отрицательных эмоций. Кроме того, эпифиз при посредстве гипоталамуса регулирует жизнедеятельность клеток гормональной и вегетативной нервной системы.

В официальной медицине такое взаимодействие носит название психосоматического, имеющего в виду совместное действие психики и клеток сомы. Если регуляторная возможность или объем буферной системы крови и физиологических механизмов превышены — а это часто бывает при всплесках отрицательных эмоций — отклонение КЩР в организме становится некомпенсированным. КЩР в организме чаще всего отклоняется в сторону увеличения кислотности, что создает благоприятную почву для возникновения целого ряда серьезных заболеваний, включая онкологические.

Основными причинами изменения КЩР в сторону закисления, согласно В.В.Караеву, являются:

1. Патологическое питание, нарушающее баланс Инь-Ян.

2. Накопление в организме патологических кислот, главным образом образующихся в процессе брожения (дрожжевом, молочнокислом и др.) и усваиваемых клетками организма.

3. Отрицательные эмоции (низковибрационное мышление).

4. Усиленная умственная деятельность (без ее духовной окраски).

5. Радиация.

6. Неблагоприятные погодные факторы.

7. Шум.

8. Цветовое несоответствие психологическому и физиологическому состоянию организма (например, страдающий гипертонией находится в постоянном нервном возбуждении от воздействия красного цвета, который ему противопоказан).

Из всех перечисленных факторов, изменяющих КЩР крови, негативные низковибрационные эмоции играют решающую роль, так как именно они прежде всего нарушают состояние КЩР. Тонковибрационные процессы духовного мышления, нормализуя уровень кислотно-щелочного равновесия, только своими силами в состоянии обеспечить устранение вышеперечисленных факторов.

Кровь — это жизнь, и всякое изменение ее состава в ту или иную сторону либо вызывает заболевание, либо способствует выздоровлению. Все теплокровные животные с красной кровью, как и человек, более позднего происхождения. Животные с холодной кровью имеют более давнее прошлое.

Кама — это сущность крови: когда кама покидает кровь,

она свертывается, вне тела она лишена жизни, а значит лишена Духа. Аналогичная картина происходит с нашим телом, лишенным сознания — оно выглядит мертвым, так как жизненный пранический принцип универсален.

В законах Торы Моисей, разрешая есть мясо, предостерегал свой народ: «Только не ешьте кровь, так как в крови Дух Его». В этом аспекте учение великого пророка показывает абсурдность по обвинению евреев в использовании христианской крови в пасхальной маце.

Помимо целого блока функций крови, известных официальной медицине и физиологии, объединенных всеобъемлющим названием «река жизни», кровь имеет и другое, чисто эзотерическое значение, которое вместе с уже известными, обеспечивающими нашу физическую жизнедеятельность функциями, делает кровь основным проводником Духа.

Считаем необходимым для понимания перехода на иной, тонковибрационный уровень мышления, нормализующий состав и состояние крови, осветить ее эзотерические аспекты. На их примере представляется возможным показать важность интеграции чисто научных взглядов со знанием древних Посвященных и убедить читателя в правильности этих знаний.

В период Земли, предшествующий разделению полов, а именно при отделении Марса в начале Лемурианской эпохи (Марс двигался по орбите, отличной от его нынешней, а его аура, которая пронизывает центральную часть планеты и выступает за пределы ее плотной части) произвела процесс поляризации железа в ее составе. До процесса поляризации железа все живые существа, населяющие планету, были холоднокровными, температура их жидкой части тела была одинаковой с температурой окружающей среды. Без железа невозможно индивидуальное существование, основой его является красная кровь, обеспечивающая организму тепло, а без тепла Эго ("Я") могло бы удержаться в теле. В конце Лемурианской эпохи, когда благодаря железу произошло развитие красной крови, тело человека приняло вертикальное положение. Эго стало обитать в теле и контролировать его.

Согласно эзотерической концепции в младенчестве и вплоть до 14 лет красный костный мозг не продуцирует всех клеток крови. Большинство из них образуется в зобной (вилочковой) железе — тимусе, расположенном в центральной части грудной клетки (за грудиной) и имеющем тесную связь с сердечной чакрой Анахатой. Это обстоятельство еще раз подчеркивает физиологическую и эзотерическую связь сердца, крови и сосудов.

Тимус является самой крупной железой внутренней секреции в зародышевом периоде развития человека, но постепенно уменьшается по мере того, как у ребенка развивается способность к индивидуальному кровообращению со стороны других органов, образующих кровь.

Лейкоциты, или белые элементы крови, обладают фагоцитарной активностью и представляют бастионы нашего иммунитета, уничтожая проникающие в организм чужеродные агенты. Они имеют астральное происхождение из "Чхайи" (зародышевой основы), находящейся в селезенке. Красные клетки крови обладают значительным электрическим потенциалом, обусловливающим их связь со всеми органами и клетками. Следовательно, кровь обладает высокими потенциями Духа и способностью к одухотворению всех структур организма.

Зобная железа является как бы хранилищем или кладовой, в которой содержится тот запас кровяных клеток, полученных от родителей, который обеспечивает ребенка кровью до формирования у него своего полноценного кроветворения. Весь этот период, в течение которого ребенок использует для своей жизнедеятельности запас родительских кровяных клеток, он не ощущает и не осознает своей индивидуальности, своего Эго. Именно тогда, когда его собственное кроветворение начинает полностью функционировать к 14 годам, а тимус значительно уменьшается в размере, чувство «Я» достигает своего полнейшего выражения.

В период от 7 до 14 лет происходит подготовка и частичное половое созревание, связанное с поступлением в кровь гормонов, вырабатываемых эндокринными железами. К этому времени завершается окончательное формирование и освобождение астрального тела из его зародыша «Чхайя».

В следующие семь лет вся сила секса собирается в крови, и одновременно с этим развивается функция терморегуляции, зависящая от деятельности гипоталамуса. Терморегуляторная функция гипоталамуса обеспечивает нормальные показатели температуры тела. Немотивированное повышение температуры тела в раннем детстве связано с незрелостью этих процессов, поэтому не «паникуйте», если у вашего ребенка вдруг поднялась температура, — это может быть связано с любыми эмоциональными факторами или перегревом.

Весьма часто страсть или ярость у лиц с холерическим темпераментом производит перегрев крови, о таком человеке говорят, что он «потерял голову». Опасность подобных состояний заключается в том, что астральное тело покидает физическое и какая-нибудь развоплощенная сущность, воспользовавшись отсутствием хозяина, может воплотиться вместо него. Это состояние называется «одержимостью». Поэтому никогда не позволяйте себе яростных вспышек, безобразных приступов гнева, ни при каких обстоятельствах не теряйте контроль над собой и своими эмоциями. Перегрев крови препятствует нормальному мышлению, делает человека вялым и сонным. При резком повышении температуры тела, сопровождающемся потерей сознания, тоже происходит уход астрального тела. Аналогичное явление наблюдается при чрезмерном охлаждении — в этом случае также имеет место сонливость с переходом в бессознательное состояние.Только определенная температура крови в состоянии обеспечить нормальное сознание и жизнедеятельность организма.

Температура тела, символизирующая стихию Огня, необходима для самовыражения личности. Процесс терморегуляции стабилизируется приблизительно в возрасте двадцати одного года. Эта дата совпадает с созреванием и становлением разума человека из Вселенского конкретного разума.

Таким образом, кровь в нашем организме служит той средой, благодаря которой осуществляется деятельность Духа. Подтверждением этого факта является четкая связь, которая прослеживается между кровью и состоянием человека. Любое малейшее изменение в организме влияет на состав крови. Более убедительным является факт самостоятельного существования крови в теле человека, когда в нем пребывает Дух, с уходом Духа кровь прекращает свои функции. Согласно древним эзотерическим знаниям, Душа, в силу своих тонковибрационных структур, не может взаимодействовать с более грубыми материальными формами нашего тела, такое взаимодействие возможно только при посредстве крови.

Изменение состава крови под воздействием самых разных причин приводит к изменению спектра ее излучений. Разнообразие темпераментов, психологических типов связано с индивидуализированной гаммой излучений крови. Но главное, что необходимо иметь в виду, что при изменении мышления Дух сам может изменять состав крови, равно как и наши действия, влияя на кровь, ведут к заболеваниям Духа. Абд-Ру-шин в своей книге «В свете истины» пишет: «Сразу же назову вам основное предназначение человеческой крови — ей надлежит служить мостом для Духа, дабы Он мог действовать на земле, то есть в грубой вещественности. ... Дух (душа) образует человеческую кровь, дабы иметь возможность правильно организовать свою деятельность, исходя из человека». Видимые нашему глазу в микроскопе эритроциты, лейкоциты, тромбоциты, а также сыворотка содержат помимо того богатства, которое содержит природа, определяемые химическим путем, обладают той невидимой нашему глазу, но ощущаемой миром тонких тел всей информацией и памятью о нашем прошлом, настоящем и будущем. Душа только посредством крови может одушевлять мир физической материи нашего тела, но при этом состав крови данного человека как видимый посредством обычного зрения под микроскопом, так и та часть, которая на данном этапе обычными органами чувств не фиксируется, преимущественно именно вторая часть, должны очень точно соответствовать свойствам и особенностям, накопленному опыту, степени эволюции данной конкретной души. Следовательно, для успешной "работы" крови необходим ее резонанс с тканями.

Отсюда могут возникнуть неограниченные возможности для коррекции через воздействие на кровь любого заболевания как телесного, так и душевного. Я, как врач, большую часть своей жизни посвятившая проблемам исследования крови, тончайшей диагностике, вижу эти громадные перспективы. Любой качественный и количественный сдвиг, изменение химизма, а, следовательно, и полевой структуры крови могут вызвать необходимые целительные изменения в органах и поведении.

Изменение состава крови рождает любовь, ясность взора, подъем духовный и телесный, бурю страстей или темную заводь. Кровь создает оптимальные условия для существования нашего организма рядом своих функций, одной из главных является снабжение теплом всего организма.

Гипоталамус, в котором находится центр терморегуляции, через световой эфир регулирует температуру крови. Само же тепло генерирует сердце, а именно первоэлемент Огонь. В результате снижения уровня тепла наступают серьезные нарушения в функционировании всех систем организма.

О том, что кровь людей делится на 4 группы, стало известно в начале нашего века. В 1900 году Ландштайнер выделил 4 группы крови и сделал этим величайшее открытие, положившее основу для дальнейшего изучения белково-нуклеинового спектра крови.

Знаменитый натуропат Джеймс Адамо, наблюдая за течением ряда заболеваний на фоне назначения тех или иных диетических ансамблей, пришел к выводу, что лечебное действие диеты коррелируется с группой крови больного. Назначение индивидуальных диет, в зависимости от группы крови, позволило добиться резкого улучшения состояния больного с последующим быстрым выздоровлением. По мнению Д.Адамо, группы крови удивительным образом совпадают с тремя энергетическими уровнями активности жизненных процессов в организме.

К 0 (I) группе крови Д.Адамо отнес людей с хорошо развитой мышечной системой и большой физической активностью, сильных, выносливых. Для поддержания своей формы, а также оптимизации кровообращения им нужна постоянная физическая нагрузка, иначе у них возникают проблемы с кровотоком. Люди с 0 (I) группой крови более склонны к освоению уже созданного, они менее творческие, чем люди с группой А (II). Они импульсивны и очень деятельны в физическом плане. Согласно нашим характеристикам, в аспекте восточной концепции, это Ян — типы энергии, а вернее максимально Ян.

Человек с кровью типа В (III) имеет энергетическое тело по своим характеристикам, обладающее свойствами между типом 0 (I) и А (II). По своей конституции он физически сильнее типа А, но слабее типа 0 (I). Практически тип В представляет собой гармоническое сочетание физических и умственных качеств — среднеэнергетическое, где может преобладать зависимость от разного состояния здоровья. Для поддержания своей энергетики тип В не нуждается в таких интенсивных физических нагрузках как люди типа 0 (I).

Люди с кровью типа А и АВ — хрупкие, слабы физически, с тенденцией к зашлакованности, слабому пищеварению.

Представители типа А (II) — обладают высокой эмоциональностью и таким же интеллектом, они легко решают сложные проблемы, легко возбудимы, умны, но физически мало активны. Для поддержания сил необходима «подкачка» энергии, но не за счет пищи, так как органы пищеварения и выделения ферментов ослаблены, а за счет физической активности, успокаивающей нервную систему и одновременно укрепляющей физический план. Это теннис, Хатха-Йога, Ушу, Тай-цзы, комфортные ванны и душ. В людях, имеющих группу А (II), мы без труда узнаем Инь — типы энергии.

Типы группы АВ (IV) похожи на А (II), но более активны физически. Так же, как и А (II), жизнедеятельность этих людей основана на нервной кинетической энергии, эмоциональных подъемах и спадах. Для нормальной жизнедеятельности им необходимы физические упражнения, как и для группы А (II) (Йога, Ушу, Тай-цзы).

Медицине будущего откроются широкие горизонты, благодаря которым станет очевидным, как много в жизни человека зависит от состава его крови.

Необходимо коснуться и такого важного обстоятельства, как переливание крови, спасшее миллионы жизней. Однако, если при переливании крови будет подобрана кровь разная не только по антигенным, но и по «духовным» свойствам, это может самым серьезным образом повлиять на возможности реализации Душой задач данного воплощения. В Новой Эпохе врачи будут подбирать донорскую кровь с учетом индивидуальных духовных особенностей данного реципиента. Отсюда возникает смелая мысль, что «родственные души» имеют сходный состав крови.

Итак, Дух формирует кровь и ее состав, определяет состояние наших органов и тканей. И весь этот процесс контролируется полярностью нашего мышления, его позитивной или негативной окраской.

На уровне современных знаний — физика Ньютона, галактический размах современной астрономии, мистические свойства субатомных частиц, работы выдающихся астрофизиков — все открытия традиционной науки могут быть интерпретированы как проявления Духа.

Говоря сегодня о спасении посредством устремления к духовности, мы имеем в виду ту невидимую, но реальную и динамичную сущность, которая воспринимается не только пятью органами чувств, но и на уровне тонковибрационных энергий. И именно эта энергия является основой жизни в любой ее форме. Дух проявляется как жизнь посредством формы.

В подтверждение тезиса о биохимии Духа рассмотрим уровень связи болезней Духа и Души с поражением органов физического тела

1. Духовная болезнь, проявляющаяся в том, что человек не может себе отказать ни в чем. Для удовлетворения своих желаний он готов на все. Это проявляется вседозволенностью, махровым эгоизмом, самолюбованием, самодовольством, ощущением своей исключительности. Нарушение энергетических вибраций на этом уровне, негативным образом влияющее на Высшую чакру, ведет к изменениям биохимизма крови, проявляющихся в нарушении мозгового кровообращения, внутричерепного давления, диэнцифальной патологии с широким спектром ее проявлений, сдавливающим характером головных болей.

2. Нестабильность психики, неадекватность поведения, нежелание решать свои проблемы, духовная глухота и слепота, ведущие к развитию страха, сомнений, опасений, неверия, изменяют биохимию крови.

Изменение состава крови при вышеописанных духовно-психических состояниях приводит к дисгармонии желез внутренней секреции (гипофиза, эпифиза продолговатого мозга), что сопровождается тяжелейшей патологией всей эндокринной системы. Нарушается координация движений в связи с заинтересованностью в этих процессах мозжечка. Поражение идет на уровне шестой чакры Аджны.

3. Склонность ко лжи, коварству, измене, предательству, крайняя подозрительность, граничащая с чувством маниакальности, ощущение, что все вокруг лжецы, что никому нельзя верить, что все пытаются обмануть, провести, приводят к нарушению нормальных взаимоотношений

с окружением. Такое состояние Духа вызывает заболевания системы легких и дыхательных путей, включая глотку, гортань, нос, уши и щитовидную железу. Уровень поражения локализован в пятой чакре Вишудхе.

4. Равнодушие, конформизм, безразличие, опустошенность, отсутствие сострадания и милосердия, бессердечность, безжалостность, жестокость, осуждение других, склонность к половой распущенности, к извращениям, отсутствие гармонии во всех сферах жизни влекут за собой весь букет сердечной патологии, заболевания кровеносной и лимфатической систем, нарушение кровообращения всех степеней. Как известно, подобные физические заболевания практически не поддаются ортодоксальной терапии. Только переключение качества мышления, ведущее к изменению эманаций крови, обращение к Высшим силам, к Богу радикально меняют ситуацию.

Подобные поражения Духа с сопутствующими страданиями физического тела происходят в связи с блокированием четвертой чакры Анахаты.

5. Склонность и стремление к скандалам, к выяснению отношений, злобность, немотивированная тенденция к разрушению, садизм, несобранность, хаотичность, раздражительность и гневливость приводят к поражению желудочно-кишечного тракта, печени, язве двенадцатиперстной кишки, поджелудочной железы, желчного пузыря, всех суставов и нижних конечностей. Поражение происходит на уровне третьей чакры Манипуры.

6. Тщеславие, авторитарность, желание унизить другого, диктаторство, властолюбие, чрезмерная гордыня, сексуальная озабоченность и самоутверждение в этой сфере, ненасытность в еде, обжорство способствуют на уровне второй чакры Свадхистаны заболеваниям мочеполовой сферы, почек, надпочечников, селезенки.

7. Крайняя скупость, жадность, алчность, стяжательство, чрезмерная привязанность к материальным ценнос-

ям, а также инстинкт захвата и удержания этих ценностей, атологическая страсть к накоплению, страх за накоплен- ые ценности, зависть обусловливают болезни сосудов, остей (позвоночника), зубов, прямой кишки (спазмы, еморрой, парапроктиты), заболевания мочеполовой сис- емы и органов малого таза, бесплодие. Поражение про- сходит на уровне первой чакры Муладхары и связано с нергетическим поражением, изменяющим биохимию рови.

Можно с уверенностью утверждать, что человеческое ело является лишь инструментом для проявления более онкой и динамичной сущности — внутреннего Духа.

Понимание волнового и электромагнитного феномена ает новое представление о состоянии энергии, связан- ое со степенью ее вибраций. Жизнь это воплощение нергий высокой частоты, проявленной посредством нергий низковибрационных, иными словами, Дух прояв- яется через материальную форму.

Исцеление духовных болезней и тесно связанных с ими болезней физического тела возможно только путем овышения частоты вибраций энергий Духа с их тран- формацией в чувство всеобъемлющей любви к Богу, друг другу, ко всему человечеству, к природе, к Земле!

То состояние, которое мы называем «Нирваной», обус- овлено высокой, тонкочастотной энергетической вибра- ией нашего сознания, ощущаемое как блаженство. При стремлении человека к духовности его мышление, меняя биохимию крови, вырабатывает энергию особого качест- а, которую мы называем любовью, обладающей огром- ой исцеляющей силой.

ГЛАВА 3

ОСНОВЫ ОККУЛЬТНОЙ АНАТОМИИ: СЕМЬ СВЯЩЕННЫХ НЕРВНЫХ ЦЕНТРОВ – ЧАКР, ИХ РОЛЬ В ФОРМИРОВАНИИ ЛИЧНОСТИ

Для дальнейшего изложения необходимо осветить энергетическое обеспечение организма человека, так как человек является выражением энергий.

В эфирном теле человека имеются семь основных нервно-силовых центров, которые в индийских учениях называются чакрами. Энергии, проходящие через эти центры, побуждают физическое тело человека к активности и деятельности. Для удобства эти семь центров разделены на две группы: три центра ниже диафрагмы, четыре — выше.

Центры ниже диафрагмы:

1. Центр у основания позвоночника — Муладхара.

2. Сакральный священный плексус (область крестца) — Свадхистана.

3. Пупочный центр и центр солнечного сплетения — Манипура.

Центры выше диафрагмы:

4. Сердечный плексус — Анахата.

5. Горловой центр — Вишудха.

6. Центр между бровей — Аджна.

7. Головной высший центр — Сахасрара.

С этими главными центрами и их энергиями связаны ведущие эндокринные железы нашего организма. Две головные чакры, связанные с разумом и сознанием, контролируют гипофиз, имеющий отрицательную полярность, и шишковидную железу с положительным зарядом. Эти две железы символизируют высшие проявления мужского и женского начал — принцип Инь-Ян. Сегодня мы еще очень редко встречаем координированное соединение физического, эмоционального и ментального аспектов, чаще всего это брак физических тел, иногда это брак эмоциональных личностей, значительно реже ментальное единство — варианты здесь могут быть различны.

С приходом века Водолея ориентации энергий изменяются, сейчас большинство людей использует энергии центров, расположенных ниже диафрагмы, более обращенных к миру грубой материи, в Новую Эпоху преобра-

зованные, очищенные и одухотворенные энергии подни-
мутся, и человечество будет использовать энергию центров, расположенных выше диафрагмы. И мы станем сви-
детелями интегрированной деятельности энергий любящего сердца, божественно творящих уст горлового центра, высочайшего Духа и Божественной воли — головы. В
этом плане физический пол является связью между высшими и низшими аспектами — их гармонией и проявлением, выражающемся в создании прекрасных форм.

В Индусской психологии по типу умственной деятельности люди делятся на 5 различных категорий.

Ктипта—это человек, постоянно пребывающий в активном состоянии мышления, само слово «ктипта» означает
«разбросанное состояние». Ум такого человека атакует
первое же направление, которое ему представляется, он
плохо управляем и еще менее контролируем. Это очень
беспокойные, тревожно-мнительные личности. Каждая
остановка в их деятельности вызывает тревогу и страх, они
воспринимают ее как конец, вечный сон, смерть. Это чисто
Янские типы, с повышенной функцией щитовидной
железы, нуждающиеся в коррекции чакры Вишудхи, т.к. им
грозит энергетическое истощение.

Мухда — люди с инертным, бездеятельным умом, ни-
зкоэнергетические, ленивые, толстые, приземленные; не
управляемые и не контролируемые своим умом, они производят впечатление «глупых, сбитых с толку»; любят
сладости, покой, уединение. Это крайнее выражение Инь,
здесь нужна коррекция чакры Муладхары, расположенной
у основания позвоночника.

Там, где существует истинный союз высших и низших
энергий, возможно воплощение красоты в форме, обогащение мира, гармоничное творческое начало. В Новую
Эпоху человечество станет более творческим, т.к. энергии
получают новые импульсы и заряды. Пол на физическом
плане является олицетворением связи между высшими
центрами и низшими. В этом аспекте рассмотрим головные центры: согласно восточным эзотерическим учениям,

один центр Аджна, как мы уже говорили, находится между бровей и является местом соединения пяти типов энергий, органически с ним связанных, это энергии трех центров ниже диафрагмы, а также горлового и сердечного. Сахасрара (Высший головной центр, или «Дыра Брамы») является местом встречи Души с личностью, символом Духа. Он имеет положительную полярность или мужское начало, Центр Аджна имеет отрицательную полярность и символизирует великое женское, материнское начало.

Викшипта — люди, у которых активная умственная деятельность может сменяться полной бездеятельностью, а точнее, идет процесс чередования активности с пассивностью. Китайская натурфилософия называет такие промежуточные, объединяющие формы — Дэн. Для физического и психического здоровья это оптимально, если только состояние пассивности не сопровождается депрессией и не имеет затяжного течения. В этом случае необходим контроль за состоянием внутренних органов — печени и селезенки, поджелудочной железы.

Экагра — способ мыслительной деятельности, обладающий способностью к концентрации. В Индии это имеет образное выражение «заостренное», «заключенное, концентрированное в одной области». Это дисциплинированный ум, при котором легко достигается состояние медитации, с гармонично развитым центром Аджна. Такая концентрация дает выход идеям, помогает самоуглублению, самореализации.

Нирудха — высокоразвитый ум, легко подчиняющийся Высшим началам. Подверженный контролю, подчиняющийся волевым актам, способствующим правильному сосредоточению. Такой ум пересекает границу обычного состояния и функции и достигает Божественного сверхсознания.

Последние два состояния ума характеризуют путь к духовному совершенствованию и росту, когда сознанию открываются истинная природа Духа и полная власть над умом.

При таком состоянии ума можно постичь истинную природу вещей. Исчезает депрессия, тягостное состояние ума и души, мы обретаем контроль над своими эмоциями и тем самым можем самостоятельно исцелять свои недуги, устранять стресс и его тяжкие последствия.

Мы даем вам эти сведения для работы над состоянием своего ума, что поможет вам улучшить себя и свою внешность, оптимально выбрать себе партнера для совместной жизни, уметь отличить половую страсть от истинной любви, которая освещает Светом всю жизнь, энергетически подпитывая и облагораживая весь ваш Путь, возвышая огни вашего сердца, рождающие безграничную и Высшую Любовь!

Наше сердце управляет психикой и всей эмоциональной деятельностью. Энергия организма обеспечивает нормальное кровообращение, а контроль над правильностью циркуляции этой энергии осуществляет сердце, вот почему так важно, по образному выражению китайцев, «держать сердце в груди». Чрезмерная радость блокирует энергию сердца, вызывает нарушение кровотока. Каждая эмоция имеет свою окраску и связана с определенным внутренним органом, но сердце — универсально, оно пропускает через себя все 7 эмоций, принимает на себя всю боль и радость. Находясь в гармонии с мозгом, оно способно защитить внутренние органы, погасив неблагоприятную эмоцию, не дав ей развиться и повредить орган. Если Огонь сердца находится в гармонии с мозгом, организму обеспечивается равновесие и стабильность. Берегите ваши сердца, открывайте их только для любви и милосердия, не повреждайте их злобой, гневом, негодованием, недоверием, завистью, гордыней. Именно гордыней, ибо гордость и гордыня — это различные категории. Гордость — это достойное качество человеческой личности, созданной по образу и подобию Божьему, чувство собственного достоинства и гордость за свое подобие Божье, за то, что именно Господь сделал нас похожими на себя.

Источником подлинной мудрости является наше сердце. В индийской философии сердечный центр Анахата нерасторжимо связан со звуком, ибо Анахата есть также имя внутреннего звучания. Сердце Вселенной это все индивидуальные сердца, которые бьются в одном великом ритме, в одном едином Сердце и, в свою очередь, каждое индивидуальное сердце, если оно в ритме со Вселенной, подпитывается и разжигает свои Огни, получает кислород и Божественный нектар от Сердца Вселенной, от Божественного Сердца. Зажигайте свои сердца, освещайте свой путь и светите братьям!

Остановимся более подробно на характеристике семи священных центров-чакр, так как их активность в Новой Эпохе произведет значительную коррекцию психофизиологических функций человека. Эта переориентация будет зависеть от преобладания одних центров над другими в связи с новой палитрой энергетических красок Водолея.

Разные уровни энергетических потоков воспринимаются разными чакрами. Чакры связаны с планетами и стихиями. Семь основных священных плексусов соответствуют семи планетам (всего чакр 49, они располагаются в каждом суставе, очень важные в области плеч и других местах организма). Они оказывают влияние на все происходящие биохимические процессы..

Чакры в нашем организме — это особые информационно-энергетические центры, работающие на определенном резонансно-частотном уровне. Каждая чакра имеет определенное количество лепестков.

Чакры располагаются в эфирном теле вдоль позвоночного столба, их проекция на физическое тело совпадает с важнейшими нервными сплетениями, главными органами и эндокринными железами.

Жизненный энергетический поток движется из космоса сверху через темя вниз; навстречу ему поднимается жизненная сила из земли через копчик вверх. Это движение по чакрам является основой нашей жизни, нарушение маршрута энергий ведет к блокам и закупоркам, вызывающим болезни соответствующих органов как физические, так и духовные.

Необходимо знать, что каждая чакра излучает и принимает всю палитру спектра цветов, отсюда возникли разночтения по цветам Лотосов, общее же число оттенков цветовой гаммы соответствует числу дней лунного месяца. Кроме того, чистота цветов зависит от духовного, нравственного и физического "сияния" личности (совокупность цветов по срезам тел формирует ауру человека), но доминирующим все же будет цвет луча личности, связанного с энергией определенной чакры. Это является важным диагностическим моментом в определении "истинного" возраста личности и уровня ее эволюции, а также ее кармических долгов. В этом аспекте необходимо в 28-й лунный день, символизирующий Карму и ее связь с чакрами, произвести переоценку ценностей, обратить внимание на сны. Это день обретения духовного сознания, благоприятный для работы со всеми чакрами, т.к. в этот день происходит их спонтанное раскрытие.

В этот день необходимо резонировать с *аметистом* (душой камней), *хризопразом*, *нефритом*, *жадеитом*, *хризобериллом*, *аквамарином*.

Для гармонизации и лечения камни и кристаллы носят в украшениях или кладут на чакры, точки нервных плексусов, проверив предварительно зарядку и уровень энергии. Подключение производят в день и час работы планеты.

30-й лунный день связан с запасом кармических сил на Земле. Это первоначальная энергия, лимитированная на данное воплощение. В этот день подводятся итоги, производится раздача всех долгов, выход на Высшую космическую любовь, слияние с абсолютом, обращение к Владыкам кармы. Нужно открыть сердце, дарить любовь, прощать обиды, проявлять милосердие, контролировать весь спектр своих эмоций во избежание негативных.

В это день для гармонизации необходим *розовый кварц, аметист, зеленый авантюрин*.

1. МУЛАДХАРА, ИЛИ ЧАКРА ЖИЗНИ И СМЕРТИ, ЦЕНТР ВЫЖИВАНИЯ

Расположение: уровень крестцового сплетения, осуществляет контроль над 4-мя парами крестцовых нервов, позвоночником на уровне копчика, крестцовым плексусом.

Стихия — Земля, вкус — сладкий, органы чувств — обоняние. Ответственна за процессы размножения, толстый кишечник (прямая кишка, анус).

Цвета — красный, черный. Чувство — терпение. Число лепестков — четыре. Орган действия в ассоциации — стопа. Звук октавы — до. Мантра Лам. Запах — роза. Связь с эндокринными железами — надпочечники, частично почки. Планета, управляющая чакрой, — Сатурн, день — суббота. В этот день можно только завершать дела, закончить начатое, в основном, полный отдых. Зодиакальные знаки — Козерог, Водолей.

Муладхара изображается в виде светло-желтого круга, в центре которого располагается ярко-желтый, излучающий свет квадрат. Внутри квадрата огненно-красный, излучающий свет треугольник. Внутри треугольника находится продолговатое, цилиндрическое тело цвета морской волны, верхний край его закруглен. На цилиндре накручена белая спираль, символизирующая скрытую резервную энергию Кундалини. По кругу расположены четыре темно-красных лепестка.

При работе с этой чакрой необходимо постепенно добиваться визуализации ее изображения. Сосредоточение на ней способствует усилению жизненной энергии, стимуляции иммунитета, что ведет к устойчивости против болезней, дает бодрость, силу, выносливость, решительность. Помогает изжить жадность, расчетливость, склонность к стяжательству, гневливость, повышенную чувствительность, сексуальную расторможенность, злобность. Способствует обретению чувства безопасности, избавлению от страха.

Воздействием желтого цвета на Муладхару лечат заболевания печени, крови, нарушения мочеполовой сферы, воспалительные процессы с лихорадкой, заболевания кожи (нарывы, лишаи), останавливают кровотечения, лечат зубы.

Уровень копчика и крестца может быть использован для купирования сексуальных извращений (гомосексуализма и лесбианства).

Для гармонизации с планетой-покровительницей и остальными чакрами в целях целительства используются цвет и энергия минералов и металлов.

1. *Гранат красный* стимулирует кровообращение и кровоснабжение, лечит хронические легочные заболевания.

2. *Обсидиан черный, серебристый* — камни эпохи Водолея — выравнивают циркуляцию энергии по меридианам, дают гармонию, здоровье. Черный обсидиан — это силы Земли и Огня, его аура содержит зеленые, голубые и золотые цвета.

3. *Родонит* стимулирует иммунитет, позволяет каждому выявить скрытые, потенциальные возможности и таланты, дает прорыв к творчеству.

4. *Черный оникс* обеспечивает энергоподпитку Кундалини.

5. *Черный турмалин* дает энергию половым органам, создает защитное поле против физических и психических нападений. Применяется при заболеваниях нервной системы, снижает уровень невротических реакций, устраняет злость, ревность, гнев, обиду.

6. *Дымчатый кварц* — очень сильный генератор энергии. Обеспечивает подпитку Кундалини, способствует очищению и детоксикации организма через первую чакру, а затем проведению духовных, божественных энергий из Сахасрары (7-я чакра) в Кундалини. Он укрепляет физическое тело, очищает каналы, помогает от депрессии, способствует развитию воображения и веры в свои силы.

7. *Гематит* — камень необыкновенной энергетической силы, обладает противоопухолевыми свойствами, укрепляет почки, печень, селезенку, улучшает кровообращение и очищает кровь, прекращает кровотечение, улучшает состав крови, дает силу и решительность. Кроме того, все минералы землисто-темного цвета: коричневая яшма, холцедон, магнит.

Металлы — свинец и его сплавы, золото.

Мудра: поза будды Вайрочана — сияющий.

Сидя в позе лотоса (для начинающих — сидя на стуле или лежа), руки перед грудью, большой, указательный и средний пальцы правой руки обхватывают указательный палец левой руки (для женщин наоборот).

К Муладхаре относится первая эманация ади-будды (изначального), несущего принцип очищения.

Мудра: поза будды Ваджрасатва.Правая (мужская) рука на уровне сердца, левая на бедре — такое положение рук способствует активизации меридиана сердца.

Положение пальцев рук — большой и указательный обращены друг к другу, но между ними сохраняется расстояние, в котором возникает целебное электромагнитное поле.

Медитация на Муладхару наиболее эффективна в дни и часы Сатурна, а также в период Козерога с 21 декабря до 20 января и Водолея с 20 января по 19 февраля.

Муладхаре-чакре соответствует нижний Даньтянь, "Золотая печь". Реализация многочисленных форм материальной жизни через физический вектор (Корень Дао).

Правильное функционирование этой чакры обеспечивает человеку сильную волю в осуществлении жизненных программ, высокую сопротивляемость невзгодам, жизненную устойчивость.

Эфирное тело, которое контролирует первую чакру, отдаленно напоминает бегущие полосы на телевизионном экране. Это основная энергетическая матрица, по которой строятся органы, ткани и форма физического тела. Цвет эфирного тела представляется оттенками голубовато-серой гаммы, голубоватые линии света пульсируют с частотой от 15-20 циклов в минуту в зависимости от психического и физического здоровья и от поступления энергии из энергетического поля Вселенной и Земли в чакру.

Два лепестка ярко-красного цвета, а два золотистого чередуются между собой. Золотистый цвет с красным по своей вибрационной частоте обеспечивают огромный энергетический потенциал и мощный резервный фонд первой чакры.

Муладхара имеет форму квадрата, эта форма чакры определяет ее отношение к Земле. В некоторых источниках форма 1-ой чакры изображается в форме креста и дает оранжевое свечение.

Муладхара как "копчиковый центр", связанный с Землей, ответственна за волю к жизни и содержит для реализации этой воли запас физической энергии. Многие называют первую чакру чакрой "выживания", но выживания в смысле чисто физических, грубых материальных аспектов физического тела. Во всех экстремальных ситуациях, связанных с реальной опасностью или угрозой для жизни, для реализации в проявленном мире первая чакра открывается, и вы получаете информацию, как выжить самому, либо программу спасения ваших близких, вы находите решение или вам его подсказывают, вам бросают спасательный круг через 1-ую чакру.

Л.Рон Хаббард в книге "Дианетика" называет выживание человеческого организма в сложной системе внешнего окружения "динамическим прицелом существования" и утверждает, что целью самой жизни и всего живого, движущей силой является бесконечное выживание. Человек как форма жизни подчиняется во всех своих действиях и целях одной единственной команде: "Выживай!" В идее выживания нет ничего нового. Новое заключается в том, что Рон Хаббард считает выживание единственным стремлением всего живого. Отсюда понятна огромная роль Священного плексуса в обеспечении нашей жизни — его энергетического балансного состояния и взаимодействия с Верховной чакрой для высоких целей одухотворения материи.

Всякие критические ситуации являются предупреждением, что путь ваш неправеден, что следует переосмыслить вашу жизнь, действия и поступки и, если вы ничего не измените, в следующий раз можете поплатиться жизнью или благополучием и жизнью своих детей и близких. Чакра "выживания" открывается небезгранично, это чакра не только "выживания", но и предупреждения, ее внимание частично направлено также на поддержание основ жизни.

Из Муладхары проходят энергетические токи во все остальные "лотосы", т.к. она развивается первой и дает импульс к развитию остальным. Мы уже упоминали о Кундалини, очень часто первая чакра называется также центром Кундалини. Важность этого центра обусловлена тем, что с момента пробуждения Кундалини начинается одухотворение человеческой личности, природы человека. Соединение Кундалини с Сахасрарой и выход в верхние центры Сознания знаменуют заключительный этап эволюции — одухотворение материи, Высшую Духовность, освобождение от дальнейших реинкарнаций.

Грядущая эпоха диктует новому человеку именно этот аспект — развитие Духа, расширение сознания и Духовности, это единственно возможный путь, который даст шанс на выживание и творчество. Тот, кто этого не поймет, автоматически выпадет из цепочки жизни. Энергию для раскрытия и проявления может дать не слепое манипулирование чакрами, а работа Духа, энергия Духа. Симптомами устремления по этому пути являются появление духовных запросов, безразличие к мелочам обыденной жизни, стремление к знаниям, желание поделиться этими знаниями с другими, стремление к Свету и истине. Сейчас, в переходный период смены эпох, это время резко сократилось, духовная эволюция и возрождение могут быть достигнуты в одну инкарнацию, равно как и Кармическое возмездие.

Материальные основы существования человека и его семьи не могут быть сняты с повестки дня, человек обязан обеспечить себе существование и место в жизни, достойное его божественного происхождения, но это стремление должно иметь человеческое лицо, оно должно быть этичным и корректным, не затмевать главной цели — духовного совершенствования и любви к Богу и Вселенной, к Земле и Природе. Это всегда должно быть первичным и главенствующим. Следование библейской заповеди "не делать другим того, чего не хотел бы, чтобы делали тебе" предусматривает необходимость при каждом серьезном поступке, решении или действии, связанными с другими людьми, быстро оценить ситуацию и подумать, как мы восприняли бы эти действия в отношении себя, понравятся они нам или нет? Этичность, доброжелательность, корректность, справедливость — эти нормы поведения способны дать живительный огонь нашим центрам, повысить духовность, а через нее благополучие физического тела.

Если Муладхара энергетически сбалансированна, человек обладает высокой жизненностью, сильной волей, большой физической активностью. Это позволяет огромный поток энергии направлять вверх по позвоночнику для энергизации всех остальных центров и их контроля за функциями физических органов, гармоничного развития метаболических процессов. При этом человек не только "полезен для себя", но и является жизнедателем для других.

Если же Муладхара блокирована, низкоэнергетична, человек вял, астеничен, инертен, ленив, беспомощен в решении жизненных проблем, избегает физической активности, его трудно "раскачать" для какой-то деятельности. Для него характерны избыточный вес, равнодушие к жизни, отсутствие творческих порывов и устремлений, склонность к созерцанию и пассивность. Психологически преобладание Муладхары проявляется тягой к физическим и сексуальным удовольствиям, причем достаточно неразборчивым.

Диагностика и лечение этого центра в аспекте недостатка и избытка витальности дают возможность его гармонизации. По мнению американских целителей, боли в области крестца и копчика, а также боли в сердце связаны с нарушением 1-ой и 4-ой чакр. Это может быть связано с материнским началом, с сидящими в глубине подсознания негативными эмоциями к родителям, к детям, к близким. Эти проявления могут быть кармическими, они ведут к болезням репродуктивных органов и почек. Здесь показано при правильной диагностике только духовное целительство, обращение к Светлым Божественным силам. Диагностика проводится на чистом кварце или селените. Мы проводим лечение цветом, минералами, маятником, аппликациями металлов, словом, иглоукалыванием. Метод воздействия подбирается в каждом конкретном случае. В нашей практике после такого лечения чакра становится гармоничной, а человек объективно и субъективно ощущает прилив сил, жизнедеятельности, устранение физических недомоганий, отсутствие тяги к алкоголю, к случайным половым контактам.

Необходимым условием при лечении (это касается всех центров, и первого в частности) является обращение пациента к Богу, к силам Вселенной, но не **потребительское**, а основанное на осмыслении и искреннем понимании своей вины и своего Пути, раскаянии, с обязательной благодарностью Богу за исцеление. Весьма важным для правильного функционирования 1-ой чакры является связь с Землей, ее энергия поступает через чакры стоп, поднимается вверх до чакр подколенных впадин и достигает Муладхары. При изоляции от Земли наступает резкая усталость, астенизация. Группа ученых из Чикаго обнаружила, что в самолете, автомашине, в помещениях из бетона, при любой изоляции, когда нарушен приток земной электрической энергии, человек испытывает сильный дискомфорт.

Для гармонизации Муладхары, кроме перечисленных лечебных приемов, рекомендуется выполнять мудру № 9 "Земля" и мудру № 8 "Жизни".

Муладхару изображают еще в виде слона, подчеркивая этим ее абсолютную устойчивость. В Индии в эту чакру помещали Бога мудрости Ганешу. Ганеша — сын Шивы — с головой слона, покровитель мудрости, знаний, в том числе и тайных знаний. По преданию Бог Ганэша является автором "Махабхараты" (она писалась под его диктовку). Связана со знаком Козерога, является чакрой кармической памяти, кармического опыта. Имеет отношение к традициям, к психической активности, к нашему прошлому. Когда у людей на теле появляются темные пятна (родинки), связанные с деятельностью Сатурна, это свидетельствует о нарушении работы Муладхары. При различных прохождениях планет по Зодиаку изменяется биоэнергия человеческого организма. При долговременном нахождении Сатурна на небосводе в определенное время года, а также при проявлении его силы в гороскопе данного лица, необходимо быть осторожным с Муладхарой. Она поглощает энергию этой планеты и соответствующим образом влияет на работу связанных с ней органов.

Помимо общих рекомендаций воздействия минералами на эту чакру, для ее гармонизации применяются камни 23, 27, 28 лунных дней:

в 23-й лунный день — *нефрит* (белый или черный);

в 27-й лунный день — *малахит, розовый кварц, лазурит*;

в 28-й лунный день — *хризопраз, жадеит, аметист*.

День связан с Кармой, с ее отработкой. Рекомендован голод, покаяние, обращение к Высшим силам. Рядом с Муладхарой, которая проецируется на область крестца, находится Кундалини, латентный центр Космического огня, центр освобождения. Его проекция приходится на основание копчика.

Кундалини управляется Ураном.Развитие индивидом духовных сил в эпоху Водолея даст пробуждение Кундалини и ее соединение с Высшей чакрой, обеспечит полную гармонию личности.

Камни Урана многоцветны, обладают большой энергетической силой. Встречаются мозаичные и полосатые разновидности. Весьма характерным минералом Урана является пестрая яшма из Уральских месторождений, полосатые ониксы. Воздействие минералами для гармонизации Кундалини наиболее благоприятно в 11, 22, и 26 лунные дни:

11-й лунный день — *гематит, сердолик*;

22-й лунный день — *голубой агат, содалит, или синяя яшма*;

26-й лунный день — *жадеит, голубой нефрит*.

2. СВАДХИСТАНА, ИЛИ ПОЛОВАЯ (СЕКСУАЛЬНАЯ) ЧАКРА

Расположение: уровень основания половых органов, лобок, предстательный плексус у мужчин, матка и яичники у женщин.

Проекция чакры на позвоночник анатомически — уровень 1-3 поясничных позвонков. Чакра контролирует 4 пары поясничных нервов брыжеечной системы.

Стихия — Вода, орган чувств — вкус, цвет энергии — оранжевый. Мантра Вам. Звук октавы — ре, запах — ромашка, вкус — вяжущий, терпкий. 6 вихрей. Планета — Юпитер, день — четверг, день прощения, понимания, доброты, справедливости.

Свадхистана отвечает за половые и репродуктивную функции. Чакра имеет лунную Иньскую природу и испытывает влияние Луны. На чакру замыкаются Стрелец и Рыбы со своими проблемами. Отсюда двойственное значение Свадхистаны: Огонь и Вода символизируют глубокое выражение полярности. Чакра осуществляет контроль над яичниками, предстательной железой.Гармонизация чакры устраняет из жизни индивида презрительное отношение к окружающим, немотивированную подозрительность, тенденции к разрушению, ограниченность сознания, черствость. Ведущее желание, доминирующее над остальными — сексуальность, подбор сексуального партнера.

Свадхистану называют чакрой дыхания жизни, очень важна деятельность чакры для желез внутренней секреции. Воздействуя на эту чакру оранжевым цветом, лечат заболевания половых органов, желудка, печени, болезни почек и мочевого пузыря, селезенки, отеки, диабет, онкологические заболевания, расстройство кишечника, малокровие, глаза, ментальные болезни.

Работа с чакрой дает чистоту, эмоцианальное освобождение, прорыв к творчеству, к искусству, освобождение от низменных страстей, похоти, зависти, гнева, безрассудства.

Вторая чакра связана со вторым слоем аурического поля, с его эмоциональным аспектом — с миром чувств.

Чакра изображается в виде светло-желтого круга, в который помещен блестящий серебристый полумесяц. По кругу расположены 6 красных лепестков. Серп Луны и элемент Вода символизируют чакру.

Через Свадхистану идет реализация воспроизводства рода, генетические пласты поколений.

Гармонизирующие и лечебные минералы, кристаллы и металлы. Красные и оранжевые минералы используют для стимуляции сексуальной энергии:

1. *Рубин* улучшает кровообращение, способствует расцвету творческой энергии, активизирует любую деятельность, посвященную Всевышнему.

2. *Красно-оранжевый сердолик (карнеол)* олицетворяет силу и красоту Земли, камень зачатия, витализирует половые органы, очищает кровь половых органов от энергетических блоков.При бесплодии небольшие камни карнеола укладывают вокруг пупка и в область паха. Устраняет половые проблемы мужчин и женщин. Дает глубокую привязанность к Земле.

3. *Цитрин* используют для стимуляции творческого потенциала, для устранения ранимости, эмоциональной незащищенности. Цитрин улучшает климат в семье, создает предпосылки для успешного занятия любыми делами, в том числе и бизнесом, способствует успешному образованию.

4. *Янтарь* выводит болезни из тела, очищает астрал, убирает негативную энергию, врачует психику, избавляет от депрессии и греховных мыслей об уходе из жизни.

5. *Красная яшма* дает энергию пищеварительной системе, оранжевая яшма — половым органам, облегчает зачатие и вынашивание.

6. *Гематит* после очищения тела осуществляет подъем из мира физических ощущений в мир высоких чувств — для этого его нужно носить в виде украшений. Это прекрасный высокоэнергетический камень, в нем органически соединены два цвета — зелень Земли и цвет крови; камень проводит Дух крови в каждую клетку.

Металлы — олово, серебро, золото.

Мудра: поза будды Ратнасамтава («Тот, из которого возникают драгоценности»). Правая рука у мужчин, левая у женщин открытой ладонью повернута наружу вперед (варада-мудра), левая рука с открытой ладонью лежит на бедре — положение рук активизирует функцию меридиана V и TR (желчный пузырь, печень и тройной обогреватель).

Время работы с чакрой — четверг, в остальные дни — в часы Юпитера.

Через Свадхистану можно решить проблемы Стрельцов и Рыб, если работать целенаправленно во временной ориентации этих знаков.

В Китае Свадхистане-чакре соответствуют: семя Цзин, «Море жизненной силы», нижнее поле киновари «Океан воздуха», «Нефритовый пруд».

Некоторые Посвященные отождествляют вторую чакру с селезенкой и располагают ее непосредственно под пупком. Оккультисты считают, что позвоночник и селезенка — самые важные органы для физического благополучия человека и что, если позвоночник и селезенка здоровы, человек не будет испытывать недомоганий в физическом теле. Кроме того, существует тесная связь между селезенкой и верхушкой головы. Жизненная сущность астрального тела (по древним писаниям) находится в селезенке. Надо полагать, что этот небольшой по объему, но такой важный орган иммунитета и кроветворения несет еще и колоссальную функцию, представляя полного эфирного двойника человека со всеми присущими ему свойствами, его астральную форму, или протоплазматический прообраз тела, являющийся его подобием. Селезенка — приемник и ассимилятор энергии, от ее функции зависит насыщение организма энергией и, следовательно, жизнедеятельность организма. Она осуществляет связь с эфирным двойником.

Свадхистана реализует половую энергию и связана с гетеросексуальной любовью. Когда этот центр гармоничен и энергетически сбалансирован, он обеспечивает обмен сексуальными удовольствиями между партнерами. При достаточном запасе сексуальной энергии человек обладает значительной потенцией для всех сфер деятельности. При совместной работе двух сакральных центров — на передней поверхности тела и на позвоночнике (в его середине, в центре чакры) —энергетическая сила осуществляет сильный импульс к половому союзу, к влечению людей друг к другу, к взаимной любви. Вторая чакра используется в тантрической йоге. Через Свадхистану мы сопереживаем и сочувствуем другим людям, очень часто через открытую чакру принимаем на себя невзгоды и горести других, кроме того, мы через эту чакру тонко чувствуем приближающуюся опасную ситуацию. Нежелательно позволять использовать вашу вторую чакру для «сбрасывания» эмоциональных переживаний других, надо проявлять большую осторожность, так как эмоциональные и духовные переживания не только очищают, но бывают кармическими, следовательно, вы просто берете на себя часть чужой кармы. Поэтому научитесь в таких ситуациях закрывать вторую чакру, если вам известен собеседник и его проблемы.

Свадхистана-чакра контролирует функции воспроизводства, а также почки с их энергией Цзин, костный мозг, яички и предстательную железу у мужчин, яичники, матку и молочные железы у женщин.

Четкая связь с селезенкой и лимфатическими железами обеспечивает кроветворение и иммунитет. Стихия Свадхистаны частично ответственна за функции нервной системы. Гармоничная, сбалансированная Свадхистана наделяет человека душевностью, дружелюбием, пластичностью жестов и приятной речью, в обществе эти люди всегда желанны, их обаяние, тактичность, воспитанность всегда производят хорошее впечатление. Они миролюбивы и обладают миротворческими качествами. Физическое тело таких людей гармонично, они, как правило, не страдают от физических недугов.

Нарушение энергетического баланса в Свадхистане — либо врожденное, либо следствие стресса, травмы и т.д. — формирует личность с патологической сексуальностью, повышенной чувствительностью, крайней обидчивостью, усугубляющими физические недуги и психологические состояния страха и тоскливости. Как крайнее проявление дисбаланса — тягостное состояние, озлобленность, зависть. Гармонизация второй чакры устраняет эти явления и способствует выздоровлению. С рекомендациями по лечению, изложенными в последующих разделах, также практикуйте выполнение мудр номеров 2, 4, 10, 24*.

Энергия, которая вырабатывается Свадхистаной, является универсальной и используется в любых видах деятельности. При ее трансмутации обеспечивается ее использование в творческих аспектах. Использование энергии второй чакры зависит от уровня развития личности: в одном случае это чисто сексуальные растраты человека низкого уровня, в другом — трансформация в иные виды деятельности. Для гармонизации желательно в десятый лунный день применение резонирующих с ней минералов: голубой бирюзы, лазурита, сардоникса, для чистки астрала — янтарь. Необходима серьезная отработка кармы, связанной с сексуальными «утехами», — в противном случае возможны кармические злокачественные и доброкачественные заболевания половых органов (фибромиомы, кисты, рак матки, яичников, предстательной железы), а также СПИД.

---

* Описание техники выполнения мудр читайте во второй книге "Тайна и Карма Лунной Богини".

3. МАНИПУРА, ИЛИ ЧАКРА ВСЕХ ДЕЙСТВУЮЩИХ АКТИВНЫХ ЭНЕРГИЙ, ЧАКРА НИЗШЕЙ ВОЛИ

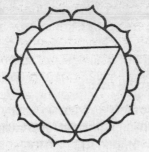

Третья чакра располагается на уровне пупка, анатомическая зона — солнечное сплетение, проекция восьмого грудного позвонка. На чакре замыкаются 12 спинных и грудных нервов. Элемент — Огонь, орган чувств — зрение, ощущение — сияние, цвет чакры — желтый, 10 вихрей, запах — мяты. Мантра Рам. Звук октавы — ми, вкусовые ощущения — перец острый. Планета Марс, день недели — вторник, показаны всевозможные нагрузки, физическая работа, спортивные занятия. Знаки Зодиака — Овен, Скорпион (водная ипостась чакры).

Эндокринная система, замыкающаяся на чакре: селезенка, поджелудочная железа, печень. Контролируемая область весьма широка, в частности, зрительные функции, контроль над нижними конечностями, печенью, селезенкой, а также энергетический баланс организма. На физическом уровне с аспектами Марса связаны и проявляются болезни пищеварительной системы: печени, желудка, кишечника, желчного пузыря, а также язвенная болезнь желудка и двенадцатиперстной кишки. С Манипурой, вернее с Харой, связан Плутон, под его влиянием происходят эндокринные нарушения в системе селезенка — поджелудочная железа.

При нарушениях в чакре страдает психика, она становится ущербной, направленной на разрушение моральных и материальных ценностей, с тенденцией к садизму, жестокости.

Гармонизация чакры позволяет избавиться от негативных психофизиологических проявлений: лживости, тупости, жадности и стяжательства, подлости и коварства, ревности и жестокости, дает импульс к пробуждению совести.

Манипура питается красным, оранжевым и желтым цветами, оказывает воздействие на симпатическую нервную систему.

Через воздействие на третью чакру красным цветом можно лечить нарушения кровообращения, болезни сердца, головные боли, расстройства пищеварения, связанные с поджелудочной железой, тонким кишечником, печенью и желчным пузырем, а также обменные процессы (подагра), неврит лицевого нерва. Помимо перечисленных заболеваний в результате работы с чакрой улучшаются вербальные (слово) способности человека: ораторские способности, ясность изложения мыслей и контроль за речью, воздействие на людей. (Чакра связана с третьим аурическим слоем, отвечающим за ментальность, а именно, с линейным мышлением). Кроме того, гармонизация чакры помогает пониманию процессов, происходящих в теле, обеспечивает усиление и увеличение активности жизненных процессов, избавление от заболеваний, долголетие, совершенствование организаторских и руководящих способностей. Недаром на чакру замыкаются стремление к власти, тщеславие.

Гармонизирующие чакру камни и металлы помогают выходу на положительный опыт при развитии и применении личных способностей, выявлению ближайших целей, а также своей дхармы (жизненного пути), осмыслению и систематизации достигнутого жизненного опыта.

Гармонизации с Марсом Манипуре-чакре содействуют энергии камней:

1. *Цитрин* — энергизация психической силы осуществляется через золотой луч, проявляющий творческие возможности. Проводит энергии Солнца в тело.

2. *Топаз* способствует развитию и проявлению мента-

литета, дает выход на категорию мудрости через воздействие на энергию почек и непосредственно на чакру.

3. *Сера* — алхимический, философский камень, укрепляющий физический вектор.

4. *Кальцит* — улучшает память, расширяет интеллектуальные возможности и связи.

5. *Янтарь* оранжево-красный повышает витальность, очищает физическое и астральное тела, а также гематит, все виды яшм, аметисты.

Металл — железо и его сплавы, медь, красная бронза (а также, содержащие огонь и серу).

Чакра изображается в виде светло-желтого круга, в котором расположен кроваво-красный треугольник вершиной кверху. Снаружи круг окаймляют 10 лепестков.

Мудра: поза будды Амитабха («неизмеримый свет»).

Запястье правой руки лежит на ладони левой руки (для женщины наоборот), большие пальцы рук касаются друг друга.

Положение рук оказывает благотворное действие на меридиан кровообращения и почек.

Благотворное воздействие на чакру усиливается в день Марса, часы Марса и во времена интервала Овна и Скорпиона.

Согласно китайской анатомии, Манипуре-чакре соответствует «Желтый двор», восемь триграмм Багуа. Геометрические символы чакр соотносятся с психофизической системой организма, сконцентрированной вокруг определенного органа и нервного плексуса. Манипура соответствует дхьяни будде Ратнасамбхаве, благодаря которому осуществляется и реализуется мудрость равенства, умение видеть все вещи и события Вселенной с божественным беспристрастием, обеспечивающим психическую и физическую гармонию йогической равнорасположенности.

Из отрицательных страстей с мудростью равенства соотнесен эгоизм, резко выраженная степень самомнения и гордыни.

Необходимо уточнить, что локализация Манипура-чакры — пупок (пупочное сплетение) и солнечное сплетение — два очень важных нервных плексуса, без которых невозможны почти все метаболические процессы, происходящие в организме.

Третий духовный центр является местом снабжения и распределения психической энергии. Он связан с эмоциональной жизнью личности, со способностью к контактам именно на эмоциональном уровне.

Аналогично Солнцу Вселенной солнечное сплетение обеспечивает равновесие всех процессов, протекающих в организме, сюда, как в солнечный центр, стягиваются и здесь переплетаются нити всех органов.

Одна из весьма важных функций солнечного сплетения — гармонизация интеллектуального и сексуального центров, иными словами, мост между разумом и сердцем, чувствами и сексом.

При блокаде солнечного сплетения и открытом втором центре — Свадхистане — секс становится чувственно-животным, лишенным связи с глубокой и чистой любовью, это похоть. Только гармония обоих центров дает духовный секс и ощущение связи физического и духовного аспектов.

Учитель Омраам Микаэль Айванхов считает, что в каждом из нас солнечное сплетение наделяет пищей тысячи и тысячи клеток с помощью «пяти хлебов и двух рыб». «Вода, которую я дам ему, сделается источником воды, текущей в жизнь вечную» — здесь, как утверждает О.Айванхов, Христос также указывает на солнечное сплетение. Далее учитель Айванхов продолжает: «Если Христос получит возможность напитать множество наших клеток, то наше Высшее сознание будет пробуждено. У каждого человека есть солнечное сплетение, но многие так увязли в материальных проблемах, и их жизни настолько беспорядочны, что солнечному сплетению не под силу выполнять всю тонкую работу. У каждого есть «пять хлебов и две рыбы», но многие питаются как попало: они набивают себя физической пищей, не понимая, что нуждаются в пище духовной. На духовном плане Христос предлагает нам пищу, которой мы сможем пользоваться каждый день. Так, нам следует уподобиться Иисусу и питать все наши клетки любовью и чистотой». И это наше спасение, спасение наших детей, внуков в Новой Эпохе, иначе о нас останется только память, как о некогда живших и вымерших динозаврах и мамонтах.

При гармонично работающем центре человек осознает себя связанным единой цепью со всеми процессами, происходящими во Вселенной, он не испытывает сомнений о своем месте и значении во Вселенной.

Десятилепестковый Лотос Манипура, в котором лепестки чередуются, создавая яркое свечение зеленого с красным, в нашем организме является таким же центром, как Солнце во Вселенной. Вибрации энергии солнечного сплетения напоминают движения Змеи, и в некоторых руководствах его называют «Змеей солнечного сплетения» по аналогии со «Змеей Кундалини» копчика, и аналогично Кундалини солнечное сплетение есть резерв, хранилище энергии психической, которая при необходимости, в экстремальной ситуации может быть использована на нужды организма.

При открытости и гармоничном движении этот центр работает постоянно, осуществляя взаимосвязь между центрами и органами не только физического тела, но и его связь с астральным и эфирным телами, а также коммуникации этих тел в человеке с энергиями небесных тел и сфер, соединяясь с энергиями Вселенной. Дело в том, что каждая планета и каждый Огненный центр имеют свое Солнечное сплетение, которое объединяется и взаимодействует с солнечным сплетением организма, создавая единый Божественный Огонь жизни.

Относясь к элементу Вода через Рыб (знак, с которым был связан Христос), оно связано также с Девой, так как Дева и Рыбы относятся к оси Христа.

Этот плексус, объединяющий Рыб (ступни) и Деву

(солнечное сплетение), состоит из пяти нервных узлов и двух образований, напоминающих полумесяцы, очень сходные по своей форме с Рыбами, и располагается перед желудком. Дева — это знак Земли и недаром бытует выражение «пуп земли», следовательно, Манипура-чакра является интегральной областью Воды, Земли, Огня как центра производства, накопления, конденсации и распространения Огненной психической энергии и питания.

При работе с Манипурой надо учесть еще одно очень важное обстоятельство, что ее зона влияния — пупочное сплетение, через которое осуществляется связь человека с Природой, Землей, Вселенной, аналогично связи через пуповину матери и ребенка. Действительно, когда ребенок рождается, то отсекается физическая пуповина, через которую осуществлялись питание и обмен ребенка с матерью, но остается эфирная пуповина, объединяющая их духовно. У О.Айванхова читаем: «Находясь в материнской утробе, ребенок получает необходимую ему пищу через пуповину, которой он связан с матерью. Мать представляет собой природу. Когда ребенок при рождении отделяется от матери, пуповину перерезают, но остается другая невидимая пуповина, которая связывает каждого человека с матерью-природой, чтобы продолжать подпитывать его. И подобно тому, как пуповина не может быть перерезана, пока человек не будет готов жить отдельной жизнью, так и нить, соединяющую человека с природой, нельзя разорвать, иначе он не сможет получать пищу и умрет». Астрологи утверждают, что невидимая пуповина, соединяющая человека и природу проходит через солнечное сплетение.

Пять тысяч людей, которых накормил Христос двумя рыбами и пятью хлебами, это клетки, которые составляют физическое тело и которые ежедневно получают свое питание от солнечного сплетения.

В своих исследованиях Рон Хаббард советует, что прежде чем отрезать пуповину новорожденного, нужно положить его на живот матери для того, чтобы не нанести неизгладимый ущерб ребенку. В 1974 году один из ведущих гинекологов Фредерик Лебоер настоятельно рекомендовал: «Ребенок появился, и мы сразу же кладем его на живот матери — разве есть сейчас для него лучшее место? Обрезать пуповину в тот момент, когда ребенок едва успел покинуть утробу матери, — значит совершить жестокое действие, вредное последствие которого огромно».

Мы все прекрасно знаем и очень часто наблюдаем, что возле матери, в ее поле обиженный или испуганный ребенок ищет защиту, спасение, безопасность. Именно через духовный центр третьей чакры Манипуры осуществляется эта связь и защита. Уровень надежности этой защиты и связи со своими детьми вы сможете продиагностировать через Манипуру-чакру. Эфирная пуповина связывает людей, и, когда такая связь существует, между третьими чакрами протягиваются прочные связующие нити. При разрыве отношений эти нити прерываются. Если разрыв происходит между близкими друг другу людьми, между родителями и детьми, это очень прискорбно: вслед за разрывом нитей духовных начинаются болезни физические и возникают самые неблагоприятные жизненные ситуации. Взаимоотношения между людьми наблюдаются на уровне всех чакр, но исчезновение этих связей именно в Манипуре — грозное явление, свидетельствующее о разрыве очень важной связи «отцов и детей», распаде семьи.

Проводя диагностику и контроль за лечением на этой чакре, мы устанавливаем любые типы связей между людьми, а также определяем нарушение этих взаимодействий и их причины.

Каждая чакра имеет представительство в виде воронки на передней и задней поверхностях тела, создавая Инь-Ян баланс. Центр чакры находится между ними и ответственен за физическое здоровье. Мы уже говорили о важнейшем центре Хара под пупком, Манипуру называют еще «чревным» центром, так как к нему имеют отношение пять основных органов: печень, поджелудочная железа,желчный пузырь, надпочечники и селезенка. С селезенкой все обстоит сложнее, она имеет свой отдельный центр, свой энергетический вихрь в области ее расположения, и помимо своей физической функции она выполняет серьезнейшую роль эфирного двойника всего тела, о котором уже говорилось, через печень осуществляется связь с астральным телом. Пищеварительный огонь, дающий тепло и энергию всему организму и определяющий нашу жизнеспособность, контролируется Манипурой, ответственной за пищеварительный огонь в верхней части тела, а Хара контролирует этот процесс ниже пупка и объединяет нижние чакры с Солярным плексусом. Именно огонь солнечного сплетения поддерживает активность и работу всех органов и желез, контролирует деятельность ферментов, отвечает за процессы метаболизма (обмена веществ). Согласно китайской концепции, эта энергетическая зона способствует образованию защитной и питательной энергии, помогает сохранять высокий уровень жизненных процессов, формирует ткани тела и следит за процессами их обновления.

Лечение любого заболевания надо начинать с восстановления энергии почек и системы пищеварения, это является залогом успешного лечения всех систем.

Кстати, если человек ценит свое здоровье, заботится о своем «Храме души», у него открыта Манипура, которая помимо всего является центром лечения, так как она связана с духовным целительством и хорошо развита у тех, кому дана высшая милость заниматься исцелением других, именно у них мы отмечаем прекрасные результаты лечения.

Гармонично и активно работающий центр солнечного сплетения дает тип целеустремленных, настойчивых, неутомимых тружеников.Это политические и военные лидеры, борцы, революционеры, реформаторы.

При недостаточно активном, разбалансированном центре вследствие каких-то наследственных факторов, либо злоупотребления алкоголем, курением, наркотиками, несовместимой пищей и ее количеством, из-за нарушения биоритмов формируется тип, склонный к чувственным удовольствиям, действующий по принципу «живем только раз, а жизнь коротка», конфликтный (утрачены коммуникации), тщеславный, беспокойный, трудный в общении, неуравновешенный, своевольный. Лечить таких людей очень сложно: они не терпят ограничений, не желают соблюдать диету, лучше всех осведомлены обо всем, недисциплинированы. Это «неуправляемый огонь», вырвавшийся наружу и грозящий сжечь не только свой собственный дом, но и дом соседа. Это потенциальные больные язвой двенадцатиперстной кишки, желчного пузыря, печени и т.д. Яркие холерики.

Нарушение психического статуса этих людей синхронизируется очень четко с их физическим статусом.

Для гармонизации центра Огня Манипуры рекомендуем выполнение следующих мудр: 18, 15, 14, 21.

В связи с изложенным еще один совет — если у вас холодные ноги, особенно стопы, то это свидетельствует, что пищеварение ваше затруднено (проявляется связь ступней (знак Рыб с Девой), олицетворяющей солнечное сплетение). Опустите ноги в горячую воду, это прекрасное средство улучшить пищеварение, а также способность к мыслительной деятельности и концентрации внимания.

Кроме того, дополнительные чакры, расположенные на ступнях ног, осуществляют наш контакт с Землей, и чистые стопы — это своеобразные антенны, через которые поток электромагнитных частиц Земли проходит через ноги, насыщая организм энергией Инь Земли, энергией великого женского начала. Ступни человека — это скопище нервных клеток, и если эти нервные окончания жизнеспособны, энергия Земли двигается вверх к сердцу, легким, мозгу, а навстречу спускается Ян-энергия, и их встреча обеспечивает гармонию и здоровье. Проекция центра на нашей стопе располагается чуть ниже точки Юнь-цюань (бьющий ключом источник), первой точки меридиана почек — хранилища чистой энергии, и этот «бьющий ключом источник» имеет прямое отношение к очищению, начиная с низших материальных сфер. Поэтому рекомендуем тщательный уход и омовение ног для хорошего и динамичного функционирования солнечного сплетения. Наблюдается обратная связь — упорядоченное и нормальное пищеварение обеспечивает легкость походки и силу ног.

Весьма важным является то обстоятельство, что Манипура представляет собой алхимическую печь по сгоранию негативных эмоций, именно в этой чакре жесткие, грубо-вибрационные энергии переплавляются в тонкие космические. Это чакра магии силы и активности. При ее дисгармонии, в случае доминирования отрицательных эмоций, возникает весь букет заболеваний, связанных с органами пищеварения, а в последующем — тяжкие кармические заболевания этих органов, вплоть до онкологии.

Управитель Манипуры Марс обеспечивает в оптимальном варианте пищеварительный огонь во всем метаболическом котле организма. В негативных аспектах: раздражительность, яростные вспышки необузданного холерического темперамента, злобности. Через центр пупочной области чакра связана с планетой Уран и Овном.

Помимо лечебного воздействия минералов, специфических для данной чакры, рекомендуется гармонизация минералами в 8-ой, 14-ый, 16-ый лунные дни.

В восьмой лунный день — очищение огнем (свеча), мероприятия по очистке и оздоровлению желудка и кишечника (курс голодания, травяные сборы). Минералы — *уваровит, оливин, хризолит.*

В четырнадцатый лунный день — молитва, физическая работа. Камни — *аметист, чароит, гиацинт.*

В шестнадцатый лунный день — гармонизация между астральным и физическим телами. Камни — *жемчуг, изумруд, чароит, лазурит.*

ХАРА

Согласно восточной эзотерической концепции, центр силы нашего тела находится в брюшной области между грудной клеткой и тазом, где расположены жизненноважные органы тела, связанные с функцией пищеварения и воспроизводства. Эта область на Востоке называется Хара. Анатомически это центр-чакра, которая располагается на 3 пальца (указательный, средний и безымянный) ниже пупка.

Так, именно в этой области переваривается пища, которая обеспечивает наш организм энергией, и поэтому от нормального функционирования Хара зависит сила и энергия человека. Это центральная отопительная батарея, главный метаболический котел нашего тела, Огонь жизни и существования. В Китае Хара соответствует нижнему Дань-тяню, красному полю киновари. В Японии выражение «иметь Хара» означает человека, полного жизненной энергии, смелости, воодушевления, «грязная Хара» у хитрого, подлого, нечестного человека, «расстроенная Хара» у расстроенного, встревоженного и сердитого человека.

Общеизвестное харакири, что означает «перерезать Хара», — культивируемая в Японии ритуальная форма самоубийства, при которой человек готов взять на себя ответственность за собственные действия, поступки или принести себя в жертву.

Этому центру каждый из нас обязан уделять максимальное внимание. Запомните: если ваш ребенок плачет, положите ему свою руку на область Хара, через очень короткое время он успокоится и улыбнется вам благодарно. Когда вы очень расстроены из-за какого-нибудь происшествия, когда кто-то нанес вам эмоциональную травму, у вас возникает вредное для здоровья напряжение — положите руку на область Хара и сделайте 9 вращательных движений по часовой стрелке и 9 против часовой — результат будет удивительным. Когда японец взволнован или разгневан, он сжимает свою Хара — этим он выражает свое негодование и одновременно снимает напряжение, успокаивается.

Дзэн-буддисты в Японии, медитируя на ритм дыхания Хара, достигают состояния полного расслабления и «освобождения ума».

Попробуйте, в положении лежа, произвести двумя ладонями (одна на другой) круговые массажные движения области Хара для снятия стресса. Вы будете поражены результатом.

Центр Хара соответствует точке акупунктуры Ци-Хай, шестая точка меридиана зачатия, хранилище или «море энергии». Для определения этой точки, положите ладонь на желудок так, чтобы указательный палец находился непосредственно под пупком, ваш безымянный палец укажет на местоположение точки Ци-Хай. Для простоты поиска два ваших пальца, указательный и средний, расположенные под пупком, указывают на центр Хара.

Все расстройства, связанные с сексуальной сферой как у мужчин, так и у женщин можно лечить, воздействуя на эту область: мысленно, иглой, цветом, минералом, втиранием ароматических масел.

На Востоке все танцы сосредоточены на движениях, которые начинаются от Хара. Нормально функционирующая Хара является центром тяжести, у лиц, страдающих расстройством органов этой области, нарушается равновесие, движение ног, т.к. эта чакра контролирует работу нижних конечностей.

Японцы рекомендуют для диагностирования центра Хара лечь на спину, расслабиться, согнуть ноги в коленях. Сначала визуально исследуется брюшная полость, если пупок невелик и глубок, это свидетельствует, что пациент здоров, если же ткани в области пупка дряблые, неэластичные, а сам пупок велик и неглубок — вам следует серьезно отнестись к своему здоровью.

Если нижняя Хара (область ниже пупка) более упругая, мускулиста и выдается несколько больше, чем верхняя Хара (ее часть выше пупка) — это говорит о здоровье и силе, если же все наоборот — обратите серьезное внимание на ваше здоровье.

Желудок находится на левой стороне Хара, печень на

правой. Несколько советов по работе с центром Хара.

1. При сексуальной дисгармонии делайте массаж на нижней Хара в области точки Ци-Хай и в точке Гуань-Юань, расположенной на 4 ваших пальца ниже пупка, в течение 10 минут. Если ваша энергия Цзин, или половая энергия, в достаточном количестве — эта область мягкая, гибкая. Производя манипуляции на животе или руке, вы можете увеличить вашу сексуальную энергию.

2. Простой способ убрать лишний жир с живота — в любое время суток, сидя за столом, в течение 20-30 минут щипковыми движениями массировать свой живот. Воздействием красного цвета на область Хара, или красным минералом (яшма), вы усиливаете окислительно-восстановительные процессы, способствуя сгоранию жиров. Экспозиция — 30 минут.

Для худых, желающих набрать вес, воздействие на область Хара производится синим цветом. Экспозиция — 20-25 минут.

Для получения высокого эффекта при снижении веса используйте комплексный массаж области Хара, воздействие красным цветом, а также мудру номер 6 «Поднимающая». Пояса с украшением из яшмы и нефрита выравнивают баланс в чакре Хара и способствуют витализации (увеличению жизненных сил) организма.

Хара — центр трансформации и распределения всех космических энергий и их гармонизации с энергиями Земли в области эфирного тела. Семилепестковый Лотос, цвет — бесцветный или абсолютно черный. Расположен на 2 пальца ниже пупка — «море энергий». Управляется Плутоном, связана со знаком Скорпиона, гармонизация производится в 13-ый и 17-ый лунные дни.

В тринадцатый лунный день (процессы омоложения, алхимии) — *рубин, красный опал*. В этот день *гематит* регулирует процессы кроветворения и кровоочищения. Показаны также *соколиный глаз, аметист*.

Семнадцатый лунный день — день женской энергии, день Шакти, день любви, поиска утраченной половины, благоприятен для заключения брака.

4. АНАХАТА, ИЛИ СЕРДЕЧНАЯ ЧАКРА, ЧАКРА ВОЗВЫ-ШЕННОЙ ВСЕЛЕНСКОЙ ЛЮБВИ, ВЕДУЩИЙ ЦЕНТР ХРИСТИАНСКОЙ РЕЛИГИИ

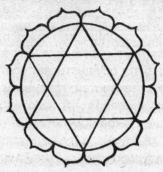

В области сердечного сплетения располагается сердце. Анатомически — область грудной клетки в центре линии, соединяющей соски, проекция восьмого шейного позвонка. Замыкает на себе 3 пары шейных ганглий. Точка соответствия Тань-жун, стихия — Дерево, орган чувств — осязание, 12 вихрей, цвет — зеленый и розовый, запах — герань, резеда, звук октавы — фа. Мантра Йам. Вкусовое ощущение — лимон, кислый.

Планета — Венера, день — пятница, день любви, счастья, красоты и гармонии.

Анахата — эмоциональный центр изображается в виде светло-желтого круга, в который помещена шестиуголь-ная звезда сизо-синего цвета. Круг окружен двенадцатью лепестками кирпично-красного цвета. Анахата метабо-лизирует энергию любви, она связана с четвертым уров-нем или четвертым слоем ауры, где проявляется любовь не только к близким, но, в основном, любовь к Богу и ко всему человечеству. Анахата по сути своей психологичес-кий центр, она аккумулирует любовь, нежность, сострада-ние. Она помогает раскрыть себя и,раскрыв, — полюбить, а затем также горячо проявить эту любовь к ближнему, к другим людям и ко всему человечеству. Разлад Анахаты создает дисгармонию между человеком и всем его окру-жением, что проявляется в полном равнодушии и духовноморальной опустошенности, подмене истинных ценностей на их видимость и мишуру. Нравственное обезвоживание характеризует эти сбои в Анахате.

Воздействием на Анахату можно лечить заболевания нервной системы, сердца, легких, нарушения функции кишечника, иммунные нарушения, связанные с вилочковой железой. Анахата осуществляет контроль за деятельностью верхних конечностей, грудины и связанной с ней кроветворной функцией, контролирует дыхание. Гармонично работающая чакра обеспечивает своему владельцу творческое вдохновение, надежду, любовь, оптимизм и радость. При нарушении энергетических вихрей и гармонии вибраций, при разлаженной работе чакры или ее «закрытости» из-под контроля выходят негативные черты: склонность к мошенничеству, нетерпеливость, бездеятельность, высокомерие, безразличие, нерешительность и т.д. При лечебном воздействии на чакру наблюдаются такие положительные результаты, как контроль за своим Эго, обретение внутренней силы и власти, контролируемой мудростью и умеренностью, умение преодолевать трудности, принимать правильные решения, вносить своим присутствием покой и радость, умение гармонизировать ум и сердце.

Анахата-чакра разделяет три нижние чакры от трех верхних космических, являясь своеобразным переходным, связующим центром, где наряду с управительницей этой чакры Венерой свое влияние на ее деятельность оказывает и Солнце, давая силу сердцу, крови и всей системе циркуляции.

Анахата-чакра наиболее важная из всех центров, если она гармонична и открыта, все остальные приходят с ней в соответствие. Так как сердце снабжает все тело кровью, его духовные аспекты оказывают свое влияние на все чакры.

Если вы от сердечной чакры спускаетесь вниз в мир материи и приземляетесь, вы получаете только физическую чувственную любовь, страсть, обычно краткую и недолговечную. Если из сердечной чакры вы поднимаетесь вверх, переходите на уровень высших чакр — вы обретаете космическую любовь, глубокую и одухотворенную. Венера поставила свой знак — Весы — в вашем сердце, движением тарелок то вверх, то вниз определяются ваши устремления и дальнейшая судьба.

Энергия камней зеленого и розового цвета, а также металлов, гармонизирует сердечную чакру и способствует эмоциональному раскрепощению, освобождению от следов старых эмоциональных травм-блоков, расширению сознания души, гармонии разума с сердцем, обретению душевного равновесия и благодатного покоя.

1. *Авантюрин* (зеленый) — "дирижерская палочка", заставляющая наше сердце работать в определенном ритме, тоне, частоте вибраций.

2. *Малахит* — камень силы, мудрости, притягательности, очарования. Его отличает многофункциональность. Он берет на себя вашу боль (если это сердце — то сердечную боль), выравнивает баланс энергий между вашей сердечной чакрой и Манипурой, чем создает эмоциональный и физический комфорт, защищает чакру от психических нападений незрелых, темных людей и расслабляет диафрагмальную мышцу, восстанавливая ритм дыхания.

3. *Изумруд* — ядро сердца, лекарь тонкого тела, созерцание изумруда изменяет видение и открывает сердцу правду и любовь. Камень тонких излучающих энергий, магический талисман сердца.

4. *Диоптаз* заставляет сердце биться от восторга, возвращает сердцу дивные ощущения молодости, полета, парения, вдохновения.

5. *Зеленый турмалин* оказывает исцеляющее и очищающее воздействие на нервную систему. При контакте с энергетическими каналами палочки зеленого турмалина снимают блоки, производят энергетическую подпитку и коррекцию. Зеленый турмалин — мудрый целитель, его влияние проявляется всегда на самых слабых звеньях,

которые он определяет сам. При истощении он дает силы, после стрессов успокаивает, нейтрализует яды, образующиеся в организме в результате волнений. Творческой личности дает импульс для прорыва. Кроме того, он обладает омолаживающими свойствами, а молодость души — это молодость личности. Этот удивительный камень врачует как духовные недуги, так и физические структуры.

6. *Розовый кварц* — его энергия создает состояние покоя, дает возможность ощутить радость, счастье, наполняет сердце тихой любовью. Розовый кварц учит прощению, он учит, что умение любить себя — это и умение любить других. Розовый кварц на Анахате в состоянии медитации может облегчить вас через поток слез, омывающих сердце и внутренние органы, уносящих старые обиды и эмоциональные травмы.

7. *Розовый турмалин* освобождает сердце от страха, страдания, затянувшегося раскаяния, груза прошлого. Глубокие страдания, как правило, являются источником болезней, как физических, так и душевных. Розовый турмалин врачует эти раны, проводит в сердце любовь и доверие.

8. *Кунцит* позволяет открыть сердце для принятия высших энергий, а также способствует проявлению любви в физическом плане, дает эмоциональное равновесие, очищая сердечную чакру и создавая союз между чувствами и разумом.

Металлы — медь, желтое и красное золото, серебро.

Мудра: Ваджрадхара («держатель ваджры»). Главное божество, в котором соединены все дхьяни-будды. Поза будды— скрещенные перед грудью руки, причем правая рука, держащая ваджру находится перед левой, держащей колокольчик. У женщин — наоборот. Такое положение рук активизирует функции желудка и толстого кишечника.

Анахата-чакра соответствует в китайской оккультной анатомии среднему Дань-тяню, среднему полю киновари «Пурпурный дворец».

В учении Агни-йоги четвертая чакра называется «Чашей», а в некоторых древнейших писаниях для этого центра употреблялось название «Небесная ось». «Чаша» имеет форму треугольника, расположенного между центрами сердца и солнечного сплетения. Геометрический символ «Чаши» обозначается двумя треугольниками. Тот, что обращен вершиной вверх, символизирует мужское начало (Ян, Шива, Пушура). Треугольник, обращенный вершиной вниз, представляет женское начало (Инь, Шакти, Практрити). Сочетание этих двух начал выражает основной символ тантризма и идею слияния с Вселенной.

Следует запомнить, что «Чаша» — одна для всех воплощений, и накапливать в ней необходимо драгоценные зерна лучших устремлений и знаний. Накопленный положительный опыт всех жизней — это самое большое богатство человека, причем единственное, которое он забирает с собой, в отличие от материальных земных ценностей, на приобретение которых тратятся лучшие годы, дни и часы своей жизни, ради которых он идет порой на самые неблаговидные поступки и преступления, вплоть до убийства, втаптывает в грязь свою совесть, чувства, уважение людей, любовь, достоинство. Старается скопить как можно больше, и в финале — ничего с собой «туда» унести не может. А сколько прекрасных минут он упустил в погоне за этим «материальным миражом»! И все впустую. Всем, стремящимся к накопительству, следует помнить, что «два обеда не помещаются в один желудок, один переваривается и усваивается, а другой отравляет организм ядом несварения». Лишь «Чаша», единственная, наполненная ценностями, забирается в далекое неземное путешествие, и в очередной приход могут быть использованы все ее бесценные сокровища.

Если установлен мост между «Чашей» и Высшим сознанием, обитающим в сердце, то человек приобретает Высшую мудрость, связь с Высшими силами, он может получить немедленную помощь. «Чаша» есть средоточие памяти. Иногда мы хотим вспомнить слово или понятие и не можем — за это ответственна «Чаша», если же «Чаша» повреждена, то немедленно утрачивается весь процесс воспоминаний и, наоборот, при повреждении мозга все прошедшее медленно всплывает на поверхность: как кадры фильма проходит вся прошлая жизнь, со всеми нюансами переживаний, она как бы всплывает из глубин. Все творческие идеи мы черпаем из «Чаши», и богатство творческих идей свидетельствует о богатстве накоплений. Человек с раскрытой «Чашей», связанной с Высшим сознанием Сердца, есть человек Вселенной. Через сердечный центр поток движения соединяет его со всякой мудростью жизни на Земле и в Мире.

«Струны Души» — это распространенное выражение мы слышим каждый раз, когда протягиваются эти струны — нити от одного сердца к другому, когда мы любим, страдаем, сопереживаем, когда мы вспоминаем любовь и когда тяжело и горько плачем, утратив ее. Если чакра гармонична и раскрыта, мы реально ценим своих близких, их уникальность и неповторимость, трезво оцениваем побудительные причины многих их поступков и оправдываем их, не копя и не храня обид, мы видим красоту их души и высоко ценим это свойство. В то же время мы замечаем и негативные аспекты их личности, однако делаем правильные выводы и избегаем многих ошибок, потому что наше сердце «зрячее». Мы живем в согласии между волей Божьей и своей волей, мы целенаправленно движемся к намеченной цели, не сворачивая с пути, преодолеваем препятствия, благодаря проекции Анахаты, расположенной между лопатками в области спины, где проходит сильный поток энергии.

Анахата-чакра контролирует следующие внутренние органы: сердце, легкие, вилочковую железу, грудину с ее кроветворными органами, ряд вспомогательных мелких желез и их ответвления. При гармонично сбалансированной четвертой чакре наблюдается хорошая работа этих органов. Такие люди в психологическом плане доброжелательны, отзывчивы, трудолюбивы, бескорыстны, уважаемы. У них «золотое сердце», эмоциональная устойчивость и гармония.

«...Солнце есть Сердце Системы. Также сердце человека есть Солнце организма. Много солнц-сердец, Вселенная представляет собой систему Сердец, потому Культ Света есть Культ Сердца». («Сердце», стр. 287).

Если же работа сердечного центра нарушена, отмечаются нарушения функций внутренних органов, заболевания легких, сердечная недостаточность, нарушение кроветворения, слабость, эмоциональная неустойчивость, неблагодарность, болтливость, чрезмерная обидчивость, грубость, оскорбительная манера говорить и вести себя. Если вы встретили человека, который считает, что все, словно сговорившись, мешают ему в осуществлении его желаний, если он действует с позиции силы, контролирует других, создает атмосферу враждебности, агрессивности, — это результат нарушения гармонии сердечной чакры. Такой человек, помимо всего, хаотичен, слаб, обладает очень низкой выносливостью. Согласно китайской натурфилософии, Сердце (Синь) представляет собой вместилище эмоционального сознания, оно пробуждается пятью чувствами и окрашено этими чувствами.

Анахата — очень важный центр, используемый в целительстве. Энергия Космоса, прежде чем пройти к рукам или глазам целителя, проходит по вертикальному силовому потоку через корни чакр и сердечную чакру, а уже затем из сердечной чакры происходит трансформация энергий земного плана в энергии духовные для использования в исцелении пациентов. Е.И.Рерих считала, что «целители делятся на две группы: одна являет исцеление наложением рук или взглядом, другая на расстоянии посылает сердечный ток. Для будущих построений предпочтительнее второй способ. Целители сердечным током действуют как в физическом, так и в тонком теле». («Сердце», стр.299).

Для гармонизации четвертой чакры дополнительно рекомендуем делать мудры номер три «Знания», номер семь «Спасающая жизнь», номер тринадцать «Храм Дракона», номер четырнадцать «Три колонны Космоса», номер шестнадцать «Черепаха», номер семнадцать «Зуб Дракона», номер двадцать два «Стрела Ваджра».

Двенадцатилепестковый Лотос, Анахата, символизирует и связан со всем кругом Зодиака. Изображается Кришной, сидящим на Драконе в центре. Со стороны спины Анахара проецируется на уровень пятого грудного позвонка. Управляется Венерой, Солнцем.

При дисгармоничном четвертом центре накапливаются кармические долги, связанные с негативными психологическими качествами, — отсутствием сострадания, любви к ближнему, «холодное сердце», бессердечие и т.д. На физическом плане — болезни сердца, лимфатической и кровеносной систем.

Путь спасения — духовная алхимия.

Гармонизация минералами 3-го, 12-го, 15-го, 20-го лунных дней, изменяющих резонансную частоту чакры на благоприятную, синхронную.

В третий лунный день — *гранат-альмандин, карнеол, авантюрин, пирит* (по выбору).

В двенадцатый лунный день — *лазурит, перламутр, розовый кварц*.

В пятнадцатый лунный день — *изумруд, агат*.

В двадцатый лунный день — *красная* или *зеленая яшма*.

5. ВИШУДХА, ИЛИ ГОРЛОВАЯ ЧАКРА, ЦЕНТР КОММУНИКАЦИЙ

Расположена в области шеи под щитовидным хрящем, район щитовидной железы, глоточный плексус, проекция третьего позвонка. Орган чувств — слух, голос, звук — рот, речь. Контролирует голосовые связки, глотку, трахею, основание носа, верхнюю часть груди, легкие, бронхиолы. Цвет энергии — голубой (сине-зеленый). Мантра--Хам. Число лепестков — 16, звук октавы — соль. Первоэлемент — Эфир, Воздух. Вкус — горький, запах — полынь. Управляется Меркурием, связана со знаком Близнецов.

Главные анатомические звенья организма, на которые можно воздействовать через Вишудху, это верхние конечности, кисти, легкие, весь пищеварительный аппарат.

Чакра питается индиго, поэтому воздействие этим цветом дает положительный эффект при лечении лимфатической системы, кожи, гонад, диабета, инфекционных заболеваний, гипотонических состояний, заикания.

Гармонично работающая чакра обеспечивает высокую эмоционально-духовную деятельность, создание и визуализацию тонких, чувственно-окрашенных образов, стремление к знанию, понимание мира сновидений, способность сохранять спокойствие, чистоту и духовность помыслов, склонность к поэзии, мелодичность голоса. Пятая чакра связана с нашей волей и желанием следовать божественной воле, она соединена с вербальной силой (силой слова), имеющей возможность вникнуть в бытие, понять его, а поняв, осмыслить ответственность за свои слова, действия, поступки. Сквернословие засоряет чакру и ведет к заболеваниям, расстройству речи, что проявляется в навязчивости, неконтролируемом словесном потоке, либо напротив — некоммуникабельности, необщительности, молчаливости. Эта патология в Вишудхе энергетически дает переброс на сердечную чакру.

Лечение через чакру гармонизирующими минералами и металлами имеет целью через вербальное выражение достичь истины и правды.

1. *Амазонит* — омолаживающий камень, несущий мир, покой и гармонию, способствующий созданию семейного очага и его прочности. Амазонит способствует реализации личности на пути устремлений.

2. *Хризоколла* — женский камень Инь, проводит чистый голубой луч, при работе с хризоколлой достигается глубокая эмоциональная духовность, созерцательность, познание себя. Прекрасный лекарь всех женских заболеваний, для этого его нужно просто иметь при себе или носить в украшениях. Для получения высокого лечебного эффекта хризоколлу необходимо класть на область щитовидной железы — проекцию Вишудхи. Камень своим божественным голубым излучением развивает терпимость, смирение, сострадание к страждущим, сопереживание чужому несчастью, горю, верность семье и идеалам. Он помогает каждому выявлять в себе божественность, сдерживает гнев, подчиняя его разуму, контролирует эротические всплески, неадекватное поведение, придает голосу чарующую мелодичность, проникновенность. Как истинно женский камень, хризоколла наделяет своих владелиц очарованием, женственностью, обаянием, нежностью. Практически для воздействия на чакры этот камень универсален, он оказывает благотворное влияние также на сердечную чакру и на область шестой чакры Аджны, создавая энергетический мост между чакрами и гармонию между физическим телом и тонким.

3. *Аквамарин* — камень энергии, целенаправленной активной деятельности, банк информации, камень надежд и их осуществления. Чистый голубой луч аквамарина проводит из сверхсознания в сознание принцип абсолютной истины и этим способствует расширению сознания до уровня Космического.

4. *Лазурит* — очищающий камень, чистит кровь, душу и ауру. Применяется для лечения щитовидной железы, легких и ментальных заболеваний. Эмоционально лазурит очищает душу от тяжкого груза прошлого, помогает освободиться от уже искупленной вины, прошлых сердечных ран, мук и угрызений совести. Лазурит помогает открыть в себе своего Бога, недаром в древнем Египте его называли посланником Бога — его цвет, голубого с белым и золотым, символизировал мудрость и цвет Богов. Украшения из лазурита гармонизируют нас с Небом и придают чудодейственные силы, несут радость и чистоту.

4. *Агат* соединяет мир физической материи с миром тонким, защищает владельца от патогенных энергий, проводит в наше сознание ритмы и мелодии Вселенной. Снимает хронический, застарелый кашель, сообщает истощенным энергию и силу. Для Вишудхи специфичен белый и голубой агаты, а также пестрые камни. Они настраивают на свою чистоту вибраций и выводят на получение необходимой информации, создают защитное поле, способствуют развитию ментальных качеств, установлению коммуникаций между внутренним Я и внешним окружением.

Металлы Меркурия — ртуть, алюминий, олово, золото, серебро. Меркурий — посланец Богов, проводник их свойств и влияний, дитя Солнца и Луны, золота и серебра.

Вишудха-чакра изображается в виде серого круга, окаймленного 16-ю лепестками цвета индиго. Внутри круга помещен белый треугольник, а в треугольнике — другой серый круг. К внутреннему кругу, замыкая его, сходятся две полуокружности.

Мудра: Амогхасиддхи, «безошибочно удачливый». Поза будды — правая рука на уровне груди, ладонь наружу (абхая-мудра), четыре пальца вместе, слегка согнуты, большой палец свободен, поджат в сторону кисти, левая рука расслаблена на уровне солнечного сплетения, открытая ладонь, со слегка подогнутыми пальцами, расположена горизонтально. Поза рук активизирует меридиан «легкие» — медитация на Вишудху-чакру.

Китайской оккультной анатомии соответствует поле

«Нижнего дворца света». Оптимальное время воздействия на чакру — день, час планеты Меркурий и управляемых им зодиакальных созвездий Близнецов, Девы и их диад.

В центре гортани 16 лепестков чередуются между собой по интенсивности зеленовато-синей окраски: то более темной, то более светлой.

Весьма существенно, что в сферу контроля этого центра входит щитовидная железа, нарушение функции которой ведет к дисгармонии других желез внутренней секреции и серьезным изменениям обмена веществ в организме.

Центр Вишудха расположен не в щитовидной железе, а около нее. Следует иметь в виду, что центры, контролирующие те или иные железы внутренней секреции, располагаются не в области самих желез, а около них. Е.И.Рерих в своих письмах указывала, что «тончайших разветвлений центров множество, но не нужно думать, что центры требуют много места».

Помимо щитовидной железы, в зону контроля горлового центра входят паращитовидные, миндалевидные и слюнные железы, секрециям которых в Китае придают огромное значение. Следует особо отметить и учесть, что согласованная деятельность этих желез и их влияние на тело делает его здоровым и жизнеспособным, обеспечивая бастионы иммунитета.

Центр гортани контролирует нашу память и оказывает огромное воздействие на умственные способности, на способность к четкому и ясному мышлению, высоким нравственным качествам, спокойствию и самообладанию. Вишудху еще называют чакрой коммуникации. При гармонично развитой горловой чакре человек берет на себя ответственность за свои поступки, свои действия, свою жизнь. Он объективно понимает, что в своих удачах или неудачах он виновен сам, а не кто-то другой. Он сам делает свою жизнь, свои нужды и потребности старается удовлетворять самостоятельно.

Умение правильно оценить ситуацию и использовать ее тоже зависит от гармоничного горлового центра. Центр

Вишудха является местом синтеза логических рассуждений и аналитического мышления. При открытом центре мир представляется нам полным поддержки, дружелюбия, любви, и такое поле притягивает именно такие ситуации. В полярном представлении человек видит всюду врагов, насилие, обман, подвохи, и, как следствие формирования такого поля, эти ситуации притягиваются по принципу подобия.

Все эти психологические аспекты тесно связаны с проявлениями на физическом плане. При отсутствии возможности высказать свои намерения, при необходимости вместо объяснения молчать, особенно если это акт насильственный, могут возникнуть заболевания горла, верхних дыхательных путей или ангина. Иногда эти заболевания связаны с тем, что как раз вы бы не хотели говорить, но вас принуждают это сделать.

С центром гортани связано яснослышание, тибетцы символизируют «яснослышание огромными ушами на скульптуре Будды», а также ощущение «внутреннего голоса», подсказки, когда вы в затруднении и не знаете, как поступить.

Еще одна интересная особенность, связанная с Вишудхой, — это понимание любой речи, любого языка — раскрытие горловой чакры дает нам этот уникальный дар. Все эти особенности связаны с проекцией пятой чакры на передней поверхности туловища, тыльный центр горловой чакры на уровне третьего шейного позвонка несет ответственность за успешную профессиональную деятельность, раскрытый центр свидетельствует об удовлетворенности человека своей работой, своими отношениями с близкими, друзьями, родными, а также при раскрытом центре ему обеспечена поддержка в его деятельности.

При закрытом центре можно ожидать неудачи в реализации планов, что будет усиленно компенсироваться самоутверждением, гордостью, недовольством, отсутствием коммуникаций. Такой человек, вместо того чтобы добиваться своей цели, уходит в себя, самоустраняется, «затаивает» внутреннее недовольство и превращается в неудачника. Раскрытие тыльной части Вишудхи меняет ситуацию на положительную.

Необходимо отметить, что пятый центр развит более сильно у женщин, — такие женщины изящны, грациозны, отличаются самоотверженностью, привязанностью в любви. И еще одно важное обстоятельство — концентрация на этом центре с умением визуализировать себя в молодости, восстановить мысленно свой образ в самую лучшую пору своей жизни помогает сохранить свою внешность в отличном состоянии. Легкий массаж этой области оказывает аналогичное воздействие. Попробуйте — и результат вас поразит!

Люди с гармонично развитым и открытым горловым центром своей речью производят огромное впечатление на окружающих, обладают огромным даром убеждения масс.

К системе Вишудхи относится шестнадцатилепестковый Лотос Калачакра, "центр омоложения".

Анатомически этот центр на передней поверхности туловища располагается в яремной вырезке, соответствующей точке передне-среднего меридиана «тянь-ту», проекция тыльной стороны соответствует области под седьмым шейным позвонком.

Во многих руководствах именно Калачакру связывают с центром омоложения. Меркурий через Вишудху осуществляет функцию слова, его энергию и значение, а Прозерпина через Калачакру реализует магические функции слова с его воздействием на все наши структуры. Помимо уже указанной мудры, позы будды, гармонизации Вишудхи можно добиться, выполняя мудры номер 1 «Раковина», номер 4 «Небо», номер 6 «Поднимающая», номер 9 «Земля», номер 14 «Три колонны Космоса», номер 20 «Голова Дракона», номер 25 «Флейта Майтреи».

Кармически здесь проявляются все заболевания щитовидной железы (базедова болезнь, все виды зоба). Карма нарабатывается через постоянные обман, ложь, клевету. Отработка кармических долгов должна быть направлена на устранение этих негативных психологических проявлений. Необходимы обращение к Высшим силам, молитва и мантры.

Калачакра вместе с Вишудхой формируют центр Магии Слова, первичной мощной энергии.

Заканчивая характеристику центра, замыкающего на себя очень важные психофизические функции нашего организма, в качестве заключительной характеристики можно привести слова Дизраэли: «Путем долгого размышления я пришел к убеждению, что всякий человек с четкой целью может достигнуть ее, и ничто не может явиться препятствием его воли, если он поставит свое существование в зависимость от успеха или неуспеха. Определенный и решительный ум с ясно установленной целью всегда может достигнуть огромных результатов в очень короткое время». Открытая и гармоничная Вишудха — залог этих результатов профессионального и жизненного успеха.

Карма нарабатывается в связи со сквернословием, дрязгами, склоками, неумением наладить нормальные взаимоотношения с окружающими, с проявлениями коварства и предательства. Подозрительность, недоверие и другие отрицательные качества требуют кармической отработки, так как ведут к заболеваниям легких, дыхательных путей, рук. К кармическим заболеваниям, связанным с этой чакрой, относятся бронхиальная астма, рак горла, щитовидной железы.

Гармонизация минералами в 3-ий, 4-ый, 7-ой лунные дни:

В третий лунный день — *карнеол, авантюрин, лазурит*.

В четвертый лунный день — *амазонит* (радость общения), *зеленый нефрит* (способствует духовным устремлениям), *сардоникс, агат*.

В седьмой лунный день — *сапфир, содалит, белый коралл, аметист, гелиотроп*.

(**Примечание**: В Новую Эпоху, в связи с изменением луча, аметист рекомендуется для духовного устремления всем знакам.)

6. АДЖНА, ИЛИ "ТРЕТИЙ ГЛАЗ", ЧАКРА МУДРОСТИ И ВЫСШЕЙ ВОЛИ.

Аджна изображается в виде светло-желтого круга, окруженного синим кольцом и двумя лепестками светло-синего цвета. В круг помещен белый треугольник, обращенный вершиной вниз. В центре треугольника располагается символическая фигура 3, вверху треугольника — полулуние и точка.

Шестой центр — чакра Аджна находится в центре лба, на один палец выше расстояния между бровей, область лобной пазухи. Двухлепестковый Лотос, цвет — индиго, Мантра Вом. Управляется Луной, открывается вперед. Аджна связана с Раком, осуществляет стимуляцию Хара, эти данные подробно излагаются в алхимии даосов.

Трикута расположена между глаз, в центре, соответствует точке Инь-тан — базальному ганглию.

Ее глубокая связь с гипофизом, шишковидной железой, являющимися эндокринными центрами мозга, с мозжечком, с подкорковыми центрами головного мозга, с подсознанием свидетельствует о широте и глубине диапазонов ее деятельности.

Нарушение работы эндокринных желез, расположенных в мозге, нарушает деятельность ансамбля желез внутренней секреции всего организма.

С Аджной связаны слух, зрение, ясновидение, яснослышание, мир сновидений.

Высший эмоциональный центр, ответственна за интуицию, контролирует чувства, волю, психику, мозг, уши, нос, левый глаз, нижний мозг.

Анатомически представлена губчатым плексусом — проекция первого шейного позвонка.

Цвет чакры — индиго голубой (сама чакра белая), 96 вихрей, число лепестков — 2. Мантра Аум. Аура — синяя. Звук октавы — ля, запах — отсутствует, вкус — отсутствует. Таттва (первоэлемент) — Вода, психические аспекты -- сознание, сверхсознание.

Аджна, или "третий глаз" — чакра мудрости и высшей воли. Открытие «третьего глаза» дает ясновидение, интуицию, озарение. День Аджны — понедельник, в этот день необходим щадящий режим.

Заболевания, вызываемые дисгармонией чакры, имеют отношение к влияниям Луны — глухота, дисфункция всех эндокринных желез, нарушение координации движений, головокружения, эмоциональная нестабильность с широким спектром окраски. Негативное влияние Луны обусловливает нарушения психики, ее лабильность, отсутствие собственного мнения, неустойчивость, девиантность поведения, лунатизм. Воздействием синего цвета на Аджну лечат эмоциональные расстройства, заболевания печени, желудка, молочных желез, легких, горла, ожирение, злокачественные опухоли, головокружение, рвоту.

Выше шестой чакры находится главное отверстие, где объединяются три ведущих нервных ствола тонкого тела: синяя Ида, красная Пингала и ярко-красная переливающаяся Сушумна. Через Аджну вертикально отражается объективный мир, происходит глубокое познание тайного и сокровенного знания. Шестая чакра связана с шестым аурическим слоем и с Божественной любовью, распространяющейся на все живое, обеспечивающей защиту, поддержание любой жизни и ответственность за эту жизнь. Уровень сознания, запечатленный в этой чакре, позволяет воспринимать жизнь как чудесное, драгоценное проявление Бога в душе у каждого.

Камни и металлы, гармонирующие Аджну, могут быть использованы в работе с подсознанием, для освобождения его от комплексов, ненужного опыта, неправильных установок, тяжелых воспоминаний. Минералы и металлы создают гармоничность ума, более глубокий взгляд на те или иные аспекты жизни, способность к проникновению в тайные науки и явления.

Для работы с шестой чакрой рекомендуется использовать энергии камней:

1. *Аметист* — камень "третьего глаза", тонкие вибрации фиолетового луча, связанного с астралом, несут в себе успокоение, уход от мирских мыслей. Если вы при медитации видите фиолетовый цвет, это значит, что тело мысли (ментальное) начало формироваться практически бессознательно, старайтесь удержать это состояние. Аметист для такой медитации кладут на область Аджны, усмиряя мысли, при этом ощущая проникновение лучей аметиста, имеющего золотую ауру, в которой играют лучи, отражаясь от естественных граней.

Драгоценные камни и кристаллы излучают сильнейшие энергии, которые очень широко, с большим эффектом используются автором в целительстве.

Аметист успокаивает ментал, снимает напряженность, тревогу, головные боли, гасит гнев, раздражение. Недостаток энергии почек создает страх, ночные кошмары — медитация с аметистом перед сном обеспечивает спокойный сон. Для нормализации сна неплохо кристалл аметиста положить под подушку, он даст покой и приятный сон. Аметист проводит энергию одной чакры к другой, заряжая и открывая их для благотворных вибраций. Аметист считается душой камней и имеет влияние и на нашу Душу, снимая с нее груз прошлого и тоску настоящего, создавая состояние глубокого удовлетворения. Он усмиряет наши мысли, открывая доступ силам Вселенной и молитве любви.

2. *Лазурит* помогает через шестую чакру получить инициацию, посвящение для следования по выбранному пути, его голубые лучи несут мудрость и любовь к Всевышнему, обладают общеоздоровляющим действием.

3. *Сапфир* через Аджну помогает проявлению интуиции, ясновидения, мудрости. Е.П.Блаватская пишет: «Буддисты утверждают, что сапфир насылает на душу мир и уравновешенность и изгоняет все дьявольские мысли за счет установления здоровой циркуляции в человеке. То же делает электрическая батарея с ее направленными флюидами, как говорят наши электрики». «Сапфир,— считают буддисты,— способен открывать закрытые двери и обиталища для Духа человека, он способен выполнить желания молящегося, и мир снисходит в его присутствии больше, нежели при любом другом камне. А те, кто его носит, должен вести чистую и святую жизнь». (Разоблаченная Изида).

Сапфир, помещенный на «третий глаз», дает вспышки озарения, вознесения в мир мечты, тонкую интуицию.

4. *Содалит* — камень шестой чакры, расширяет интеллект, обещает перспективу для сознательной, продуктивной деятельности, открывает доступ для зрелых мыслей. Он дает отдых уму для последующих активных действий, помогает перестроить ум на логическую основу, способствует получению интуитивных знаний.

5. *Азурит* — универсальный целитель, так как воздействует как на физическое, так и на тонкое тело. Он работает на чакре, а также в области висков, выравнивает энергетическое поле, снимает больную энергию, заменяя ее свежей, здоровой. Азурит помогает расширить понимание жизни, определить свою роль и миссию в ней. Он контролирует мысли, идущие из подсознания в сознание, очищая их от страха, негативных аспектов, дает ясность и понимание. Азурит расширяет наше сознание, позволяет поднять его на Божественный уровень, дает пропуск в Новую Эпоху.

6. *Флюорит* позволяет разглядеть реальность мира и отличить ее от иллюзии, истину от лжи, вечное от приходящего. Его четыре цвета (голубой, фиолетовый, золотой и белый) работают в широком лечебном диапазоне. Флюорит активизирует деятельность головного мозга, устра-

няет депрессию, устанавливает ментальное равновесие, улучшает мыслительные процессы, гармонизирует ум и сердце, способствует ясности сознания и пониманию своего величия и значения в Мире.

Этот удивительный камень способствует нашему Восхождению по лестнице эволюции, подключению к истокам космической силы, единению с Бесконечностью для постижения своей индивидуальности, создает ядро Духа.

7. *Жемчуг*, в котором песчинка символизирует целый мир, состоит из огня внутри и всех стихий вокруг него. Применительно к «третьему глазу» он обеспечивает покой, эмоциональный баланс, чистоту — очищает мысли и кровь.

8. *Лунный камень — беломорит* — выравнивает в человеке его Ян-Инь энергетические аспекты, помогает более глубокому пониманию характерных особенностей противоположного пола. Этот дивный камень позволяет достичь эмоционального равновесия, способствует осуществлению контроля над эмоциями со стороны Высшего эмоционального центра и со стороны нашей воли. Как камень Иньской планеты Луны он обеспечивает гармонический баланс в организме женщины, снимает эмоциональную тягостность в предменструальный период, во время беременности, дает устойчивость гормональных процессов, их надлежащий уровень для вынашивания ребенка, а самому ребенку — эмоциональное равновесие и глубокую привязанность к матери. Для этих целей лунный камень следует носить на уровне чакры Анахата (для проведения энергии Луны в большую «Чашу» любви).

Металл: серебро в украшениях и в гомеопатических препаратах.

Мы используем еще один метод: на тончайшие пластинки серебра наносим информацию, которая имеет свойство долго сохраняться и передаваться как программа к осуществлению.

При гармонизации чакры происходит очищение Души, обретение покоя, возможность ощутить прошлое, настоящее и будущее, а также тончайшие вибрации Космоса. В процессе работы с Аджной можно отработать стары~~е~~ кармические долги, ощутить вибрацию Аум и через эт~~у~~ вибрацию обрести покой и смирение.

Мудра: Актобхья — «непоколебимый, невозмутимый», правая рука в положении — ладони, повернутой к туловищ~~у~~ (бхуспарша-мудра), левая лежит на левой голени. У жен~~-~~ щин наоборот. Положение рук активизирует печень. М~~е~~ дитацию лучше производить в синей одежде с концентра~~-~~ цией на Трикуте.

Аджна связана с Луной и Раком, проявляющим активно~~е~~ начало, активную деятельность. Работа с чакрой целесо~~-~~ образна в день Луны, зодиакальные часы Рака.

Согласно китайской оккультной анатомии — верхне~~е~~ поле киновари — Верхний Дань-тянь, «Верхний дворе~~ц~~ света», «Океан мозга».

На уровне шестой чакры происходит слияние дву~~х~~ важных каналов — Нади-Иды и Пингалы, гармонизаци~~я~~ Инь-Ян энергий — Ида проходит через левый лепесток, ~~а~~ Пингала через правый лепесток «третьего глаза».

Геометрически Аджна представляет собой кристалл додекаэдр кубической сингонии, который в силу своей кристаллической структуры в состоянии получать и обра-батывать весьма тонкую информацию из параллельны~~х~~ миров. Возможно поэтому Аджна-чакра является главным интуитивным каналом получения нами информации, кото-рой мы должны безгранично доверять, по этому каналу «нас ведут», нам подсказывают единственно правильное решение в сложнейших жизненных ситуациях. Задача современного человека и человека будущего — уметь принимать эту информацию, правильно ее оценивать, ~~а~~ затем реализовывать.

Аджна — это наша воля: умение мобилизовать эту волю для решения многих проблем зависит именно от гармо-ничной деятельности шестой чакры. При ее нормальной функции и открытости человек в состоянии будет возжигать все центры, управлять всеми стихиями организма, гармонизировать свои ритмы с ритмами Мироздания.

Древние связывали «третий глаз» с основными функциями человеческого организма — зрением, слухом, усвоением получаемой информации. Китайские медики предлагают оригинальный метод запоминания — путем сосредоточения на точке Тянь-му, соответствующей центру Аджны. По их мнению концентрация внимания на этой точке стимулирует физиологические функции мозга. Эти две точки Ин-тан и Тянь-му называются «полостью» ("отверстием", сокровенной заставой «небесного глаза»). «Небесный глаз» является «проходом в единое» и «дверью в мир чудесно утонченного», вместилищем потенциальных возможностей сознания. Мастер Лю Шаобинь пишет: "Когда духовная энергия Ци проникает в «небесный глаз», усиливается телесная способность к духовному восприятию, обретается тонкая чувствительность к получаемой извне информации".

Женщины Индии отмечают этот центр на лбу ритуальным кружочком красного цвета для энергизации, развития и раскрытия центра. В наших методиках мы рекомендуем минералы, излучения которых благотворно влияют на развитие и деятельность «небесного глаза». Раскрытие Аджны дает «возврат молодости», достижение долголетия. Воздействие на чакру устраняет головокружение, головную боль, заболевания носа, простуду, освобождает пути для циркуляции энергии легких.

В области лба циркулирует энергия Ян-мин («светлая Ян»), с концентрацией именно в шестой чакре. Поэтому легкий массаж лба с мысленной программой устраняет застой энергии в этой области, снимает головные боли.

Эта чакра очень сильно развита у шаманов, ясновидящих и яснослышащих и определяет высокие парапсихологические способности. Ее связь с гипофизом, шейным отделом позвоночника и головным мозгом обеспечивает богатую палитру жизненноважных функций человеческого организма, необходимых для его нормальной деятельности. Это прежде всего психические способности, высокие медитативные результаты, интеллект, способность к воображению и визуализации зрительных образов, кроме того, велико ее влияние на определенные органы физического тела.

Аджна является своеобразным компьютером, воздействие на нее дает возможность нормализовать все остальные центры, лежащие ниже. Развитие и открытие шестого центра позволяет увидеть ауру и чакры как собственные, так и других людей, проводить диагностику и лечебную коррекцию. Аура вокруг человека существует не только в нашем воображении. Сегодня уже во многих странах, во время строго контролируемого научного эксперимента производится фотографирование сверхчувствительными приборами ауры человека. Аура находится в состоянии постоянного изменения, ее цвета и форма находятся в строгом соответствии с мыслями, поступающими и отправляемыми. Ясновидящие, имеющие высокоразвитую Аджну, определяют по ауре судьбу, прошлые и настоящие накопления, искупление, физические недуги и пути их устранения.

Раскрытие третьего «небесного глаза» дает духовное осознание и просветление.

Еще одним весьма важным свойством обладает шестая чакра, которая носит еще одно поэтическое название «Глаз Брамы» (расположенный у соединения бровей, в таком виде, как он изображен на образах Будды), чакра является Глазом Бодхического Зрения. У человека он находится в латентном (неразвитом) состоянии. Будучи йогически развитым, он становится органом, способным вести организм к совершенствованию, поднимая Дух. В письмах Е.И.Рерих читаем: «Тибетцы, желая символизировать раскрытие «третьего глаза», помещают бородавку в средостение на священных изображениях, а яснослышащие обычно символизируются с огромными ушами. От этой чакры зависит гармоничное развитие человеческого тела, пропорциональность всех его частей. Медитация на этом центре дает возможность улучшить свою фигуру, исправить физические недостатки.

Камнем Брамы является *соколиный глаз*. Иногда Аджну-чакру называют двухлепестковым Лотосом; во-первых, двойка — это нумерологический код Луны, а во-вторых, правая половина Лотоса имеет бледно-розовый цвет, а левая — бледно-фиолетовый. Поэтому подпитка центра «третьего глаза» может быть осуществлена *аметистом*, излучение которого так благодатно, либо золотисто-сверкающим *топазом* или *корундом* цвета индиго. Аметист на шестой чакре осуществляет синтез мудрости, ума с интуитивным каналом «третьего глаза» для выхода к бесконечному источнику Света, для соединения ума с высшим Я, понимания ментальных концепций.

Гармоничное развитие Аджны дает человеку реальное представление о себе, о мире и о своих взаимоотношениях с миром. Проекция чакры на передней поверхности лба между бровей генерирует идеи, творческие взгляды, масштабные планы, проекты — при открытом центре Аджна они реально воплощаются в жизнь. Проекция Аджны на затылке представляет волевой "исполнительный комитет" центра, который воплощает идеи и проекты в жизнь, если он закрыт, эти идеи становятся мертворожденными. Такие люди вечно жалуются на несправедливость, на внешние помехи, козни в осуществлении своих идей. Опытные целители оценивают объективно состояние чакр и, производя целительские практики, помогают человеку обрести свое истинное Я, укрепить физическое здоровье.

Нераскрытость и неразвитость Аджны проявляется духовной глухотой и слепотой, сомнением и неверием, уходом от проблем, от собственного «Я», а также фобией и боязнью, страхом, трусостью. Кармические болезни слепота и глухота, головокружения и потеря сознания, все виды диэценфальной патологии, белокровие. Кармическая отработка по этой чакре связана с преодолением перечисленных качеств.

Гармонизация минералами в 1-ый, 11-ый, 18-ый, 20-ый, 30-ый лунные дни:

В первый лунный день — *бриллиант, горный хрусталь, кварц.* Концентрация и медитация на огонь.

В одиннадцатый лунный день — *селенит, опал.* Управляется Прозерпиной.

В восемнадцатый лунный день — *белый агат, опал.*

В двадцатый лунный день — *горный хрусталь, красная яшма.*

В тридцатый лунный день — *белый коралл, мрамор.*

С Аджной тесно связана Трикута — «центр сокровенного знания», высшая чакра Луны. Расположена между бровями, имеет форму треугольника: у женщин острие треугольника обращено вниз, у мужчин — вверх. Бесцветна.

С чакрой связана зеркальная интуиция и соответственно она изображается в виде зеркала. Трикута управляется Нептуном и Раком.

Центр связан с неисчерпаемыми, глубинными знаниями, с Изидой — женской полярностью Инь.

Гармонизация минералами:

В первый лунный день — *бриллиант, горный хрусталь.*

В пятнадцатый лунный день — *гагат, изумруд* (связь Изиды с Озирисом).

В восемнадцатый лунный день — *белый агат, агат переливчатый, горный хрусталь.*

В двадцатый лунный день — *горный хрусталь, красная яшма, кораллы.*

В двадцать седьмой лунный день — *красный коралл, аметист, чароит, лазурит, розовый кварц.*

7. САХАСРАРА, ИЛИ ДЫРА БРАМЫ, ЧАКРА «БОЖЕСТВЕННОГО ЕДИНЕНИЯ»

Расположение — макушка головы, анатомическая зона — шишковидная железа, гипофиз. (Согласно тибетским источникам, обе головные чакры интерпретируются вместе, олицетворяя принцип Отец-Мать). Высший интеллектуальный центр. Стихия космического огня. Абсолютное мировое сознание — Бесконечность. Эго, экстаз, верхний мозг, правый глаз,который есть «глаз мудрости» (а левый глаз соответствует рассудочному мозгу). Два глаза и две ноздри соответствуют Меркурию и Венере, Солнцу и Луне. Они суть «Четверо святых», связанных с Кармой и Человечеством, Космосом и Человеком. 972 вихря (по другим источникам, значительно больше). Цвет энергии — лилово-белый, золотой. Звук октавы — си. Таттва (элемент) — Абсолют. Вкус, запах отсутствуют, Мантра Висарга. Планета — Солнце, знак зодиака — Лев, день — воскресенье, благоприятен для ответственных решений, самовыражения, самореализации с подключением воли.

Зодиакальное созвездие Льва контролирует сердце, его связь с мозгом, психикой. В сердце имеется сеть центров мозга и символы семи иерархий, сердце есть место средоточия духовного сознания, равно как мозг есть средоточие рассудочного сознания.

Поэтому духовный человек чувствует и ощущает все происходящие явления сердцем, а чисто психоинтеллектуальный тип — весь в голове. Каждое чувство, движение души обладает своим сознанием, и, следовательно, сознательность может быть проявлена через любое чувство (здесь имеются в виду психические аспекты и их дубликаты органов чувств).

Сахасрара контролирует Дух крови, артериальную сеть и ее циркуляцию.

Седьмая чакра обеспечивает единство с макрокосмосом, со всем человечеством и всей Вселенной. Гармонично открытая чакра дает сверхсознание, поклонение, единство с Богом, с Божественным сознанием.

Расширение духовного сознания обеспечивает выход за пределы пространства и времени (в четвертое измерение), в бесконечность и вечность, обретение масштабного видения мира, в общем плане это реализация индивидуумом высшей полноты жизни.

Без учителя нельзя самостоятельно экспериментировать с головным Лотосом, а тем более поднимать Кундалини. Очень важно себе уяснить, что все части нашего тела дублируются и по законам голографии представлены в любой области, в любом органе и клетке. Этот закон представительства-соответствия полностью относится и к семи духовным центрам — чакрам.

Следует отметить, что все семь чакр имеют свое представительство в голове, их руководящие центры контролируют семь чакр, расположенных на теле. Именно в этих семи центрах вибрируют семь лучей Логоса, эти высшие вибрации отражаются и действуют в каждом атоме нашего тела (если речь идет о теле), и резонанс наших клеток с этими вибрациями обеспечивает жизненное равновесие.

Лежащая в основе всего семеричная система жизнеобеспечения дает 49 энергетических плексусов. Мы же приведем не все 49, а только те, которые могут быть с успехом использованы вами в обеспечении собственного физического и психического здоровья.

Вернемся к головной чакре. Именно в ней происходит интеграция всей сущности человека, его физического, эмоционального, ментального и духовного аспектов. Открытая чакра дает ощущение связи с бесконечностью цели и смысла существования, такой человек не задаст вопроса: «Для чего мы существуем и что дальше?». Он это знает, и всей своей жизнью старается реализовать настоящую инкарнацию. Он ощущает состояние выхода из обыденной мирской реальности, а человек, который перестает замечать незначительные стороны мирской реальности, умеет сразу выделять главное, масштабное, не раздражаясь, так как раздражение является одной из важных причин разбалансировки священных плексусов —

такой человек находится на пути к духовности и величию.

С нарушением работы Высшей чакры в психическом плане возникает маниакальная эйфория, которая проявляется в постоянном неадекватном радостном возбуждении, при котором приведенные в вибрирующее состояние головной мозг и сердце передают вибрации спинному мозгу и таким образом всему остальному телу. Чрезмерная радость, так же как и печаль, вызывает сверхсильные вибрации, «раскачивает» и изнашивает тело. Следовательно, правы были древние китайские врачи, которые утверждали патогенное значение чрезмерных эмоций — даже «чрезмерная радость ранит сердце».

Психологически человек с разбалансированной Сахасрарой — сам от себя в восторге, все вокруг, по его мнению, должно быть для него, так он исключителен, недосягаем и неотразим. В отличие от шести других чакр Сахасрара открывается вверх навстречу Космосу и Всевышнему, а остальные шесть — вперед.

На физическом плане с нарушением седьмой чакры связаны нарушения кровообращения, зрения, внутричерепного давления, а также контроля за патологией всех органов, каналов и чакр. Подключение Верховной чакры при лечении любого заболевания позволяет скорректировать всю схему лечения и добиться удовлетворительных результатов.

Согласно китайской натурфилософии и медицине, голова считается средоточием субстанций Ян и «хранилищем мозга», играющего основную роль как принимающего, так и передающего устройства. Сахасрара — это высшая чакра, соответствующая в китайской системе меридиальной точке заднесрединного меридиана Байхуэй, находящейся в центре темени.

Учение Живой Этики называет этот Высший Духовный центр центром Колокола. Слово «колокол» (bell) означает Бытие Божье, буква «b» относится к Бытию, «e» на иврите значит Бог, кроме этого «e» символизирует присутствие Бога, его Божественных сил внутри каждого отдельного человека, внутри каждого из нас. И каждый из нас должен заставить свой «колокол» звучать в унисон, резонировать с Божественными ритмами, чтобы обрести чистое бытие и бессмертие, приближаясь в каждой своей жизни по ступеням к Творцу, изгоняя на этом пути звучанием своего «колокола» дьявольские силы и побуждения.

В древности колокола хранили и почитали как святыню, так как они обладают магической силой. Колокол всегда символизирует связь с Богом, Высшую истину.

Вот почему так велики кармические долги у нашего народа, позволившего разрушать храмы, уничтожать колокола, а вместе с ними и Духовность. Звон Колокола — это всегда призыв к сбору, к единению, к отказу от личных заблуждений, к искуплению и всепрощению, к обращению к Высшим Силам, к Богу!

Колокольный звон на похоронах при уходе из Земной жизни символизирует не смерть, а возвращение "домой". Вот почему Сахасрара в учении Живой Этики названа Колоколом, «Дырой Брамы».

Через эту "Дыру" мы возвращаемся в наш истинный дом, к Отцу Небесному. Поэтому так важна открытость «Колокола» и его чистый резонанс со Вселенной, так как в противном случае наступает блокада, духовная глухота и немота со всеми вытекающими негативными последствиями. По аналогии с "Колоколом», у каждого из нас свой собственный тон, свое имя, свой язык, свой мир чувств и ощущений, но обязательным условием для «Колокола» является чистота металла и совершенная симметрия формы, а для нас — чистота мыслей, побуждений, поступков, верность принципам и их реализация, то состояние единения с самим собой, со своей семьей, со всем мирозданием, о котором всегда говорили святые, мудрецы, Посвященные.

Согласно древнеиндийским учениям, 1000 лепестков Сахасрары расположены по 50 в 20 слоях, которые обусловливают все многообразие тончайших и важнейших функций по восприятию пространственных мыслей и всей информации, воспринимаемой нами из высших сфер и высших миров. Поэтому так важна открытость этого центра, недаром на многих изображениях Будды и Бодхисаттва символически изображено выпячивание темени в области точки Бай-хуэй, носящее название «ушниша». Согласно 12 знакам Зодиака, этот Лотос имеет в центре 12 лепестков золотисто-солнечного сияния, образующих нежно-фиолетовый круг. Нимб золотистого цвета над головой святых символизирует открытость центра и связь с Высшими божественными силами, с Богом, с Абсолютом, ауру святых.

Открытость этого центра создает определенное состояние единения со Вселенной, блаженства, отрыва от мирской реальности, ощущение своего могущества. Чувства эти у каждого индивидуальны. Геометрические символы, связанные с кристаллическими формами отдельных чакр, имеют аналогию с формой Платоновых тел. Для Сахасрары такой кристаллической формой является додекаэдр, соответствующий высокой симметрии — кубической сингонии минерала пирита, имеющего цвет золота и обладающего высокой энергией элемента Огня.

Мандала Сахасрары обладает сильной ассиметрией, что связано с ее интегральной функцией, объединяющей физическую, эмоциональную, ментальную и духовную сущность человека.

При нарушении гармонии Высшей чакры можно ожидать болезни Духа и физического тела — повышение внутричерепного давления, опухоли мозга, инсульты, нарушение мозгового кровообращения и др. Из психических нарушений — депрессию, тревожную мнительность, угрюмость и замкнутость, психозы.

Очень важно, что при открытости Высшей, "коронной" чакры через нее можно получать космическую энергию и проводить ее в другие центры, а также получать необходимые знания и информацию уже без дополнительных усилий и затруднений.

Для гармонизации Сахасрары могут быть применены энергии следующих камней и металлов:

1. *Алмаз* — камень Солнца, камень Огня — через Верхнюю чакру соединяет личность с Богом, с Бесконечностью, несет мозгу мир и мудрость, способствует активизации центра, принимает энергоинформационный поток из Космоса и распределяет его по чакрам и органам, дает исцеление от недугов и расширяет сознание.

При использовании драгоценных камней в лечении заболеваний путем контактного накладывания на центры, зоны и точки или при ношении их как украшений энергия камней, их аура взаимодействует с аурой человека. Частотно резонируя с ней, энергия камня устраняет и рассеивает эмоциональные зажимы, стрессы. Чем шире и полнее спектр радуги камней, тем более многофункционально лечение. Алмаз в этом плане лидирует, и в мире непроявленном являет чистое индиго высокого Духа.

2. *Горный хрусталь* (чистый кварц) — один из самых мощных стимуляторов седьмой чакры. Он входит в резонанс с Космосом, позволяет ощутить единение с Абсолютом (Абсолют — вечная, неизменная первооснова всего существующего), создает гармонию и блаженство, позволяет ощутить мир в себе и во всем творении Господа. Для зарядки кристалла на исцеление возьмите кристалл горного хрусталя в руку (женщины в левую, мужчины в правую), закройте глаза и пошлите нужную информацию в виде вашей мысли, энергии. Представьте пучок искрящегося света (белого с опаловыми переливами, искрами) или сноп искрящихся лучей, исходящих из царя камней — бриллианта, когда на его грани попадает пучок света. Если вы это хорошо представили, научитесь четко визуализировать этот свет: вы должны отчетливо видеть этот поток божественного света, входящим в ваш открытый Верхний Лотос — Сахасрару, этот посланный вами в макушку свет

вы затем мысленно и визуально проводите в сердечную чакру Анахату, а дальше с информацией — по руке в камень. Заряжайте камень универсальной энергией белого света — на любовь, выздоровление, семейное счастье, успех и благополучие. Такой камень становится вашим другом, помощником, целителем.

3. *Селенитом* более целесообразно работать с менталом (для физических страданий он очень тонок), он успокаивает при тревожном состоянии души, при хаосе мыслей, при разбалансированности процессов в головном мозге и сердце, когда любая безобидная приходящая мысль вызывает тревогу, страх, беспокойство. Селенит в этих случаях кладут на макушку головы, закрывают глаза и избавляются от тревожащих, назойливо наплывающих мыслей. При этом неплохо было бы поместить розовый кварц на Анахату, с той же целью можно использовать зеленый авантюрин или малахит.

Работу с селенитом мы рекомендуем и при внезапном пробуждении ночью, сопровождающимся тоскливой тревогой, смятением, попросите селенит о помощи и поместите его на макушку головы.

Селенит накопил и накапливает информацию в своей структуре и настает время, когда он готов будет поделиться ею. После каждого сеанса работы с селенитом необходимо его тщательно очистить. Медитация на селенит позволяет получить правду о тех событиях и обстоятельствах, которые вас интересуют.

Мы возвращаем вам давно забытые знания и возрождаем удивительную силу камней, так необходимую всем нам в грядущую Эпоху Водолея. В Агни-йоге читаем подтверждение этому: « Вы убеждались, что психическая энергия намагничивает воду. Минеральные воды, вроде железистых и литиевых, очень восприимчивы к магнетизму. Это не магия, а научное действие.

То же происходит и со всеми предметами. Действительно, магнетизм может жить на предметах целые века, если лицо, пославшее его, не прервет своего воздействия.

Особенно нужно помнить, что минералы легко принимаю[т] воздействие психической энергии». (Мозаика Агни-йоги стр.338). Но упаси вас Бог посылать другим мысли зла [и] разрушения, так как в переходный период эпох Карм[ы] может реализоваться в этой же жизни, и вам грозит гибел[ь] от собственного же меча. Запрограммированны[е] минералы значительно более эффективны в своем исце[-] ляющем действии, чем многие самые эффективные лекар[-] ства, ведь помимо своих собственных энергетически[х] свойств цвета, света, химизма и др., они передают еще [и] вашу энергию, заимствованную из универсального энер[-] гетического поля Вселенной и обогащенную вибрациями[и] энергий вашего сердца.

"Мысль есть одеяние предмета". В этом изречени[и] сказано о наслоении мысли и излучении энергии. Мысли[-] тель советовал очень хранить предметы, данные с добра[-] ми пожеланиями (но вы должны быть уверены, что эти пожелания действительно добрые, — Э.Г.). Он говорил «Мы не суеверны, мы ученые и знаем, что рука, державша[я] дар у сердца, дает частицу своей души». (Агни-йога).

Предметы, заряженные энергией Космоса, пропущен[-] ной через седьмую и четвертую чакры и целительну[ю] чакру ладони, о которой мы расскажем в дальнейшем изложении, помогут вам (если вы очистите свои мысли и помыслы) обрести здоровье, мир Души и благополучие.

Когда мы начинаем испытывать физический дискомфорт и недомогание, мы часто не можем связать это [с] определенной причиной. Из моей большой практики вра[-] ча-целителя могу утверждать, что большинство людей не связывает свое заболевание с какой-либо конкретной причиной, простуда единственно четкая причина, на кото[-] рую указывают, как на самую простую и «малозначитель[-] ную». Однако она и не проста, и не малозначительна. Но не об этом сейчас речь. Как правило, истинная причина болезни всегда скрыта. Нарушения в организме начина[-] ются задолго до их манифестации, они могут уходить корнями в раннее детство, а зачастую и до рождения, в прошлую жизнь. Не бывает следствия без причины, а причиной может быть скрытый, утаенный и подчас не решенный психоэмоциональный конфликт. Здесь следует добавить, что негативные эмоции хранятся в ауре, создавая энергетические блоки, затрудняя энергообмен между организмом и энергией Вселенной, создавая неразрешимые проблемы и болезни. Точки акупунктуры, соединяющие каналы циркуляции, являясь миниатюрными чакрами в сложной системе энергообмена, работают в этом же режиме и по этому принципу.

Производя целительство на уровне точек и чакр, мы очищаем ауру организма, снимаем блоки, застой, даем возможность проявиться свету, цвету и звуку. Целительство минералами, металлами и др. убирает эти блоки, осколки страданий, язвы воспоминаний, открывает дорогу свету, заряжает своей энергией и соединяет ее в единый исцеляющий комплекс. Кристалл, излучающий свет, преобразует негативные излучения тканей и клеток в благотворную, жизнедающую энергию, врачуя болезни и омолаживая организм. Энергия Космоса, пройдя через Сахасрару и Анахату и устремляясь к минералу, соединяясь с его энергией древнего света, накоплений и памяти, представляет очень мощный энергетический узел, который при умелом использовании дает высокий эффект. Им можно заряжать другие предметы — воду, воск, серебро (пластинки).

Чистые кристаллы обладают магической радугой цветов и передают ее нашей ауре для восстановления психологического и физического здоровья. Особенно эффективна работа с радужными кварцами для исцеления от астено-невротических состояний, душевной тоски и депрессии.

Для зарядки, очистки и активизации Сахасрары автор применяет селенитовые яйца — сама их форма, собирающая энергию и чувствительная к этой энергии, очень удобна для очистки и зарядки всех чакр, и Верховной в частности.

В Китайской натурфилософии и медицине Верховная чакра соответствует точке Бай-хуэй, Беспредельности у-цзи «Небесному проходу», «Горной вершине», «Бессмертию».

Мудра: две сложенные ладонями вместе руки (большие пальцы примыкают друг к другу, обращенные к небу, выражают беспредельную любовь к Богу, сопричастность со всей Вселенной, единение и духовный экстаз. Также выполняйте Мудры номер 12 «Окно мудрости», номер 13 «Храм Дракона», номер 17 «Зуб Дракона», номер 19 «Шапка Шакья Муни».

1001-лепестковый Лотос отрывается вверх, звук «О», цвет золотисто-фиолетовый, управляется Солнцем. Фокус духовной и нравственной жизни. Расположен в центре линии, соединяющей верхние части ушных раковин.

Кармические долги этой чакры связаны с крайним эгоизмом — эгоцентризмом, самолюбованием, вседозволенностью.

В физическом теле это выражается в нарушении мозгового кровообращения, внутричерепного давления, головных болях, снижении зрения.

С Сахасрарой тесно связан высший центр Озириса — Брахмаранда, расположенный на макушке. Если у человека две макушки, то у женщин на левой макушке, у мужчин на правой. Оба центра осуществляют космическую связь с Высшими Божественными принципами.

Головные центры осуществляют Божественный дуэт Инь-Ян — принцип дуальности, священный Союз Солнца и Луны.

Гармонизация минералами 21-го и 26-го лунных дней приводится для двух высших центров:

В первый лунный день — *пирит* (огненный), *циркон, воздушный обсидиан.*

В двадцать шестой лунный день — *голубой, белый, зеленый нефрит.*

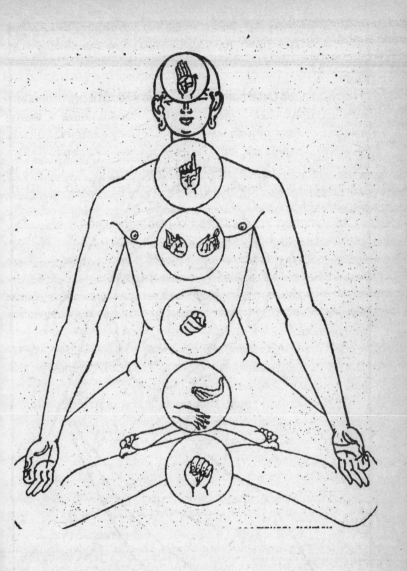

Мудры (жесты), соответствующие различным чакрам

ГЛАВА 4

ЗОДИАК КАК КРУГ СУДЬБЫ

Говоря о фундаментальных космических принципах творения, Гермес Трисмегист указывал, что «Солнце — отец, Луна — мать всего сущего, Ветер выносит создания из их лона, а Земля воспитывает нас». Аллегорический смысл этого высказывания заключается в том, что мудрый Гермес имел в виду четыре важнейших стихий, из которых по закону аналогий происходят все явления жизни как на Небе, так и на Земле.

Все события в жизни мироздания, равно как и судьба каждого индивидуума, записываются материей флюидов, носящих название астрального света. Чувствительность этих флюидов столь велика, что даже все, что хоть на мгновение появляется в нашем сознании, немедленно отражается и фиксируется на века.

Это можно себе представить таким образом, что каждый из нас находится постоянно в поле зрения объектива скрытой камеры и все, что с нами происходит, о чем мы думаем, что совершаем или планируем совершить, запечетлевается на «фотопленке» флюидов астрального света и на постоянном сердечном атоме. Во время перехода в иной мир Душе предоставляют возможность просмотреть этот ролик и объективно оценить весь свой жизненный путь. И только при этом просмотре, где она является зрителем собственной прошедшей жизни, она понимает, что, если бы она знала, как для нее обернется тот или иной поступок или мысль, не ко времени сказанное слово, какие последствия это все может повлечь и как повлиять на ее судьбу, она, естественно, постаралась бы всеми силами этого избежать.

В народе на сей счет говорят: «Если бы знал, где упадешь, солому б подстелил». Знание человеком основ Мироздания, законов космического развития, мира тонких энергий позволило бы ему избежать большинства роковых ошибок, круто изменивших его жизнь, судьбу и ответственность за последний жизненный сценарий. Согласно древнему учению, астральный свет — это такая материальная субстанция (молекулярная), которую излучают все без исключения создания: люди, животные, минералы, растения, и эти излучения достигают всех царств природы, а также планет, звезд и оставляют там свой "автограф", в котором зафиксированы все этапы его существования.

Наша удивительная планета Земля — это наша гостиница, наша временная обитель, а вокруг нее простирается бесконечный космос, беспредельность, поражающая красотой всего ансамбля мироздания. Мы дети Бога, и все мироздание — наш дом. Божественный учитель Христос говорил: «Могу переночевать на прекрасной земле, чтобы отдохнув, продолжить путь далее». В другом месте он говорит: "У моего отца небесного обителей много".

В период нашего пребывания на прекрасной Земле вся хроника нашей жизни, занесенная на компьютер «астрального света», достигает пределов Вселенной. Эта часть пространства представлена для нас Зодиакальным кругом. А все, что располагается внутри этого круга, и составляет Зодиак. Это именно то пространство, которое мудрый Господь отделил при сотворении мира. 12 зодиакальных знаков на Колесе Зодиака представляют, во-первых, этапы сотворения мира, во-вторых, этапы эволюции каждой человеческой сущности, воплотившейся в физическое тело и проигрывающей свою мистерию рождений и смертей согласно сценарию Зодиака и Кармы. Те, кто рождается на свет, попадают под влияние Зодиака и вынуждены подчиняться его периодичности, циклам и пространству, заключенному внутри Зодиакального пояса. Только при развоплощении, когда душа оставляет тело, отключаются энергии знака. Только светлые и чистые души, «отработав» всю программу, заложенную в каждом знаке, освобождаются от оков времени и пространства и занимают свое достойное место на Олимпе одной из Иерархий. Но для того, чтобы освободиться от Колеса Жизни и Смертей, для того, чтобы выскочить из конвейера, рокового заколдованного круга, участи, которой не минуют даже самые светлые существа и сыновья

Божьи, человек должен избавиться от циклов реинкарнации, а это возможно только при условии полного очищения Души и добросовестной и усердной деятельности на всех узловых остановках Зодиакального Пути, следующих в одном случае в порядке: Овен, Телец, Близнецы, Рак, Лев, Дева, Весы, Скорпион, Стрелец, Козерог, Водолей, Рыбы, а в другом — в обратном направлении от Рыб к Овну. Это два пути, которые каждый из нас проходит в своем эволюционном и инвалюционном движении от Овна к Рыбам и от Рыб к Овну.

Периодичность этого движения и связь с пространством Зодиака отражена на человеческом теле, где каждый орган связан с определенным знаком, стихией, цветом, звуком и т.д.

Овен: голова, мозг, центральная нервная система;

Телец: шея, миндалины, щитовидная железа, голосовые связки, яичники;

Близнецы: дыхательная система, руки, ключицы, плечо, ключично-плечевой сустав;

Рак: грудь, молочные железы, пищеварительная система, матка, лимфатическая система, эндокринная система.

Лев: кровообращение, артерии, сердце, позвоночник;

Дева: солярный плексус, тонкий кишечник, нижняя часть живота;

Весы: почки, поджелудочная железа, поясница, седалищный нерв, венозное кровообращение;

Скорпион: нос, мочеполовая система, прямая кишка;

Стрелец: мускулатура, печень, крестец, тазобедренный сустав, венозное кровообращение;

Козерог: костная система, суставы, кожа, слизистые оболочки, клеточные мембраны;

Водолей: кровеносная система, кроветворная система, симпатическая нервная система, лодыжки ног, процессы ассимиляции и усвоения пищи.

Рыбы: печень, эндокринная система, соединительная ткань, эпителиальная ткань, суставные сумки, стопы ног, лимфатическая система.

Ни в коем случае нельзя путать знаки Зодиака и зодиакальные созвездия. Зодиак — это фиксированная система координат, принятая раз и навсегда, а созвездия смещаются, и смещение их связано с вращением земной оси. Кроме того, необходимо знать, что 12 знаков, составляющих наш зодиак, сами по себе испытывают на себе влияния многих потоков энергии, приходящих из самых разнообразных источников.

На человеческую жизнь и судьбу оказывают влияние планеты, в зависимости от того, под каким зодиакальным знаком Зодиака они находятся. Планета, управляя определенным знаком и в зависимости от того, в каком знаке она находится, проявляет свое влияние и воздействие.

В момент рождения ребенка на его эфирном теле звезды оставляют свои отпечатки, которые сохраняют свои очертания на всю данную жизнь. С первым вдохом включается его гороскоп, фиксирующий ансамбль планет и звезд, определяющих его судьбу. Вырваться из жестких ограничений, из роковых предписаний кармы, изменить свою судьбу, уйти от влияния неблагоприятных композиций планет можно только в одном случае — сознательно и целеустремленно восстановив те священные нити, которые связывают каждого из нас с Богом!

Это очень трудный путь, который требует больших личных усилий с отрешением от чрезмерных земных привязанностей и полным посвящением себя служению человечеству. Это понятие коронации в духовной жизни, чистоты и святости, которые символизируются сияющим нимбом над головами святых душ.

От человека, его мыслей, чувств и поступков исходит поток энергий, поток волн, они могут иметь разный характер, благой или приносящий вред. Согласно закону подобия, они вибрируют в пространстве, пока не притянутся к отправителю в таком виде, в каком были посланы, — либо в виде добра, поощрения, либо в виде наказания. Это бумеранг, и если люди имеют об этом представление, если они осведомлены о законах работы энергий, об их притяжении по принципу подобия, они будут соблюдать гигиену мыслей и заинтересованность в том, чтобы в пространство отправлять только волны любви, света, доброты и тепла. Только от них зависит все то, что с ними происходит, от их послания во Вселенский эфир и от ответной почты. Именно поэтому-то и чертежи судьбы, отраженные в нашем гороскопе, объясняются как ответ на нашу канву прошлой жизни так же, как мяч, брошенный в стену, возвращается обратно.

Когда мы перечисляем знаки Зодиака, начиная с Овна и следующим за ним Тельцом, Близнецами и т.д., мы отмечаем процесс инволюционного развития человека по Колесу судьбы. Точка же равноденствия движется по знакам Зодиака в обратном направлении, проходя последовательно: Рыбы, Водолей, Козерог и т.д. — это будет путь эволюции, связанный с процессом материализации человеческих органов.

Любопытно проследить связь этих двух маршрутов движения Колеса судьбы в аспекте возникновения и формирования человека и Вселенной. Когда вся Вселенная состояла из огня и флюидной сферы, формирование человека началось с образования головы с шеей (знаки Овна и Тельца), которая перемещалась в огненном океане в виде бесформенной сферы.

С образованием воздуха, путем конденсации Огня, началось формирование системы легких (знак Близнецов). Образовавшийся воздух частично сконденсировался в воду, в результате чего началось формирование желудка (знак Рака), огонь сформировал сердце (знак Льва), кишечник и брюшная полость образовались из воды — знак Девы, Весов, Скорпиона. Когда же часть воды, сконденсировавшись, образовала Землю, началось формирование ног, рук и позвоночника (Стрелец, Козерог, Водолей, Рыбы). Человек в первом творении состоял из эфирных элементов, свои телесные очертания он начал принимать только с момента образования нижних конечностей. По эфирной матрице материализация началась снизу с Рыб (ступни) и, последовательно поднимаясь вверх, достигла головы — Овна.

В плане формирования человека Зодиак представляет нам схему двух путей развития: от головы до ступней — инволюцию и от ступней к голове — эволюцию. Зодиак заключает в себе все тайны бытия и содержит ответ на все вопросы, касающиеся пути развития человека и Вселенной. Однако, чтобы получить ответ на ряд интересующих нас вопросов, в частности, о цели и задачах данной инкарнации, о возможности отработки долгов прошлой жизни, необходимо познакомиться с той информацией, которую содержит определенный знак, отражающий эти две задачи.

В великом Колесе многих инкарнаций человек движется по Зодиаку, проходя путь от Рыб до Овна, т.е. обратный путь, против движения Солнца. Когда же он терпеливо и сознательно начинает развивать душу, неуклонно пробиваться в направлении к свету, очищая и шлифуя свои духовно-душевные свойства, он приходит в знак Рыб, полностью очистив душу и преодолев смерть, тогда он выходит из круга и становится свободным.

С этой точки зрения астрология может претендовать на чисто практическую роль по оказанию реальной помощи в эпоху усиления пространственного Огня, указав человеку его цель и задачи данной жизни и способы устранения, вернее расплаты с прошлыми долгами.

Для этого необходимо знать, что:

1. Солнечный знак указывает на физическую, ментальную и духовную природу человека — уровень развития его Души. Освещает главную задачу человека, задает ритм его жизни. Этот ритм обусловлен темпераментом данной личности, ее жизненными тенденциями, которые должны и стремятся проявиться в этой инкарнации.

2. Асцендент, или восходящий знак, указывает на духовные цели и задачи данной инкарнации. Он подсказывает возможности, которые при правильном их использовании могут привести человека к успеху и указать путь

гармоничных отношений души и личности в условиях любой инкарнации.

3. Луна символизирует наше прошлое. Особенно она сильна в гороскопе женщин. Лунная Богиня определяет и контролирует судьбу земную, а также указывает и советует ей, как освободиться от душевного плена. В ее сферу входит забота о физическом теле, она создает мир форм.

12 ДОМОВ ГОРОСКОПА

Звезда, под которой рождается человеческое существо, остается его звездой в течение всего цикла его воплощения в манвантаре. Но это не его астрологическая звезда. Последняя имеет отношение к личности, первая же — к индивидуальности. Ангел этой звезды, или «Дхиани-Будхи», будет руководителем или просто сопутствующим ангелом при каждом новом воплощении монады, как часть его собственного существа, хотя его носитель — человек — может никогда об этом не узнать. У всех адептов есть своя Дхиани Будхи, своя старшая сестра «Душа Близнец», и все они знают ее, называя Душой-Отцом или Отцом Огнем. Но раскрывается она или лишь при последнем, верховном посвящении, когда они встают перед лицом сияющего Образа».

(Е.П.Блаватская. Тайная доктрина)

Следует отметить, что в течение всей своей жизни каждый человек испытывает влияние каждого из двенадцати созвездий, только их ансамбль отслеживает все этапы его жизненного пути.

Существует определенная связь между 12 знаками Зодиака и 12 домами, которые проходит каждый человек, следуя эволюционным маршрутом данной инкарнации. По обитателям каждого дома (их задачам) можно судить о планах и целях данного индивида. Заглянем в эти дома и познакомимся с их владельцами.

Дом I. Овен: «Движение — это жизнь».

Дом Овна — «это дом рождения Божественных Идей», это знак начинаний, первый шаг души навстречу воплощению с последующими циклами эволюционного развития.

Новорожденный ребенок — это само движение, интерес к окружающему его миру он проявляет через желание потрогать все, до чего можно дотронуться, что можно достать, ухватить и крепко зажать в маленькой ладошке. Энергия жизни бьет в нем ключом, вырывается из-под контроля. Но, несмотря на это, он очарователен. Это дом Овна — дом бьющей через край жизненной энергии. Ей надо дать возможность реализоваться, направив в нужное русло, эта реализация будет способствовать дальнейшим жизненным устремлениям человека на благо его и общества.

Итак, первый дом показывает "росток" пробудившегося весной растения, с набором всех свойств и качеств, характерных для этого вида. Это «божественное зерно», в котором заложены все структурные тенденции, все возможности для развития человека, его личная судьба.

Исходя из сказанного, первый дом дает представление обо всех ключевых аспектах личности:

— «Я» или собственно всю личность;

— внешний вид;

— физическую конструкцию;

— характер;

— темперамент;

— нрав;

— душевные, творческие и интеллектуальные способности.

Первый Дом олицетворяет принцип Ян — мужской аспект, управляется Марсом, вместе с домом X является важнейшим домом в гороскопе.

Дом II. Телец: "Материальное благополучие" — основа жизни. Каждый зодиакальный психотип, в родовых муках приходящий в очередной раз на Землю, имеет задачи и цели данного воплощения, отмеченные этим знаком, а также указание на объем кармических отработок, согласно его характеристике.

Для этого он должен взойти на три Креста. "Если кто хочет идти за мною — возьми крест свой и следуй за мной",

— сказал Иисус, ибо только взяв крест и пройдя все испытания, очистившись и расплатившись со всеми долгами, мы становимся свободными. Но прежде давайте определим нелегкие пути его земного путешествия, с этапами его становления.

Растущий ребенок проявляет повышенный интерес к окружающим его игрушкам, сладостям, книгам, всевозможным предметам. Ему быстро надоедают одни игрушки, и он требует покупки новых. Как правило, комната малыша бывает переполнена, он тянет к себе все, что привлекает его взор. И не только комната, карманы его одежды могут содержать самые разнообразные и универсальные вещи. Он весь поглощен жаждой приобретения. Это второй дом, который связан с имуществом, — дом Тельца. В этом доме уместно направить накопительское рвение в нужное русло, выработать у малыша вкус, разборчивость и умеренность в жажде к приобретениям.

Жизнь учит нас, что есть люди, которые не в состоянии создать себе достойный человека уровень материального существования, оставаясь всю жизнь на грани нищеты или на уровне весьма средних достатков. Их отличает, с одной стороны, невозможность заработать себе на приличное проживание, с другой — неумение рационально использовать заработанное. В то же время другие люди в этом отношении обладают поистине гениальными способностями, они умеют создать достаток, приумножить его, а главное — целесообразно его использовать. Дом II — это дом активного труда. Из лености и бездеятельности не возникает земных благ. «Кто не работает, тот не ест» — прослеживается связь с обменными процессами в организме, зависящими, в первую очередь, от условий рационального питания.

Итак, Дом II представляет:

— стремление к труду и владению;

— состояние, которое необходимо для нормального существования;

— финансовую обеспеченность всех необходимых мероприятий;

— материальное обеспечение;

— результативный доход проведенных дел.

Дом II — это женская полярность Инь, управляется Венерой, связан с материальным обеспечением.

Дом III. Близнецы: «Учение — свет, а неучение — тьма». Наступает пора обучения чтению, письму, знакомства с книгой. У ребенка растет интерес к окружающему миру, к происходящим событиям, явлениям. Он забрасывает взрослых вопросами: что это? почему? Появляются первые друзья и первые разочарования. Помимо усвоения учебных программ, ребенок набирается опыта в коллективной жизни, здесь необходимо заложить основы коммуникабельности, верности, взаимной выручки, уважения к противоположному полу, умение разделить «кусок пополам», не съесть его тайком, украдкой. Школьные походы, первые путешествия с трепетным ожиданием каникул выявляют необходимость взаимопомощи, значимость взаимовыручки. В этих путешествиях предоставляется возможность быть полезным и ощутить эту полезность, а также свою роль в коллективе.

Это третий дом — обучения, контактов, путешествий, дом Близнецов. Очень важно в этот период воспитать целенаправленность, уступчивость, волю, преданность долгу, чувство дружбы, взаимовыручки.

Дом III — это прежде всего двойственность, полярность, дуальность человеческой личности.

В этом доме речь идет об умении и характере мышления, о врожденном складе ума. С помощью всех сфер мышления человек постигает окружающий мир во всем его многообразии. Широта мышления определяет широту его окружения и контактов.

Это касается прежде всего общения со своими ближайшими родственниками (братьями и сестрами), а также родственниками и соседями.

Третий дом развертывает широкий спектр деятельности, как то:

— все информационные каналы передач;

— письмо;

— служебные поездки;

— путешествия;

— посредничество.

Обобщая возможности третьего дома, следует отметить важнейшие из них:

— отношение к внешнему миру;

— общее мышление и духовное развитие;

— ближайший круг родственников (братья и сестры), родственники и соседи;

— личная жизнь и ее «оформление»;

— информация (известия, новости);

— короткие поездки;

— посещения.

Третий дом соотнесен с мужской полярностью Ян, аспект духовный, управляется планетой Меркурий.

Дом IV. Рак: «Любовь волнует кровь».

Обучение закончено, приобретен первый жизненный опыт, который хочется разделить с близким человеком, ощутить взаимопонимание, поддержку. Приходит любовь, дающая ощущение полета, обновления, силы, желание быть вместе всю жизнь приводит к необходимости иметь свой кров, свою семью.

Это четвертый дом, и мы в гостях у его хозяина Рака. Рак — это семья, предки, привязанность к земле, как месту обитания. Интерес к экономическим проблемам для обеспечения бюджета семьи, с заботами о ее респектабельности.

Тесная связь человека с родительским домом, с традициями семьи, ее происхождением, с генеалогическим древом.

Поэтому для него важна его родина, родина его предков, ему трудно покинуть родное гнездо, существует также проблема создания семьи, ее укрепления, рождения детей.

Возможность извлечь максимальную выгоду из опыта родителей, естественно при его позитивной природе. Из родительской пары здесь доминируют отцовские астральные связи, а также все дела, связанные с наследованием собственностью и имущественными проблемами. В этом доме на первый план выступает душа с ее тенденциями к развитию, совершенствованию, с ее интуитивными импульсами.

В итоге четвертый дом представляет ключевые аспекты:

— начало и конец жизни;
— традиции;
— родина;
— родители (отец);
— семья;
— земля;
— недвижимость;
— жилищные проблемы — дом.

Четвертый дом — полярность Инь, Душа, управляется Луной.

Дом V. Лев: «Мой дом — моя крепость».

В этом доме наш малыш уже превратился в отца семейства. Он не только женат, он уже обременен потомством, которое с радостью ждет каждый вечер его возвращения с работы. Он горд своей семьей и своими успехами на работе. Его достоинства и положение получили заслуженную оценку, он ощущает чувство своего превосходства над окружающими, горд своими достижениями, своей женой, детьми, домом.

Перед нами Лев, с его престижным положением, с жаждой поклонения со стороны своего окружения, преуспевающий и самодовольный.

Ему необходимо помнить, что гордость и гордыня — это разные состояния души, что тщеславие и слава есть та лазейка, в которую проникают искусительные силы для растления души и ее порабощения. Льву как раз грозят те опасности, которые подстерегают человека «продвинутого», искушения возможны на уровне верхних чакр, расположенных выше диафрагмы. Богатство, слава и тщеславие проверяют любого из нас на прочность. Спасение заключается в духовном иммунитете, к сожалению, духовные прививки еще не изобретены, здесь необходимы только собственные усилия. Мы покидаем этот дом с уверенностью и надеждой, что Львы, находящиеся на одной оси с Водолеем, осознают свою ответственность в Новой Эпохе. Рычаги духовного управления расположены в сердце, а сердце полностью контролируется Солнцем, имеющим свою штаб-квартиру в знаке Льва.

Кроме того, дом V дает представление о рассчитанном на данную жизнь запасе жизненных сил, которые получает человек при рождении. По выражению древних китайских мыслителей эта энергия носит название «изначальной, или прародительской, и она может быть израсходована целенаправлено, а может бурно, азартно, в погоне за наслаждениями весьма сомнительного толка (азартные игры, беспорядочные любовные связи, лотереи, пари и др.), желание «испытать все». «Ловля счастья и чинов» — один из аспектов этого дома.

В этом доме решается судьба человека и его потомков — от его выбора зависит продолжение рода, воспитание детей, определение их жизненного пути, укрепление авторитета отца, главы семьи — иными словами, долгосрочная программа человеческого существования.

Помимо забот о продолжении рода и потомстве, в пятом доме решаются проблемы любви, партнерства, отмечаются как нормальные сексуальные стремления, так и патологические, связанные с комплексами. В итоге пятый дом связан с:

— детьми;

— удовольствиями;

— удачей, счастливыми случаями;

— сексуальностью;

— искусством, театром, живописью.

Пятый дом — полярность Ян, личный аспект, управляется Солнцем.

Дом VI. Дева: «Старание и труд все перетрут», если

не подведет здоровье.

К сожалению, процветание не вечно, равно как не вечно и прозябание. Жизненные ситуации весьма изменчивы, за взлетом может последовать падение. Возникает необходимость поиска новой или дополнительной работы с целью сохранения будущего семьи. Выросли дети, но бюджет их столь незначителен, что приходится часть расходов компенсировать за счет средств родителей.

Приходится жертвовать отдыхом, чтобы выровнить семейный баланс. Не рассчитав свои силы, владелец шестого дома заболевает. Проблемы со здоровьем заставляют его переоценить свои взгляды, обратить внимание на свое самочувствие и попробовать привести себя в порядок.

Мы в гостях в VI доме Девы, в котором работе и своему здоровью уделяется большое внимание. В этом доме отлично понимают, что продуктивной работой можно заниматься только при удовлетворительном состоянии здоровья, а поэтому весьма серьезно относятся и к работе, и к здоровью.

Итак, дом VI — это, прежде всего, панорама «здоровье — болезнь» и все проблемы, связанные с ними, он дает информацию обо всех уязвимых звеньях физического тела и о возможных видах заболеваний. Освещает сферу трудовой деятельности, а именно, повседневной работы, обеспечивающей существование, и экономические причины, обусловливающие тот или иной вид работы. Кроме этого, в этом доме освещаются вопросы взаимоотношений «начальник — подчиненный», служащие, персонал (больниц, госпиталей и т.д.), родственные отношения, а также отношения, связанные с совместной производственной деятельностью. Положение планеты Венера в этом доме так же, как ее положение в Тельце или Весах, очень часто определяет сексуальные проблемы шестого дома.

В обзорной характеристике этого дома следует отметить:

— состояние здоровья;

— специальность и повседневная работа;

— особенности психологической конструкции;

— полярность Инь;

— материальный аспект;

— управление Меркурия.

Дом VII. Весы: Счастье может быть только в гармонии.

Но вот точки на небосклоне стали рассеиваться, возникли выгодные предложения по работе, наступило заметное улучшение здоровья. Значительно увеличивается семейный бюджет, пройден большой путь и накоплен соответствующий опыт. Жизненно важные решения принимаются взвешенно, владелец седьмого дома в состоянии даже дать советы другим, как выйти из затруднительных ситуаций, достичь гармонии и равновесия.

Мы с вами в гостеприимном седьмом доме Весов, где человек учится быть гармоничным, уравновешивать тарелки весов, когда наблюдается резкий перекос в ту или иную сторону. Тогда на резко взметнувшуюся вверх тарелку весов кладут именно те ценности, в которых больше всего нуждается личность. Таким образом, дом VII образует полярную ось с первым домом, в котором доминирующее «Я-личность» пересекается с «ты», чтобы потом определиться как «мы». Это возможный партнер в браке, деловой компаньон, вообще любой человек, с которым осуществляются деловые контакты.

Что же касается брачных отношений, то в этом доме освещаются все нюансы этой проблемы: разводы, количество браков, тенденции к моногамности или полигамности этих отношений. В планах седьмого дома в отношениях между людьми ведущим является обмен жизненной энергией, ее отдача и получение, а также обмен идеями. Помимо брачно-партнерского альянса, седьмой дом указывает на реализацию личности в общественно-политической и торгово-экономической деятельности, а также освещение «шахматной позиции», «нейтрализация противника» в рамках общественных отношений — это практически один из важных аспектов седьмого дома, его символ. Все формы взаимосвязи в пределах седьмого дома тесно связаны с окружающей средой, с его непосредственным влиянием на человека.

Резюме: седьмой дом дает возможность осуществить
— партнерство в браке;
— партнерство в деловых отношениях;
— разрешение конфликтных ситуаций;
— связь между людьми и окружающей средой;
— разрыв, расставание.

Седьмой дом окрашен Ян-полярностью, имеет духовный аспект, управляется Венерой.

Дом VIII. Скорпион: «От любви до ненависти один шаг».

Уравновешенная счастливая жизнь семьи вдруг внезапно омрачается подозрениями, ревностью, недоверием. Супруг начинает изматывать жену мелочными подозрениями, грозит расправой, придирается — жизнь превращается в сплошной кошмар. Вместе с тем, ревнивого супруга волнуют общественные проблемы, несправедливость, царящая в обществе, он понимает необходимость перемен, преобразований.

Мы посетили восьмой дом, сложной, сильной и противоречивой натуры Скорпиона, в котором агрессивность и жестокость сочетаются со стремлением к справедливости и к преобразованиям. Огромные сексуальные резервы Скорпиона могут быть реализованы либо непосредственно в многочисленных сексуальных коллизиях, либо сублимированы в яркий творческий потенциал.

Аналогично тому, как «Я» из первого дома получает для реализации своих творческих идей материальное подкрепление из второго дома, из седьмого «партнерского» дома идет перекачка средств в восьмой. Речь идет о наследстве, приданом, всевозможных материальных ценностях и т.д.

Так как в первую очередь речь идет о наследстве, а оно имеет тесную связь со смертью, то в этом аспекте восьмой дом указывает на смерть, причем уточняет характер смерти: легкая или в результате длительного тяжелого заболевания, насильственная либо вследствие несчастного случая.

В этом доме имеются очень важные указания на цели и смысл жизни, на судьбу. Имеют значение в указаниях занятия оккультными практиками и их использование.

В итоге информация из восьмого дома заключает:
— судьбу индивида;
— чувствительность;
— приданое;
— наследство;
— смерть.

Дом IX. Стрелец: «Бог — это истина».

В зрелом возрасте уже накапливается определенный жизненный опыт, престижное социальное положение, авторитет в обществе и семье. Возникает стремление познакомиться с жизненным укладом, социальной структурой других стран, поделиться опытом, изменить свою жизнь и обстановку. Человек начинает испытывать искренний интерес к религиозным и философским проблемам, задумываться над проблемами мироздания, размышлять о роли человека в этом мире, интересоваться ключевыми проблемами: рождения, жизни и смерти. Иными словами, человека привлекают извечные религиозно-философские аспекты, желание вначале заглянуть в замочную скважину, а затем распахнуть эту дверь и попробовать свои силы в решении этих вечных проблем. Мы путешествуем вместе с интересным собеседником, гостеприимным хозяином восьмого дома — Стрельцом — с целью принять участие в этих волнующих Душу дискуссиях. Именно девятый дом отвечает за наш интерес к философии, религии, к познанию Истины, а также зовет нас в увлекательное путешествие по странам и континентам.

Этот дом отличается выраженной экстравертностью, огромным интересом к внешнему окружению, широтой взглядов, включающих философские проблемы с религиозно-мировоззренческими оттенками.

Отсюда стремление «все увидеть своими глазами» — тяга к дальним путешествиям, преимущественно в другие страны, реализация эмиграционных настроений. Склонность к абстрактности мышления с учетом ясного понимания необходимости тесных связей во всем мире, международных контактов.

Характерные особенности девятого дома:
— дальние поездки;
— пребывание за границей;
— открытия;
— изобретения;
— философия;
— религия;
— мировоззрение.

Полярность Ян, аспект личный, управляемый Юпитером.

Дом X. Козерог: Упорство в постижении реальности мира, самостоятельность и авторитет.

Солидное социальное положение, которое занимает человек к этому времени, диктует твердость, непреклонность, трезвость в оценках тех или иных явлений, целеустремленность, особую принципиальность, граничащую с упрямством.

Накопленный опыт требует некоторого подведения итогов, серьезных обобщений, что более успешно можно осуществить наедине с собственными мыслями, вдали от шума и суеты.

Нам с вами удалось посетить уединенную обитель десятого дома Козерога и оценить его богатый опыт, глубокое знание жизни, его принципиальные оценки и интерпретации существующих проблем в жизни общества.

Этот дом определяет общий ход судьбы, начиная от семейного, родительского IV дома к широте и многообразию жизни, со стремлением к успеху во всех сферах профессиональной деятельности. Десятый дом указывает на способности и возможности человека, а также на смену положения, профессиональную перестройку и быстроту этих изменений. Человек в десятом доме стремится к личным успехам, преуспевает на государственной службе и в общественной жизни. Обладает волевыми, бойцовскими качествами, доводит начатое до конца, что обеспечивает ему почести и заслуженную славу, имеет склонность к реформаторству и мобилизации усилий для реализации.

Привязанность к материнскому началу как к «национальной душе», мать на пьедестале в отличие от IV дома, где превалирует связь с отцом и его аурой.

Его отличает целеустремленность, способность четко решать глобальные проблемы, талант руководителя, умеющего доводить начатое дело до конца.

В итоге, десятый дом указывает на заслуженные:

— почести;
— славу;
— общественное и социальное положение;
— дарование;
— профессию (руководящую);
— экстравертность, экспансию;
— жизненный успех;
— отца или мать, в зависимости от уровня бытия и доминирования влияния Сатурна (отец) или Луны (мать).

В любом случае мать всегда формирует душу.

Дом X имеет женскую полярность Инь, материальный аспект, управляется Сатурном.

Дом XI. Водолей: Воздух — сфера Духа.

Оглядываясь на пройденный путь, человек начинает понимать, что есть в мире нечто такое, что по-настоящему наполняет радостью, покоем и счастьем, учит терпимости, пробуждает любовь к людям, к земле, к Природе, к Богу. Эти чувства помогают справиться со всевозможными невзгодами, преодолеть все барьеры и помочь это сделать другим. Такой человек испытывает готовность быть полезным другим, оказать помощь, отдав значительно больше, чем получить взамен. Такие люди именуются духовными подвижниками, они знают истинную цену Духовности и стараются просветить в этом других, они ощущают, что «Я Есмь!», обильные «духовные поливы» дают бурный рост и Зерну Духа. Одиннадцатый дом и его приветливый и весьма симпатичный хозяин Водолей приглашает нас войти и познакомиться с его домом, разделить его глубокую веру в необходимость обновления, расширения сознания, духовного размышления и духовной самотрансформации, именуемой Алхимией Души.

Дом XI является символом надежды и желаний, которые составляют важнейшую часть его жизни.

В противоположность находящемуся на его оси пятому дому, освещающему любовные связи и опыт его владельца, одиннадцатый дом указывает на духовные, интеллектуальные и общественные связи с другими людьми, а также на устойчивость этих отношений.

Весьма важной является возможность по наличию планет в XI доме определить скрытых врагов, их ненадежность и коварные замыслы. (Нептун в XI доме символизирует эту сторону жизни).

В этом доме рождаются новые идеалы серьезных социальных и общечеловеческих отношений, вынашиваются реформаторские идеи и мечты. Кроме того, в зависимости от кармы, по положению тех или иных знаков и планет в этом доме можно получить сведения о тягчайших ситуациях человеческой судьбы (например, тюремном заключении).

Подводя итог проблемам XI дома, можно суммировать его важнейшие аспекты:

— желания;

— надежды;

— общественно-социальные отношения;

— друзья и враги;

— судьба.

Полярность дома Ян, аспект духовный, управляется Ураном.

Дом XII. Рыба: Вода — «царство души».

Наше посещение домов и знакомство с их владельцами подходит к концу. Мы в гостях у многострадальных владельцев XII дома Рыб, их дом завершает длинный путь взлетов и падений, радости и безысходности, любви и ненависти, надежд и разочарований, подъема на поверхность и погружения в бездну, чередования темных и светлых полос, сопровождающихся ожиданием и надеждой подольше задержаться на светлой. Калейдоскоп лиц, ситуаций, проблем, взглядов, с приходящими и уходящими действующими лицами. Покинутость, испытания, огорчения, одиночество, но при всем этом готовность к жертвенности и к переходу в иной мир. Но это не последний аккорд уходящей жизни, ее мелодия продолжается, сыграна только первая часть, вторая часть прозвучит в исполнении той же души, но, возможно, в другом оркестре и в другой стране, с другим составом.

Мы представили только схему пути человека. Это вовсе не значит, что каждому определен судьбой именно такой путь и исключены варианты. Каждый дом отличается своими нюансами и особенностями, которые основаны на настоящих задачах и на его прошлых жизнях. Один бодр и жизнеспособен до глубокой старости, другой чувствует себя стариком уже в юности! Но, несмотря на это, каждый из нас находится под влиянием двенадцати созвездий и двенадцати домов, проявляя при этом большую ответственность при переходе из одной фазы развития в другую, памятуя, что просчеты и ошибки могут создать неблагоприятную ситуацию для следующих воплощений. Если человек в своем устремлении, совершив рывок к свету, и поселяется в XI доме Водолея — он практически уходит из-под влияния семьи созвездий. Для обычного среднего человека, кочующего из одного дома в другой, каждый этап длится от 6 до 8 лет, в среднем — 7 лет. Возможны временные варианты, связанные с долгами прежних воплощений.

Дом XII ставит заключительный аккорд на пути приобретения жизненного опыта. Человек возвышается над всем неконструктивным, инертным, вступает с ним в конфликт,

вооруженный оккультными знаниями, возвышающими ег
над уровнем окружения. Подведение итогов жизненног
пути, преодоление испытаний, уход и необходимост
воплощения с целью преодоления кармы и освобождения
сознательная готовность к «жертвенности», к социально
помощи; уменьшение жизненной энергии с желание
ухода от пестроты будней, возрастные проблемы с
здоровьем, затрудняющие синхронизацию с внешни
миром — эти и многие другие проблемы связаны с концо
энергетического цикла и новым витком, начинающимся
первом доме. Заключительный этап движения из знака
знак может быть омрачен сведением счетов
противниками, врагами. Возможны трагические исходы
связанные с пребыванием в заточении — домах престаре
лых, тюрьмах.

Проблемы последнего двенадцатого дома связаны с:

— трудностями;

— противниками;

— врагами;

— с возрастом и его сложностями: болезни, нервные
расстройства, депрессия;

— обретениями и победами.

Полярность XII дома — Инь, аспект моральный, управ
ляется Юпитером, Нептуном.

ТРИ КРЕСТА ЭВОЛЮЦИИ

Родившись в физическом мире, человек растет, дости
гает зрелости, старится и умирает, но впервые появив
шись на Земле, он за одну-единственную земную жизнь не
в состоянии освоить тот огромный опыт, который необхо
дим для его эволюционного развития. На первых порах его
существования все его развитие зависит от влияния 12
знаков Зодиака, а также от специфики задач 12 домов, с
которыми вы уже знакомы.

Итак, чтобы познать великий опыт жизни, воплотив
шейся Монаде следует взойти на Колесо Жизни и Судьбы,
Колесо Самсары. Затем по движущемуся Колесу, перехо-

дя из знака в знак, пройти опыт всех 12 знаков и их 12 домов, подняться на 3 креста совершенствования Души, чтобы достичь единства и синтеза духа и материи.

Схематично этапы, через которые проходит каждый человек, каждая воплотившаяся Душа, выглядят следующим образом:

I. ИНКАРНАЦИЯ.

1. Обычный путь эволюции неразвитой Души.
2. Наработка кармических долгов.
3. Жизнь в трех мирах (физическом, астральном и ментальном).
4. Развитие личности.

II. ИНКАРНАЦИЯ.

1. Отработка Кармы.
2. Движение по Колесу обратно.
3. Раскрытие Души через личность.
4. Жизнь в более высоких сферах.

III. ОСВОБОЖДЕНИЕ ОТ КОЛЕСА СУДЬБЫ.

1. Жизнь в семи мирах наших семи планов.
2. Интеграция духа, души, личности.

Три Зодиакальных креста располагаются в такой последовательности:

1. Мутабельный (подвижный) — общий крест.
2. Фиксированный.
3. Кардинальный.

Каким же образом формируются эти кресты, и что они собой представляют?

Каждый рожденный на Земле человек имеет в своем гороскопе крест, образованный из Осей: Асцендент (восходящий знак), Десцендент (нисходящий) и ось Зенит (надир) — другая ось.

В зависимости от того, какие знаки Зодиака и планеты формируют этот крест, именно такие проблемы будут появляться в нашей жизни " будут требовать своего решения.

Крест в нашем гороскопе — это крест нашей судьбы,

крест данного воплощения, и от правильной оценки его задач и их выполнения зависит, перейдем мы в следующий "класс" или останемся на повторное пребывание в этом.

Мы должны со смирением нести свой крест, который всегда с нами. Тяжесть его полностью зависит от наших прошлых жизней. Чтобы продвинуться вперед на пути эволюции к Свету, нам нужно покориться судьбе, зависящей только от наших мыслей, дел и поступков, успешное их выполнение позволяет подняться на следующий крест. В противном случае мы вернемся опять и будем возвращаться до тех пор, пока добросовестно не выучим и не освоим все уроки, только после этого нам разрешат подняться дальше, на следующий крест. И только от нас зависит, какая ноша и какой крест нам выпадает при каждом очередном рождении. Четыре знака Зодиака каждого креста это, с одной стороны, наши задачи, а с другой — кармические долги, только после расплаты с ними, после их отработки можно рассчитывать попасть в Царствие Божье.

Но, если мы готовы работать не только для себя, если в нашем сердце существует потребность и стремление помочь другим, «отломить» от своего пирога кусок голодному, Духовный мир, Высшие существа облегчат нам нашу карму.

Именно крест судьбы имел ввиду Божественный учитель, когда он говорил: «Если кто хочет идти за мною, то отвергни себя, и возьми крест свой, и следуй за мною».

И если мы будем следовать принципу, что «своя ноша тяжела не бывает», так как «то, что мы посеяли, то и собираем», мы услышим зов своей совести и обретем душу, а это в человеческой эволюции главное.

Тот, кто встал на путь добра и живет по закону любви, освобождается досрочно от определенной части своего кармического груза, а в Новой Эпохе это освобождение возможно и полностью.

I. Первый маршрут Души — это **Мутабельный крест**, или его еще называют общий крест, так как он представляет крест масс. Мутабельный крест формируют 4 знака: Близнецы-Дева, Стрелец-Рыбы.

1. Четыре основные стихии-энергии создают определённые обстоятельства, которые способствуют пробуждению в молодой Душе интереса к окружающему его миру.

2. Проявляется реакция на явления окружающей среды, на ее природные, социальные аспекты. Продолжают свое развитие душевные порывы, которые еще очень слабы и непостоянны. Имеет место фаза зарождающихся желаний.

3. Развитие происходит путем «проб и ошибок», в пределах чисто материальных задач человек набирается жизненного опыта, бросаясь из одной крайности в другую, варьируя между полярными полюсами.

4. Физическая форма поддерживает жизнь обитающей в ней Души. На этом кресте шлифуется физическая форма и удовлетворяются ее материальные запросы.

5. В силу неопытности и слабого отклика души нарабатываются кармические долги.

II. **Фиксированный крест** (постоянный) формируют 4 стихии-энергии в составе квартета: Телец-Скорпион, Водолей-Лев.

1. Человек сознательно выбирает себе цель согласно своей интуиции и озарению. Его отличают спокойный союз с душой, он прислушивается к ее устремлениям. В отличие от своего положения на Мутабельном кресте, он движется не вслепую, а целенаправленно, понимая смысл и конечный результат своего воплощения.

2. Он ощущает себя душой, Божественной точкой Света, стремящейся к своему Высшему Источнику — Сияющему «Ослепительному Свету» Души Бога. Сфокусированные ценности уже не вымываются, а накапливаются. Это крест сознательной устремленности.

3. Его интересы значительно превышают личные, перерастая в интересы всего человечества. Его сознание включает не только планетарные, но и солнечные интересы, он все больше и больше осознает свои истоки «Я

Есмь!». Обратного пути уже нет.

4. Происходят последние расчеты с кармой.

III. **Кардинальный крест.**

1. Четыре энергии-стихии: Овен-Весы, Рак-Козерог берут руководство Душой в направлении Пути Посвящения. Это крест открытой сердечной чакры, изливающей на мир Христову Любовь — Высшего ума, находящегося в полной гармонии с Сердцем и с протянутыми для помощи руками.

Задача человека, распятого на трех крестах, это слияние, интеграция:

1. Личности в единое функциональное целое.

2. Души и личности.

3. Я-Монады и личности в смешанные энергии пространства и времени, обусловленные вертикальной и горизонтальной перекладинами жизни.

В зависимости от того, какие знаки составляют две оси креста, человек получает при рождении те или иные проблемы. Эти проблемы он должен решить только сам, тогда он сможет приобрести опыт для дальнейшего пути. Никто не в состоянии избежать своей судьбы, спрятаться от своих несчастий. Закон суров, но справедлив. Невидимый мир следит за нами, избежав одного урока, мы получаем другой, более трудный — уехать в другую страну или убежать куда-либо абсолютно невозможно. Придется попасть в другую "школу", где условия обучения могут быть значительно сложнее. Убежать от своей судьбы можно, только отработав старые и не делая новых долгов, а для этого необходимо расширение сознания и устремленность к Свету и совершенствованию.

Необходимо еще для полной ясности дополнить структуру формирования этих трех крестов.

Зодиакальный круг состоит из полярных Знаков, которые формируют определенную Ось. Первая полярная ось (Овен-Весы) — партнерская пара Марс и Венера, связанные с областью чувств, с астральным телом — с миром желаний. Первая половина оси — это порыв, сознание интересов, творчество, вторая часть — это возможность коррекции, изменения при взаимодействии равновесия, гармоничности.

Вторая полярная ось (Телец-Скорпион) — мощь, сила, глубина чувств, разнообразность страстей (Телец), возможность духовного восприятия и трансформация (Скорпион).

Третья полярная ось (Близнецы-Стрелец) — стремление к разнообразному обучению, широта интересов, но в аспекте практического применения (Близнецы), стремление к религиозно-философским исследованиям, интерес к науке в абстрактном отражении, действительности.

Четвертая ось (Рак-Козерог) — зрение сфокусированное на проблемах семьи и ее жизненного уровня (Рак), обретение устойчивого социального положения, престижной профессии, авторитета (Козерог).

Пятая ось (Лев-Водолей) — авторитет власти в рамках государства, любовь, дети (Лев), духовность, единство, готовность к помощи, фонтан творческих идей (Водолей).

Шестая ось (Дева-Рыбы) осуществляет связь между солнечным сплетением и ступнями ног. Эта ось Христа и девы Марии. Это связь между Землей и созидательной энергией в солнечном сплетении. Если человек опустится целиком в мир материальных желаний, он не сможет поддерживать Огонь солнечного сплетения и неминуемо будет надолго распят на кресте низменных желаний. Ступни ног — это знак Рыб и их животворной связи с Землей. Одухотворение материи с последующим ее слиянием с Духом и Душой есть Великий процесс Христосознания.

ПОНЯТИЕ О СТИХИЯХ

Четыре стихии и связанные с ними первоэлементы составляют основу всего Мироздания. Их первооснова связана с фундаментальным законом космоса и следует принципу Гермеса Трисмечиста «Что наверху, то и внизу», а именно, закону аналогии.

Китайская натурфилософия предлагает пятую стихию — дерево, а металл в китайской интерпретации аналогичен стихии Воздуха в западных учениях. Существует еще две стихии, которые будут играть серьезную роль в Новой Эпохе, — это энергии зерна и минерала, но в них скорее заключена уже интегративная сила всех стихий. Значение стихий в Мироздании носит потенциальный характер, а также указание на манифестацию и влияние заключенных в них сил и качеств.

> *«В любом из нас стихии тех четыре,*
> *Круговорот их вечен в этом мире,*
> *Избыток или нехватка лишь одной*
> *Грозят больному тяжкою бедой»,* —

писал величайший врач средневековья Авиценна. А это значит, что в каждом из нас, в каждом органе, клетке, минерале, металле, растении и т.д. для гармонии жизни должны присутствовать все стихии, но одна из них всегда доминирующая. По этой доминирующей стихии все знаки Зодиака делят на четыре группы, и именно эта стихия определяет темперамент, поведение человека и его склонность к определенным заболеваниям.

Когда мы сегодня с надеждой и тревогой говорим о Новой Эпохе как эпохе Водолея, мы одновременно говорим об усилении пространственных огней, пронизывающих воздух, но это не значит, что стихии Земли и Воды не будут влиять на условия жизни Новой Эпохи. Просто доминирующая стихия, как лидер, определяет узоры и направление развития жизни. Доминирующая в прошлой эпохе стихия Воды, в силу присущих ей свойств к ограничению, диктовала свои условия жизни (например, сектантство в религии и т.д.). Пришедшая им на смену эпоха Воздуха имеет объединяющие, всепроникающие тенденции, а это значит, «взгляд поверх барьеров» — объединение, ощущение себя в единстве со всем человеческим сообществом, с Землей, с Космосом, а, главное — с Богом, посредством той космической Антахараны (духовной нити), которая связывает наше сердце с сердцем Единого Сияющего Господа.

Характеристику стихий начнем с Огня, так как свет огня един во всем мире. Настало время изучать огненную природу человека, как носителя великого Вселенского пламени.

В своих солярных ритуалах китайцы используют табличку из красного агата, которую они называют "чань". Она представляет символ стихии Огня. В наиболее ранних, примитивных культурах Огонь был демиургом, возникающим из Солнца с представительством на Земле.

Гераклит утверждал, что огонь есть «деятель превращений», так как все вокруг возникает из огня и в него же возвращается. Если вы встречаете людей, которые не могут существовать без возвышенных идей, без постоянного движения, без творческих импульсов, будьте уверены — это носители Стихии Огня. Благодаря их неутолимым устремлениям к свету, их «огненному сердцу» поддерживается постоянный источник Огня.

Стихия Огня представлена божественным треугольником (Овен, Лев, Стрелец), где Овен представляет кардинальный крест, Лев — фиксированный, а Стрелец — общий, или мутабельный. Эти три стратегии проявляются через энтузиазм. Тригон Огня — это тригон воли, прорыва, фонтанирующей энергии, в том числе биоэнергии.

Любовь, которую принес и провозгласил Христос, это принцип Огня и света, возрождающего мир. Дуализм энергии Огня, как и любого явления, заключается в его созидающей духовной силе, очищающей от всякой накипи и низменных страстей, с одной стороны, и буйство пламени животной страсти с другой. Мир творчества — это поле деятельности стихии Огня, лучшие представители огненного тригона — художники, интеллектуалы, организаторы, полководцы. Огонь — чистая индивидуальная стихия, бурная активность планеты Марс, наиболее проявляется солнечной энергией Овна, и поэтому Овен является самым ярким факелом этой стихии, ее определяющим представителем.

Стихии соответствуют основным понятиям, характеризующим все сферы жизни. Это — дух, пространство, время и материя. Эти понятия имеют аналогию и в анатомии человеческого организма. Поэтому наши рекомендации по выявлению недостающей стихии, согласно данным китайской астрологии, являются определяющими. Они могут быть интерпретированы в двух аспектах — Духа и материи. К примеру, если у определенного больного обнаруживается недостаток стихии Огня, связанный с 3-й чакрой Манипурой, то сегодня мы решаем, на каком уровне возникла болезнь: на духовном или физическом, что в этом случае первично (недостаточная функция пищеварения — физический уровень или духовность, а зачастую оба манифестируют вместе).

Стихия Огня — это Дух Воздуха (Вайю) — пространство, Воды (Апас) — время (определение «много воды утечет или утекло» символизирует время), а стихия Земли (Притви) — материю. Отсюда становится ясным, что все 12 знаков находятся в четкой связи с определенной стихией, сила которой определяет силу каждого знака.

«Огонь» соответствует лучистому состоянию материи, он сух, горяч и подвижен, отличается стремлением к расширению, рождению, разложению, дематериализации.

Цвет, символизирующий Огонь, — красный, вкус — жгучий, форма — треугольник, обращенный острием вверх. △

Огонь необходим при всех состояниях, связанных со слабостью, вялостью, пассивностью, а также в ситуациях, требующих возбуждения и напряжения сил (избегать постоянной стимуляции).

Потеря космического Огня в человеке характеризуется его угасанием, ослаблением его тела (он подвержен всевозможным заболеваниям, и если своевременно не примет мер, то это состояние может привести его к гибели). Укрепление иммунитета, который относится к стихии Огня, является определяющим при таких состояниях. Воздействие должно быть двойственным: на Духовный иммунитет — мыслью, на физическое тело — средствами, содержащими «Огонь» (красный перец, гвоздика и т.д.). Ослабленный духовно человек подвержен негативному влиянию низших темных сил. Укрепление Огня-Духа дает человеку защиту и очищение, обеспечивает духовное и физическое здоровье, побуждает к активной деятельности, к жизни.

В огненном тригоне Овен представляет кардинальный крест — Божественный Дух, устремленность к Свету, Лев — фиксированный — царственность, государственность, авторитет, Стрелец — мутабельный — движение, контакты, авторитарность.

Огонь обеспечивает горение, стремление к самосовершенствованию, неуклонное движение вверх. Медитация на стихию Огня связана с представлением очищения (стоя в костре) в окружении фиолетового пламени.

В восточной философии стихия Огня связана с могучим влиянием Космоса на личность и ее стремление к самосовершенствованию. Огонь жизни устремляет наше сердце к Божественному духу, к его мудрости, к космическому разуму.

Мы представляем характеристики стихий в их полярной последовательности, начиная со стихий полярностей Ян. Самым высоким проявлением этой полярности является стихия Огня.

Следующей по своей силе является стихия Воздуха, ее символ тоже обозначается треугольником, направленным острием вверх, но с черточкой в центре △. Эта незначительная разница в символах означает в одном случае постоянство активности (пламя, направленное кверху), в другом — переменчивость, непостоянство активности.

Воздух — это стихия пространства и умственной активности. Носителей этой стихии можно легко узнать по крайней впечатлительности, склонности к переменам, высокому менталитету, граничащему с гениальностью. Они находятся в постоянном поиске, стремятся ко всему новому, неизведанному. Они не в состоянии выполнять однообразную, монотонную работу, аналогично огненным знакам во всю свою деятельность они всегда вносят элемент творчества, поиска, новизны. Они лишены замкнутости, ограниченности, это проводники идей, дипломаты, отличные менеджеры, коммивояжеры. В этой великолепной воздушной троице Весы — кардинальный крест — гармония, Водолей — фиксированный крест — олицетворение Свободы и Близнецы — мутабельный крест — массы, дети, братство. Знаки этой стихии связаны с Духом — с категорией Ян, с Божественным дыханием, с 5-й чакрой Вишудхой. Эти люди — носители Божественных идей, и сама стихия поставляет им пищу для них.

Цвет стихии от голубого к зеленому, вкус кислый. Воздух необходим при умственной работе, он способствует циркуляции крови, ее насыщению кислородом, обменным процессам организма, связанным с движением энергии согласно принципам поляризации.

Эту стихию характеризует подвижность всех процессов и стремление к всеохватности.

В некоторых космогониях существует верование, что первичный элемент — это воздух. Конденсация воздуха создает пламя, из которого впоследствии возникают все формы жизни. Это — океан космического пространства, из которого происходят все формы жизни; ее создающее дыхание, дар речи, ураганный ветер.

Символизм воздуха обобщает в себе свет, легкость, полет, свободу, устремленность, а также связанные с памятью запах и вкус. Все наши мысли, чувства и воспоминания наполнены и ассоциируются с теплом и холодом, влагой и сухостью. С этими свойствами связаны климатические факторы. Стихия Воздуха связана с коммуникациями, общественностью, общением, контактами, информацией и ее полем, любопытством и любознательностью. Каждый из трех знаков Стихии Воздуха — Весы, Водолей и Близнецы — несет своеобразность и очарование этой стихии.

При медитации на эту стихию необходимо представить себя окруженным голубовато-зеленой кисеей Воздуха с золотистыми огоньками и вызвать ощущение полета в пространстве. Такая медитация способствует нормальному функционированию дыхательной системы и улучшению кровообращения.

Карма людей янских знаков сводится к борьбе, формированию творческих тенденций жизни. Наш дух находится в поиске определенных знаков стихий с целью использования определенных свойств и возможностей этих знаков для устранения своих недостатков. Если люди стихий Огня и Воздуха по тем или иным причинам утратили духовность, попали в сети темных сил, они для духовного обогащения, обретения духовной цели воплощаются в Иньские знаки стихии Воды и Земли. При этом изменяют пол с мужского на женский. При соответствующих расчетах прошлой жизни изменение пола может косвенно свидетельствовать о кармических долгах.

Мы переходим к характеристике Иньских стихий и первой из них по глубине Инь-признаков является Вода.

Мы говорили, что женское начало — это Инь, Луна — Вода. «Вода — это основной элемент жизни, и везде, где только возможно, она отделяет жизнь от смерти. Она — великий целитель всего, что ослабло и потеряло жизненные силы, так как она всегда стремится к балансу. Она — посредник между контрастами, которые без нее становятся острее. Она сближает элементы, противоречащие друг другу, постоянно создавая из них свои комбинации. Она растворяет окаменевшие формы, возвращая их назад к жизни. Она свободно отдает себя, ничего не требуя взамен, безотказно принимая ту форму, которая необходима растению, животному или человеку. Она покорно наполняет всех тех, кто нуждается в ней. Она бескорыстно отрекается от своей индивидуальности в пользу страждущих; уходит, когда нужно, готовая для нового созидания. Будучи чистой по своей природе, она может очищать, освежать, исцелять, укреплять, оживлять и прояснять все на свете», -- так образно характеризует эту стихию Теодор Швенк.

А у Гесса в Сиддхартхе читаем: «Я смотрел с любовью на текущую воду и думал, что тот, кто поймет эту реку и ее секреты, поймет и много больше: ему откроется много тайн, все тайны». Аналогично женщине, ее лунной природе, вода прозрачна, она ничего не прячет, но всегда ее истинная сущность будет загадкой, великой тайной».

Удивительно, но поток воды, имеющий определенную, заданную ему форму и ритм, создает благоприятную экологическую атмосферу.

Символ воды — это треугольник, обращенный острием вниз, отмеченный уровнем в центре ▽

Стихия Воды — это мир наших чувств, мир эмоций и тонких ощущений. Если вам довелось встретить людей интеллектуальных, с тонко развитой интуицией, с чувством предвидения, корректных и сдержанных — это представители знаков из тригона Воды — Рак, Скорпион и Рыбы.

Вода отражает женское космическое начало, символизирующее начало жизни. Космогоническая концепция и древние мифы связывают воплощение жизни в водах мирового океана «живого космоса».

При отсутствии формы эта удивительная стихия отличается сохранением своей индивидуальности, уникальной памятью, сохраняющей ей на все века все свои контакты, глубинностью и скрытностью, умением при внешней изменчивости и податливости — к поддержанию и сохранению стихий с окраской их в оттенки мечтательности, томности, отрешенности.

Водные знаки обладают скрытыми оккультными способностями, они, как правило, погружены в мир собственных ощущений и переживаний. Они живут в мире эмоций. Очень часто эмоциональная сфера заменяет им жизненные реалии. Эти знаки необыкновенно восприимчивы к вибрациям Космоса. Огромная жизненная сила и энергия Воды помогают им быстро восстанавливаться даже при очень больших потерях. Они обладают большим резервом потенциальных сил для совершенствования и развития. В своих привязанностях и чувствах они весьма постоянны.

Рак представляет кардинальный крест — интуитивное мышление и развитие сферы чувств, Скорпион — фиксированный крест — преображение, мир эмоций, Рыбы — мутабельный крест — испытание, алхимия чувств и страданий, с превращением в духовную силу.

Для устойчивости на всех маршрутах жизненного корабля, для отражения энергетических атак используйте специальные талисманы для уже известных вам 3 крестов:

для кардинального — соколиный глаз;

для фиксированного — кошачий глаз;

для мутабельного — тигровый глаз.

Эти три мощнейших энергетических оберега обеспечат вам и вашим детям надежную защиту.

Стихия Воды многоцветна (по китайской философии ее цвет черный, фиолетовый), вкус вяжущий, ощущение холода. Вода является наилучшим средством при всех воспалительных заболеваниях, она способна растворять, смягчать, создавать покой и релаксацию, обеспечивать здоровье.

Следует отметить, что стихия Воды и ее знаки тесно связаны с кармой, причем с наиболее отягащающей ее частью. Это вовсе не значит, что остальные знаки стихий свободны от кармы, но водные наиболее связаны с ее долгами. Характерно, что люди этих знаков очень часто помнят свои прошлые жизни, чувствительны к самым тонким интуитивным сигналам, поступающим из Космоса.

Как правило, карма водного тригона эмоциональная, связанная с необузданностью страстей и желаний в прошлой жизни. В новой жизни за страсти прошлой приходится расплачиваться дорогой ценой.

В Египте символ воды представлял собой волнистую линию с острыми гребнями, а три волнистые линии — утроенные символизировали океан первозданной материи. В Китае вода является местом обитания дракона, под этим подразумевалось, что вся жизнь выходит из воды.

В Ведах вода носит название «Мадритама», что означает «самая материнская», поскольку первооснова мира представляла океан, лишенный света, безмерный и бессмертный, суть начало и конец всего на Земле.

Вода — это самая глубокая и сильная стихия Инь, связанная с женственной стороной личности. И именно, проекция материнской первоосновы, материнского образа на воды наделяет их характерными нуминозными свойствами матери.

Второй смысл данного символизма раскрывается в отожествлении воды с интуитивной мудростью. Символами неизмеримой и безграничной мудрости является вода в космогонии мессопотамских народов. Обычно с водой ассоциируются свойства прозрачности, чистоты и глубины, надо полагать, что именно эти свойства воды объясняют почитание этой стихии древними, которая, как и земля, является носителем женского принципа Инь. Женское начало Инь служит посредником, обеспечивающим гармонию между двумя Янскими принципами Огнем и Воздухом. Вода всегда выступает посредником между жизнью и смертью, выполняя здесь две роли и знаменуя поток творения и уничтожения.

Тесную связь и глубокую природу воды и женского энергетического потока можно проследить на различных характеристиках или состояниях воды. Вода чистая, светлая и прозрачная символизирует чистоту, целомудренность и невинность Девы Марии — Богородицы.

Вода талая олицетворяет выстраданную чистоту и мягкость, пронесенную сквозь страдания, но набравшую силу, опыт и стойкость, обретенную способность помогать другим, делиться с другими своей силой.

Вода очищающая образует формопотоки, уносящие грязь и заряжающие энергией окружающее пространство, через которое стремятся ее воды. Это прекрасный женский образ, самоотверженный и сильный. Это финал картины А. Тарковского «Андрей Рублев», в которой очищающие потоки дождя уносят грязь с сияющих икон и фресок.

Вода глубокая ассоциируется с женской тайной, с глубиной чувств, с непредсказуемостью, граничащей со страхом, с неизведанной, тревожной, но зовущей и манящей тайной, которая сулит либо смерть, либо блаженство.

Вода стоячая, завлекающая, угрожающая, тянущая в омут, обещающая блаженство, которое оборачивается гибелью, потерей близких, семьи, уважения.

Вода тихая, спокойная, ласково журчащая, о которой с опаской говорят: «В тихом омуте...» Темнота и глубина ее вод скрыта, замаскирована. Неопытный пловец, поверив ее ласковому, тихому журчанию, совершает прыжок, рассчитывая освежиться и набраться сил, а вырваться не может. Всю жизнь он так и барахтается, постепенно теряя все, порой понимая отсутствие глубины и цели, а порой просто «жиреет», убаюканный и отравленный.

Вода штормовая — ее Инь-свойства подавлены Ян-натиском, она увлекает, не дает ни себе, ни партнеру покоя, увлекает в творческие дали к иным мирам и берегам. Она уносит грязь, освежает, дает заряд, могучий импульс, идеи, зажигает сердца. Такая вода — это подарок, но для волевых и сильных духом, предпочитающих живой поток тихому угасанию.

Вода проточная, спокойная и уравновешенная — изо дня в день спокойно и деловито она трудится, обеспечивая жизнь, творит добро. Иногда ее труд не заметен. Духовные и материальные богатства, которые она создает, воспринимаются как нечто само собой разумеющееся, однако в ней скрыт громадный потенциал. Она может вот так незаметно трудиться всю жизнь, направляя свои потоки по проложенному руслу, если же на ее пути соорудить плотину и убедить в необходимости этого, она остановится. Но если ее созидательному труду, ее движению, которым она питает своих близких, угрожает опасность, она проявляет все свои деструктивные свойства, разметая в щепки все, что мешает нормальному ритму ее потока. Необратимость водного потока очень образно отметил Гераклит, говоря, что «нельзя войти в одну и ту же реку дважды».

Принципами женственности и материнства являются символы, фигурирующие как истоки вод — Мать Вод, Пещера, Камень, Водоем, Дом Матери, Дом Мудрости, Лунная Богиня, Река Жизни, Сантана.

Этот бесконечный поток жизни, символ которого вода, очень образно был интерпретирован Лао-Цзы, который придавал огромное значение ее уникальному метеорологическому процессу. Живой поток Воды, по образному замечанию Лао-Цзы, утверждавшего, что «Вода никогда не бывает в покое ни днем, ни ночью. Когда она течет сверху, она вызывает дождь и росу. Когда она течет внизу она образует потоки и реки».

Погружение в воду означает, с одной стороны, смерть и уничтожение, с другой — возрождение и восстановление. Здесь уместно сказать о символике крещения, связанной с водой. В «Толковании «Евангелия от Иоанна» (гл. XXV) читаем: «Оно представляет смерть и погребение, жизнь и воскресение из мертвых. В этом аспекте следует понимать преображение материи и воскресение Духа».

Весьма характерно, что в сновидениях рождение символизируется образами воды, выражение «поднявшийся из волн», «вышедший из прозрачных глубин» связаны с метафорами деторождения.

Стихия Воды, согласно принципу монады, Великому пределу Тай-цзы, принципу Инь-Ян, создающим гармонию и равновесие во всех явлениях Вселенной, осуществляет влияние на этот процесс женского лунного начала. Это проявляется в присутствии воды во всех клетках живых и условно «неживых» объектов Вселенной; минералах, растениях, в царстве животных и человека. Вода всегда гасит пламя, грозящее катастрофой, превращая его в пар, который затем превращается опять в воду. Водным знакам, тесно связанным с Кармой, необходимо знание ее законов. Это даст возможность осознанно подходить к перепетиям собственной судьбы, а не искать виновных. Я не случайно постоянно возвращаюсь к этой мысли, она должна прочно поселиться в нашем сознании.

Новая Эпоха требует правильного толкования библейских текстов учения Великого Спасителя. «Око за око, зуб за зуб» демонстрирует кармическое действие, а не действия и поступки человеческие. Если в прошлой жизни ты совершил насилие над ближним, то в следующей жизни согласно принципу «око за око», тебя будет ожидать аналогичная участь, причем наблюдения показывают, что кармическое в настоящее время воздаяние свершается в течение этой жизни, а зачастую и незамедлительно. В этом сказывается решение Владык Кармы и связанные с ними особенности энергии Новой Эпохи. Именно в этом аспекте имеет глубокий смысл выражение «Пути Господни неисповедимы». Надо полагать, что Космосу необходимо для целей эволюции ускорить очищение общества.

Стихия Земли обозначается треугольником, обращенным острием вниз ∇.

Эта стихия придает конкретность, устойчивость, неизменность, четкость, прочность. Обладает формой, законченностью, жесткостью, стабильностью, структурой. Люди, рожденные в знаках стихии Земли, практичны (в отличие от знаков водной стихии), респектабельны. Их отличает осторожность, предусмотрительность, но если они видят цель, то обладают завидной пробивной силой, умением отстоять собственные интересы, их привлекает «аромат власти», стремление к успеху и карьере. Жизненная сила Земли невидимыми нитями связана с жизненной силой Солнца, поскольку они являются частями единого энергетического поля. Мы остановимся несколько дольше на «земных проблемах», так как существует тесная энергетическая взаимосвязь между Солнцем, сетью силовых линий Земли и здоровьем всех живых существ, населяющих Землю.

Энергетическую матрицу тела Земли формируют силовые линии, которые отражают ее динамический и физический принцип.

Весьма важно для полного понимания учесть, что Земля не является совершенно однородной, гладкой энергетической сферой, на которой все энергетические зоны распределены равномерно по всей поверхности. Кроме того, Земля со своей энергетической сетью не является изолированной от обширной галактико-космической системы, обладающей тонкими энергетическими связями, оказывающими сильнейшее влияние на жизнь Земли и ее обитателей, а также на ее развитие. Как и во всех явлениях Мироздания (здесь также просматривается аналогия с анатомией человеческого организма), в котором энергетическое обеспечение и его равновесие, а также связь с окружающим пространством осуществляется через систему чакр, китайских точек и меридианов.

Твердое тело Земли обладает своими центрами в пересечении силовых линий, имеющими определенное расположение. Через эти центры происходит взаимосвязь с энергиями, приходящими извне, они представляют собой вихри, принимающие энергию и излучающие ее. Эти силовые центры Земли аналогичны нервным центрам, чакрам на нашем теле.

Четыре царства природы — минералы, растения, животные и человек — каждое в отдельности представляет энергетический центр в теле Земли.

Силовые линии Земли в принципе являются эфирным телом Духа Земли. По своей структуре каждая линия образована двумя вихрями, один стремится направить энергию внутрь Земли, а другой — излучает энергию в атмосферу. Внутренний вихрь сформирован из энергий человеческих чувств (эмоций, мышления, Духа и т.д.), наружный олицетворяет волю, силу, устремления.

Здесь необходимо указать, что, говоря о Духе земли, аналогично тому, когда мы говорим о человеческом Духе, мы имеем в виду ту реальную, но невидимую нашими пятью органами чувств энергию вибраций, или волн, энергию высокой частоты. Именно эта высочайшая энергия и является основой жизни. Дух есть проявление любой жизни через форму. Мы уже упоминали о высокочастотном мышлении, ведущем к духовности, и низкочастотном, связанном с материальным миром быта и желаний. На уровне современных знаний электромагнитный волновой феномен в состоянии объяснить философский подход к энергиям тонковибрационным, характеризующим материю. Следовательно, низкочастотные энергии являются формой, через которую проявляется высокочастотная жизнь Духа.

Тело Земли, его плотная геологическая структура, как и физическое тело человека, является всего лишь орудием проявления тонкой структуры Духа. Таким образом, жизнь Духа Земли исходит из энергетических силовых линий и их центров. Без этой энергии было бы совершенно невозможно развитие всех четырех царств природы. Только в сочетании с энергетическими телами минералов, растений, животных и человека такое развитие становится возможным. Высокочастотные излучения минералов, растений, животных и человека взаимодействуют друг с другом, а также с полем Земли и других планет.

Лечебный эффект минералов, связанный с этими излучениями, резко активизировался в эпоху Водолея. Значительным диапазоном лечебных свойств обладают фотографии минералов, их голографические изображения, а также картины с изображениями определенных композиций целебных растений. Здесь необходимо отметить, что энергетическое поле каждого минерала, растения или человека вовлечено в его специфическую энергосистему и одновременно в главную энергосистему Земли.

Подводя итог характеристике стихии Земли, необходимо добавить, что знаки этой стихии осуществляют практические, материальные воплощения идей и добиваются конкретного их разультата. Обладают постоянством в достижении цели, сохраняют прочность и устойчивость образов в своем сознании. Им присущ консерватизм, имеющий сходство с прочным и стройно застывшим кристаллом, олицетворяющим принцип Сатурна.

Стихия Земли имеет желтый цвет, вкус сладкий (сахаристый, крахмалистый). При медитации, связанной с этой стихией, можно представить себя погруженным в землю, либо нечто твердое (минерал, глина), процесс излечения болезни.

Китайская натурфилософия к четырем известным стихиям добавляет еще одну стихию — дерева. Весьма характерным является тот факт, что у китайцев деревья обычно символизируют долголетие и плодородие. Самыми популярными из них являются вишневое дерево, бамбук и сосна, которые носят название «трое друзей».

Дерево по своей связи и аналогии с человеком является одним из центральных традиционных символов. Мы не будем останавливаться конкретно на определенных видах деревьев, имея в виду культ поклонения им у отдельных народов, а также их мифологическую ассоциацию с богами.

Нас интересует Символизм дерева, обозначающий жизнь Космоса; процессы зарождения и возрождения, рост, развитие и согласованность всех этих этапов. Неистощимость жизни делает его эквивалентом символа бессмертия, а вытянутая вертикальная форма символизирует центр мира, мировую ось.

Корни, ствол и крона тождественны нижнему миру, преисподней, земле, горнему миру, небу. Кроме того, дерево соответствует Кресту искупления, в свою очередь Крест в христианской иконографии очень часто изображается в форме дерева, а именно, как «Древо Жизни». Помимо «Древа Жизни» существует «Древо Смерти», а на более поздних этапах развития мира символика деревьев дополняется Мировым Древом, а также Древом Познания добра и зла. В «Упанишадах» сказано, что ветви дерева суть: эфир, воздух, огонь, вода и земля.

Иногда «космическое древо» представляется перевернутым, символизируя, что всякий процесс физического роста есть духовное деяние. Весьма часто деревья изображаются вдвоем (Древо Жизни и Древо Познания). Эта дуальность психологией интерпретируется как сексуальная. К.Г.Юнг тоже подчеркивает символическую бисексуальность их двойственной природы. В связи с иерархическими вертикальными структурами очень интересен символизм «древа сефироот», отражающий, согласно Каббале, все уровни мироздания.

В астрологии образ каждого знака достаточно иллюстративен по типичному поведению представителей этого знака, следовательно, Зодиакальный круг в целом представляет систему типов. В зависимости от уровня эволюции и кармических причин родившемуся индивиду предлагается та или иная роль в этом круге психотипов и соответствующие условия для ее реализации на сцене жизни, а также соответствующее окружение. При этом весьма важно знать, что если к кому-нибудь из нас обращается за помощью человек, ему необходимо помочь, памятуя, что, если мы помогаем людям, то и нам будут помогать свыше. Духовный мир отмечает все наши усилия, порой нас удивляет вдруг неожиданно свалившаяся удача, но это не случайность, а закономерность, нас наградили и отметили, равно как провалы, неудачи, кражи и т.д. мы получаем только по заслугам, за нарушение законов невидимого мира, Духовного мира.

Разделение всего сущего в мире на четыре стихии (или четыре первоэлемента), соответствующих трем состояниям материи, плюс элемент-посредник, который осуществляет через них трансформацию материи, символизирует концепцию стабильности цифры четыре и производных от нее знаков.

Твердые тела (земля), жидкие (вода), газообразные (воздух), температура, приводят к трансформации материи. Огонь на западе воспринимался с глубокой древности как фундаментальная форма материального и духовного существования.

В восточной философии таким же фундаментальным вопросом является вопрос о взаимоотношениях между пятью основными элементами (стихиями): Огонь, Вода, Земля, Металл, Дерево. Помимо философии, китайская медицина учитывает эти взаимоотношения в диагностике и лечении, принимая во внимание при этом холистические (целостные) аспекты этих связей. Расположение стихий в определенном порядке по степени значимости менялось из века в век. В западной философии ключевым вопросом всегда был спор, признавать или не признавать пятую стихию «Эфир», под которой иногда понимали «Дух», «квинтэссенцию» в смысле «душа вещей». Надо полагать, что это истинно так и объясняет связь между стихиями. Пятая стихия может быть отождествлена с властью Бога, объединяющего, управляющего, с началом жизни. Без силы объединяющего Духа работа стихий может вести к энтропии, хаосу.

В восточной же философии таких разногласий и разночтений не было. В китайской философии и мифологии существуют четыре мистических существа, которые способствуют слиянию двух элементов: птица Феникс, объединяющая огонь и воздух; зеленый дракон, объединяющий воздух и землю; черепаха, соединяющая землю и воду; белый тигр, соединяющий воду и огонь.

Китайским символом небесных сил является космический дракон, и энергии символизируются кругом Инь-Ян — женского и мужского начал. Источник всех движений материи и жизненной силы, пульсирующие ритмы Космоса, гармония позитивных и негативных энергетических сил выражены в принципах Ян и Инь.

Следуя традиционным аспектам, К. Юнг подчеркивает: «Из всех стихий две активные — Огонь и воздух, и две другие пассивные — земля и вода». Из этого следует, что первые две относятся к мужским, творческим, вторые — к женским, пассивным, восприимчивым.

Для четкого понимания работы Стихий в организме следует уяснить, что в каждом органе, центре-чакре, как и во всем теле, присутствуют все 6 стихий — Огонь, Тепло, Холод, Сухость, Ветер, Влага, соответствующие 5 первоэлементам, но для каждого есть доминирующая стихия, определяющая весь его облик, свойства, темперамент, судьбу, а также предрасположенность к определенным заболеваниям.

В мире, где все взаимосвязано и представляет собой единую систему мироздания, трудно дать оценку, что хуже, а что лучше — свет или тьма, холод или тепло, движение или покой — все зависит от времени, места, ситуации.

Ян и Инь создают круговорот вещей в мире, то усиливаясь, то ослабляясь, изменяя по мере необходимости свое воздействие.

Союзом светлого начала Ян и темного Инь порождены пять первоэлементов (пять стихий) : Земля, Вода, Огонь, Дерево, Металл. Эти пять первоэлементов соответствуют пяти стихиям и шести энергиям. Дерево — ветру, Огонь — теплу, жаре, Вода — холоду, Металл — сухости, Земля — влажности. В каждом из нас так же, как и во всем окружающем нас мире, присутствуют эти стихии.

Наличие в нашем организме в равной мере всех стихий крайне редко и соответствует абсолютно гармоничной личности. Как правило, какие-то стихии являются преобладающими, а другие недостающими — это обусловливает тот или иной темперамент. Стихии связаны с важнейшими внутренними органами и работают по принципу контроля, стимуляции и подавления. Каждая стихия является господствующей в определенном возрасте, окрашивает своими свойствами именно этот период.

В зависимости от знака и стихии года, в котором вы родились, проявляются свойства вашего характера, формируется ваша индивидуальная физиологическая модель, по которой можно определить ваш психосоматический статус, вашу судьбу.

Для того, чтобы вы могли оценить свой характер и свои возможности, выявить недостающую для гармонизации стихию, мы приводим таблицы, по которым вы определите животное, управляющее годом рождения, полярность знака, первоэлемент, время правления знака.

Зная стихию своего года рождения, стихию своего животного, стихию своего часа рождения, стихию своего месяца рождения, стихию своего места рождения, можно выявить недостающую стихию, а также, какая стихия обусловливает слабость органов и как сгармонизировать эту стихию и контролирующую ее планету.

Стихию своего года рождения можно узнать из любого восточного календаря.

ПОЛЯРНОСТЬ	ЗНАК	СЕВЕР (зима)	ВОСТОК (весна)	ЮГ (лето)	ЗАПАД (осень)
-	Кабан	вода			
+	Крыса	вода			
-	Бык	вода			
+	Тигр		дерево		
-	Заяц		дерево		
+	Дракон		дерево		
-	Змея			огонь	
+	Лошадь			огонь	
-	Овца			огонь	
+	Обезьяна				металл
-	Петух				металл
+	Собака				металл

ДВЕНАДЦАТЬ ЗНАКОВ И ИХ ВРЕМЯ

с 23 ч. до 1 ч.	-	часы правления Крысы
с 1 ч. до 3 ч.	-	часы правления Быка
с 3 ч. до 5 ч.	-	часы правления Тигра
с 5 ч. до 7 ч.	-	часы правления Зайца
с 7 ч. до 9 ч.	-	часы правления Дракона
с 9 ч. до 11 ч.	-	часы правления Змеи
с 11 ч. до 13 ч.	-	часы правления Лошади
с 13 ч. до 15 ч.	-	часы правления Овцы
с 15 ч. до 17 ч.	-	часы правления Обезьяны
с 17 ч. до 19 ч.	-	часы правления Петуха
с 19 ч. до 21 ч.	-	часы правления Собаки
с 21 ч. до 23 ч.	-	часы правления Кабана

Например, из приведенных таблиц видно, что в диаграмме вашего рождения недостает стихии Дерева — это значит у вас дефицит сине-зеленых тонов, угроза патологии печени. В данной ситуации можно порекомендовать камни Юпитера (голубую бирюзу, сапфир), украшения из дерева и дерево в качестве отделки в вашем жилище, деревья, посаженные вблизи дома.

Отсутствие элемента Огня и планеты Марс восполняется драгоценными камнями красного и оранжевого цвета. Отсутствие элемента Металла компенсируется ношением металлических украшений из серебра и золота, мельхиора и т.д. Отсутствие элемента Воды создает угрозу для почек — необходимы украшения из меди, зеленоватых камней, нефрита белого, голубого и зеленого, аквамарина черного и фиолетового тонов, полезно приобрести аквариум с рыбками.

Отсутствие элемента Земли вы можете восполнить желто-лимонным цветом, ношением агатов, яшм, изделий из глины, использованием в интерьере декоративной керамики; горшков с землей и цветами.

В Древнем Китае на новорожденного ребенка составлялась карта рождения. В системе китайской астрологии и соответственно китайскому гороскопу Инь и Ян чередуются с одной и той же стихией и с каждым из двенадцати животных. Таким образом, один знак определенной стихии в одном году будет (+) Ян, в другом году (—) Инь. Для обеспечения гармонии и равновесия по стихиям и знаку можно дать полную характеристику года как в социальном, экономическом, климатологическом, так и в медицинском аспектах. Можно прогнозировать возможные заболевания и обеспечить их профилактику и лечение.

В восточной астрологии мы имеем 6 Янских и 6 Иньских знаков. К знакам Ян относятся: Тигр, Дракон, Лошадь, Собака, Обезьяна, Крыса, к знакам Инь — Змея, Овца, Петух, Кабан, Бык, Заяц.

Стихию Земля китайские философы считали состоящей из 4-х других стихий и прибавляли к каждой из этих стихий. Все животные, которые символизируют каждый год, являются по существу архетипом природы и отражают небесный потенциал каждого из знаков. Изучение баланса стихий и особенностей своего знака дает возможность обрести гармонию и совершенство.

Согласно китайскому гороскопу, при отсутствии какого-либо элемента его добавляют как символ в название имени, этим достигается гармонизация судьбы и здоровья пришедшего в этот мир человека. Если в гороскопе стихий у ребенка не хватает металла или воды, в иероглиф имени добавлялись эти слова.

При выборе партнера целесообразнее найти себе спутника в жизни с сильной стихией, именно недостающей у вас. Для размышления мы приводим характеристики людей в зависимости от того, какой знак и первоэлемент окрашивает и управляют годом вашего рождения.

Огонь — жар, красно-оранжевые тона, сердце, система сосудов. Люди, которые родились в год Огня, обладают волей, решительностью, динамичностью, бойцовскими качествами, в состоянии преодолевать любые препятствия. Это прирожденные вожаки, смелые и волевые с незаурядными организаторскими способностями. Благодаря своей оригинальности, они воспринимают новые идеи раньше всех, не боятся рисковать. Порой их губит опрометчивость и нежелание прислушаться к мнению других, нетерпеливость в осуществлении своих идей и проектов.

Люди Огня — открытая книга, они излишне откровенны, поэтому их планы и идеи весьма часто становятся достоянием других. Они, как факел, освещают путь к преобразованиям, к полетам, дают тепло и свет, к ним тянутся люди, которых они согревают своим теплом, своим темпераментом. Им можно посоветовать соразмерять планы и усилия с реальностью, принимать во внимание добрые советы родных и друзей.

К сверх-Ян представителям Огня относятся люди, находящиеся в плену страстей, не контролирующие свои эмоции, свою разрушительную силу. Ян — это пожар, Инь — это ровное пламя, свет.

Стихия Земля — влажность, желтый свет, пищеварительная система. Земляне функциональны и практичны, они прочно связаны со своей стихией, твердо стоят на ногах, свою энергию концентрируют и направляют на выполнение поставленной цели. Они наделены умом, объективные руководители, свои планы продумывают, обосновывают и затем добиваются их осуществления.

люди Земли обладают хорошими организаторскими способностями, устраивают свои дела прочно и основательно, достаточно изучив все вопросы, относящиеся к данной проблеме. Любят порядок и поддерживают его. Им не присущи торопливость, спешка, спонтанность. Они не склонны преувеличивать свои достижения, а поэтому выполняют свои задачи в полном объеме. Люди Земли достаточно открыты, реалистичны, упорны и настойчивы, а поэтому добиваются хороших результатов. Пользуются авторитетом и уважением, из них выходят хорошие учителя, политики, руководители, глубоко знающие свое дело, умеющие контролировать себя, других и ситуацию. Их консервативность находится в гармонии с основательностью и устойчивостью, обеспечивая партнерам и семье надежность и фундаментальность, дисциплину. Если люди Земли страдают, то, как правило, из-за неразвитого воображения, порой упрямства, эгоистического увлечения собственными интересами.

Стихия Воды — холод, черно-фиолетовая гамма, почки, репродуктивные органы. Люди, управляемые этой стихией, интересны своими настойчивыми и молчаливыми усилиями, они способны, подобно воде, размыть любые препятствия, заслоны, противостояния. "Капля камень долбит" — эта поговорка очень удачно характеризует людей этой стихии. Они текучи и динамичны, чувствуют ситуацию и правильно выбирают ее для осуществления своих целей. Для решения своих вопросов с нужными им людьми они точно подбирают время, место, реальность. Их действия носят скорее побудительный элемент, нежели принуждающий, в их арсенале убеждения, внушения, вот, пожалуй, те методы, которыми они добиваются успеха. Обтекаемость, гибкость, компромиссность присущи этим людям.

Люди Воды Ян (+) прокладывают себе дорогу подобно прорвавшейся плотине, затапливая все и всех. Но люди Воды Инь (-) умеют прокладывать себе путь и в виде окольных, обходных ручейков, они покладистые, интуитивные, легко находящие пути решения своих проблем. И партнерам лучше всего положиться на их глубокую интуицию. Иногда они совершенно пассивны, бездеятельны ищут сильных партнеров для осуществления своих задач и проектов. Они достаточно эмоциональны, чувствительны, сенситивны, обладают большой наблюдательностью что позволяет им реально оценить ситуацию и ее перспективы. Люди Воды общительны, но, так же, как и вода, для которой необходим сосуд, придающий ей форму и разнообразные материалы, из которых эти сосуды изготовлены, так и эти люди претворяют свои творческие замыслы и идеи через других людей, умеющих быть таким сосудом — надежным и прочным, причем используемые ими люди могут об этом не догадываться. Вся стихия сама по себе холодная-иньская.

Стихия Металла — сухость, белые цвета и оттенки легкие. Эти люди, как и металл, прекрасные проводники как в мире людей, так и в мире электричества и энергий

Твердость, решительность и непреклонность — ключевые качества этой стихии. Сильные чувства, переходящие в страсть, позволяют им добиваться своих целей. Действуя настойчиво и непреклонно, в своих действиях, решениях и поступках они привыкли полагаться только на свои силы, гордо отвергая предложенную помощь. На пути к поставленной цели они никогда не меняют свое решение, даже в безнадежной ситуации проявляя несгибаемость и упрямство. Они импульсивны, обладают большой силой, что дает основание контактирующим с ними людям относиться к ним с большим уважением и выбирать их в партнеры для решения важных дел. Надо отметить их любовь к роскоши, накопительству, деньгам, они видят в них путь к своей свободе, независимости и власти.

К Ян-свойствам относятся неумение идти на компромиссы в изменившейся ситуации, к Инь-свойствам — умение отступить, лавировать, сохранить позиции, не сжигать мосты, а затем при изменении ситуации добиться своего. Ян-свойства — это их упрямство, негибкость, неумение сохранить добрые отношения, если другой еловек не хочет подчиниться их воле, имеет собственное инение. Это поистине "железная стихия" несгибаемых людей.

Стихия Дерева — энергия ветра, сине-зеленые тона, печень. Это люди весны, люди творчества, носители и творцы новых идей, постоянного роста и обновления. Они уверены в себе, обладают высокими нравственными качествами, этикой, имеют обширные и разнообразные интересы. Они коммуникабельны, открыты. Эти качества дают им возможность с большим успехом реализовать свои планы. Их благородство, открытая душа и душевная щедрость, умение оценить приоритеты, большие организаторские способности позволяют осуществлять долгосрочные, масштабные дела, научно-исследовательские проекты, требующие больших затрат, коллективного труда. Глубоко аргументированными доводами они умеют убеждать и вербовать себе сторонников для осуществления своих целей. Их щедрость не позволяет им одним пользоваться результатами своего труда, они обязательно делятся всем достигнутым со своими единомышленниками, со всеми теми, кто внес вклад в дело.

Они доброжелательны, обладают царственностью, властью и вкусом. В коллективе, в семье, в обществе пользуются доверием, умеют повести за собой людей и сделать любое предприятие успешным.

К сверх Ян-свойствам относятся неумение сдерживать свои эмоции и амбиции, прибегать вместо убеждения к принуждению, устремление от одного дела к другому.

К Инь (-) свойствам относятся несобранность, рассеянность, неумение закончить начатое, безынициативность.

Разобравшись в свойствах людей, рожденных в годы определенных стихий, ознакомившись с приведенными таблицами китайской астрологии, ответив на 5 пунктов, приведенных выше, вы сможете сгармонизировать недостающую стихию.

Одним из биологических способов гармонизации является надежный брачный союз — подбор партнера с сильной стихией, недостающей у вас, а в коллективе —

создание гармоничных сообществ. Для облегчения вашей задачи мы приводим рекомендации из древней монгольской астрологии "Зурхай". Определив недостающую стихию, вы по благоприятным сочетаниям стихий, приведенным в "Зурхае", сможете сделать правильный выбор. Надежность и достоверность изложенных принципов, зависящих от подбора гармоничных стихий, проверены нами на значительном количестве людей.

В монгольском календаре 12 годам соответствуют первоосновы: дерево, огонь, земля, железо, вода. Они же различаются по цвету.

Год первоосновы, ее цвет можно узнать из таблиц XV, XVI, XVII шестидесятилетних циклов.

XV шестидесятилетие

Первоосновы Цвет Год	Дерево		Огонь		Земля		Железо		Вода	
	синий (муж)	синяя (жен)	крас-ный	крас-ная	жел-тый	жел-тая	бе-лый	бе-лая	чер-ный	чер-ная
Мышь	1864		1876		1888		1900		1912	
Корова		1865		1877		1889		1901		1913
Тигр	1914		1866		1878		1890		1902	
Заяц		1915		1867		1879		1891		1903
Дракон	1904		1916		1868		1880		1892	
Змея		1905		1917		1869		1881		1893
Лошадь	1894		1906		1918		1870		1882	
Овца		1895		1907		1919		1871		1883
Обезьяна	1884		1896		1908		1920		1872	
Курица		1885		1897		1909		1921		1873
Собака	1874		1886		1898		1910		1922	
Свинья		1875		1887		1899		1911		1923

XVI шестидесятилетие

Перво основы Цвет Год	Дерево		Огонь		Земля		Железо		Вода	
	синий (муж)	синяя (жен)	крас-ный	крас-ная	жел-тый	жел-тая	бе-лый	бе-лая	чер-ный	чер-ная
Мышь	1924		1936		1948		1960		1972	
Корова		1925		1937		1949		1961		1973
Тигр	1974		1926		1938		1950		1962	
Заяц		1975		1927		1939		1951		1963
Дракон	1964		1976		1928		1940		1952	
Змея		1965		1977		1929		1941		1953
Лошадь	1954		1966		1978		1930		1942	
Овца		1955		1967		1979		1931		1943
Обезьяна	1944		1956		1968		1980		1932	
Курица		1945		1957		1969		1981		1933
Собака	1934		1946		1958		1970		1982	
Свинья		1935		1947		1959		1971		1983

XVII шестидесятилетие

Перво основы Цвет Год	Дерево		Огонь		Земля		Железо		Вода	
	синий (муж)	синяя (жен)	крас-ный	крас-ная	жел-тый	жел-тая	бе-лый	бе-лая	чер-ный	чер-ная
Мышь	1984		1996		2008		2020		2032	
Корова		1985		1997		2009		2021		2033
Тигр	2034		1986		1998		2010		2022	
Заяц		2035		1987		1999		2011		2023
Дракон	2024		2036		1988		2000		2012	
Змея		2025		2037		1989		2001		2013
Лошадь	2014		2026		2038		1990		2002	
Овца		2015		2027		2039		1991		2003
Обезьяна	2004		2016		2028		2040		1992	
Курица		2005		2017		2029		2041		1933
Собака	1994		2006		2018		2030		2042	
Свинья		1995		2007		2019		2031		2043

ПЕРВООСНОВЫ МУЖСКИЕ И ЖЕНСКИЕ
ГОД ОГНЯ

1. Если поженятся родившиеся в год первоосновы Огня, то коршун предвещает несчастье. Муж и жена проживут вместе недолго. Если же будут жить в браке, то лишь один из их детей станет полезным родителям , но жизнь его будет несчастливой.

2. Если муж имеет первооснову Огонь, а жена Железо, то будут жить в согласии. Их первенец сын будет богат, в жизни ему будет сопутствовать удача.

3. Если у мужа первооснова Огонь, у жены — Дерево, то совместная жизнь противопоказана. Деторождение осложнено.

4. У мужа — Огонь, у жены — Земля. В браке — полное согласие и много детей. Благополучие и долголетие в семье.

5. У мужа — Огонь, у жены — Вода. Трудности с деторождением, будут преследовать болезни.

ГОД ВОДЫ

1. Если сойдутся оба имеющие год первоосновы Воды, дети родятся поздно. В начале совместной жизни — много трудностей. Затем жизнь наладится, проживут ее благополучно.

2. У мужа — Вода, у жены — Железо. В этой семье много детей, благополучие и долголетие.

3. У мужа — Вода, у жены — Дерево. Крепкая и удачливая семья.

4. У мужа — Вода, у жены — Земля. Проживут в согласии, однако дети будут болеть. Других неблагополучий нет.

5. Если у мужа — Вода, у жены — Огонь, то совместная жизнь противопоказана.

ГОД ЖЕЛЕЗА

1. У обоих супругов первооснова года — Железо. Дети, благополучие, богатство. Если будут почитать Бога и Небо, то жизнь будет счастливой.

2. У мужа — Железо, у жены — Дерево. Не будет в семье

согласия с детьми — неблагополучие.

3. У мужа — Железо, у жены — Земля. В браке — много детей, богатство и долголетие.

4. У мужа — Железо, у жены — Огонь. Хотя проживут в согласии, но без детей и будут болеть.

5. У мужа — Железо, у жены — Вода. Проживут в счастье и долголетии. Будет много детей, а если первенцем будет сын, то брак на редкость удачлив.

ГОД ДЕРЕВА

1. Если у обоих супругов год первоосновы Дерево, то брак — в согласии, но будут сложности с деторождением.

2. У мужа — Дерево, у жены — Земля. Много детей, счастье при условии, если первенцем будет сын, а не дочь.

3. У мужа — Дерево, у жены — Вода. Много детей, особенно счастливы будут дочери.

4. У мужа — Дерево, у жены — Железо. Совместная жизнь не сложится, дети — слабого здоровья.

5. У мужа — Дерево, у жены — Огонь. Затруднения в деторождении. Если родятся, то судьба детей неустойчива.

ГОД ЗЕМЛИ

1. Если сойдутся мужчина и женщина, рожденные с первоосновой Земля, то будут в браке счастливы. Много детей и богатство.

2. У мужа — Земля, у жены — Огонь. Проживут в согласии, но если первенцем будет девочка, то будут осложнения в семейной жизни.

3. У мужа — Земля, у жены — Вода. Будут жить в счастье, но деторождение сомнительно.

4. У мужа — Земля, у жены — Железо или Дерево. Совместная жизнь — в согласии, но дети будут болезненны.

ИНЬ-ЯН — БОЖЕСТВЕННАЯ ГАРМОНИЯ ДВУХ НАЧАЛ

К числу древнейших парных символов мира, означающих божественную гармонию двух начал, относятся, согласно китайской натурфилософии, женское начало Инь и мужское начало Ян. В качестве символов этих двух принципов дуальности шведский китаевед Б.Карлгрен относит: нефрит (мужское начало Ян), раковину-каури (женское начало Инь). Эта древнейшая символика, подчеркивающая дуализм мужского и женского начал, лежит в основе плодородия и размножения, вписываясь в общемировой фаллический культ. С эпохи Чжоу китайцы связывали Небо с Ян-полярностью, а Землю с Инь. Китайская натурфилософия рассматривает весь процесс мироздания и бытия как результат взаимодействия этих двух начал, как стремление к единению. Именно в таком аспекте следует рассматривать эту дуальность, а не в противоборстве. Кульминацией этого единства является слияние Земли и Неба в космогонии, в человеке же это слияние Духа и Материи.

Высшим уровнем проявления нашего сознания являются расположенные в головном мозгу две загадочные человеческие формы: одна — мужская, другая — женская. Переплетенные вместе, они олицетворяют Инь и Ян Китая — белый и черный драконы, кусающие один другого. Одним из них является эпифиз, или шишковидная железа, а другой — гипофиз. Их называют головой и хвостом дракона мудрости, два полюса — северный и южный, положительной и отрицательной полярности в цели тока, в котором наше тело служит электрической батареей. Этим двум железам суждено быть грядущей славой физического человека. Эта бинарная модель дуализма Инь-Ян стремится к своему решению в синтезе, а не в противоборстве.

Инь-Ян в масштабе Вселенной представляет собой спираль, являющуюся сечением Вселенского вихря, в основе которого, сливаясь вместе, две противоположности порождают вечное и непрерывное движение и все метаморфозы мира. Вертикальная линия, проходящая через середину Инь-Ян, образует мистический центр, в котором уравновешиваются две тенденции — эволюции и инволюции, созидания и разрушения. Эта центральная ось соответствует Колесу Превращений индуистского символизма.

Весьма нагляден в этом случае кадуцей Гермеса. Подобно равновесию Весов или двойственности Близнецов, этот символ выражает идею активного баланса противоположных сил, уравновешивающих друг друга и создающих гармоническое единство. В кадуцее Гермеса эти силы Инь и Ян повторяются дважды: в символах Змей и Крыльев, подчеркивая тем самым, что абсолютная гармония возможна только в том случае, если будет достигнут баланс на низшем уровне инстинктов (обвивающиеся Змеи) с единством на высшем духовном уровне (символизируемом Крыльями) — Небом. Кроме того, Змея, обвившая дерево (или посох Эскулапа), является символическим образом морального дуализма.

Инь-Ян является характеристикой всех природных процессов, поскольку они содержат в себе две противоположные фазы, или стороны. В китайской натурфилософии и медицине один и тот же процесс, в зависимости от состояния, может иметь энергию Инь или энергию Ян. К примеру, лесной пожар обладает силой Ян, но, по сравнению с его силой, пламя свечи уже будет Инь. Водопад или штормовая волна несет силу Ян, тихий ручей — ласковую женственность Инь. Иными словами, два начала, две полярности присутствуют во всем и всегда, окрашивая то более, то менее все процессы и состояния. Отсюда становится ясным, что при усложненном подходе полярность надо рассматривать как бинарную систему, основанную на взаимоуравновешивающихся полюсах. Эта дуальность может быть одинакового размера или силы, симметричная либо взаимодополняющая силы ассиметричные. Принципы Инь-Ян могут действовать одновременно либо в виде последовательно сменяющих друг друга фаз.

Великий предел Тай-цзы Монада Лао-Цзы объединяет эти два принципа Инь-Ян.

С одной стороны — это день-ночь, зима-лето, жизньсмерть, фазы Луны, с другой — ночь несет в себе зачатки дня, белый круг на темном фоне и, наоборот, зима имеет уже зачаток весны и лета, рождение уже символизирует смерть и т.д. Ни в коей мере нельзя китайскую Монаду трактовать как возможность сосуществования добра и зла. Добро есть добро, и оно по своей структуре универсально, в то время как проявления зла многолики. Эта многоликость связана с разнообразностью ухищрений зла. Для удовлетворения своих низменных желаний современный человек не скупится на выдумки (речь, к счастью, не идет обо всем человечестве), создавая самый отвратительный маскарад масок, низменных животных желаний, в данном случае животные имеют право оскорбиться, так как их сознание не в состоянии дойти до такого маразма, на который способны люди.

Тенденцией же в мире желаний является закон привлечения «подобного подобным», «Вселенская гомеопатия». Отсюда добро, притягивая добро, растет и множится. Если бы этот закон притяжения «работал» и в мире зла, то зло росло бы, как снежный ком. В силу же своей многоликости каждая из форм зла обладает своей, только ей присущей, частотой вибраций. А посему, когда одна такая форма привлекается к другой, то в силу разницы в частоте вибраций они взаимно разрушаются. В этом аспекте «вождь мирового пролетариата» В.И.Ленин был абсолютно прав, говоря, что преступный мир сам себя уничтожит. Этот Великий Космический закон притяжения по принципу подобия, на котором мы еще будем останавливаться в дальнейшем изложении, обеспечивает присутствие зла в мире в допустимых границах. В наступающую Новую Эпоху будут включены механизмы ускоренного очищения ауры планеты, и об этом стоит задуматься «не в меру расшалившимся» ее обитателям. Во всем этом проявляется великий принцип Инь-Ян — материя едина во всех ее проявлениях, она отличается только полярностью. Эл.Леви по этому поводу писал, что все в мире есть магнит с двумя полюсами.

Таинство двойственности, первопричина любой деятельности, проявляющейся в любом противостоянии сил: космических, физических или духовных.

В Китае изначальным принципом Инь-Ян является союз Неба и Земли, этот принцип присутствует в большинстве культурных традиций как символ первичного противостояния, полярной сущности жизни. М.Шнейдер по этому поводу пишет: «Извечная дуальность Природы означает, что ни одно явление не может представлять законченной реальности, а лишь одну ее половину. Каждая форма имеет дополняющее ее соответствие: мужчина/женщина; движение/покой; развертывание/свертывание; правый/левый — объединяемые совокупной реальностью. Синтез есть результат соединения тезиса и антитезы. И подлинная реальность — лишь в синтезе».

Сильнейшими графическими выражениями понятия дуальности является на Востоке Колесо превращений, Монада Инь-Ян, Шри-Янтра и др.

Наиболее яркое выражение принципа Инь-Ян представлено в любви. Традиционные символы любви всегда выражают двойственность, в которой участвуют два полярных начала, которые, дополняя друг друга, существуют вместе. Помимо китайского Ян-Инь, в этом аспекте представлен индийский лингам и крест, где вертикальная линия символизирует ось мира, а горизонтальная — мир явлений, что является выражением основной цели подлинной любви.

Различная полярность полов и выражает их разное отношение к любви. Энергия тока всегда движется от положительного полюса к отрицательному. Аналогично происходит энергетическое движение любви. У мужчин под влиянием красоты женщины, ее обольстительных форм чувство желания и любви возникает в половом центре и движется вверх к духовному центру. В мужчине страсть и желание затемняют рассудок, в этом плане они наиболее уязвимы и легко попадают в плен к женщине.

У женщин наоборот, любовь начинается с восторга Духа, с восхищения настоящими и мнимыми достоинствами, а уже затем спускается вниз к гениталиям. Посему влюбленная женщина очень редко теряет голову, напротив, сохраняет ясность мышления даже в минуты страсти.

Следовательно, учитывая разные аспекты полярностей, можно заключить, что отношение мужчины к женщине должно быть как отношение разума к волевой активности, а именно, чувства к воображению. Иными словами, женщина побуждает мужчину к деятельности, а мужчина, в свою очередь, направляет эту деятельность. Женщина внедряет в мужчину разные образы, которые мужчина одушевляет, превращает в идеи. Он реализует именно те чувства, которые ему внушает женщина. Женщина своими чувствами же согревает идеи мужчины. Женщина Инь есть воля и воображение, мужчина Ян есть разум. Воля и воображение колеблются между разумом и инстинктом — между чувственными удовольствиями и моральным совершенством — в итоге воля, поддерживаемая разумом, восторжествует над миром инстинктов. С.Тухолка приводит из греческой мифологии прекрасный оккультный пример толкования полов и отношений между ними. Это миф об Аполлоне, летящем по Небу на колеснице, запряженной четверкой белых лошадей. В оккультном толковании Аполлон есть мужское направляющее начало, т.е. разум. Лошади есть женское начало — воля и воображение. Колесница есть тело человека. Женское начало влияет на мужское не непосредственно, а через тело, с которым его соединяют оглобли или постромки, т.е. чувствительные нервы. Подобно этому и Аполлон управляет лошадьми с помощью вожжей, т.е. мужское начало действует на женское через двигательные нервы. Когда же на колесницу садится сын Аполлона Феб, лошади его увлекают и колесница опрокидывается. Символизм здесь заключается в том, что разум не может контролировать волю и воображение.

В философии Востока этот символ объединения путем преодоления двойственности и разобщенности изображается «Центром», сфокусированным в светящейся точке, розе, цветке лотоса, сердце.

Биологический акт любви, символизируя это объединение, является основой происхождения мира.

Основные принципы полярности — это позитивное начало (мужское, активное, светлое) и негативное (женское, темное, пассивное). В психологии они олицетворяют сознательную и бессознательную сторону личности, а в человеческой судьбе и жизни — процессы эволюции и инволюции, в человеческом организме — левую и правую стороны, левое и правое полушария. Эти противоположные силы символизируют не столько двойственность выражающих сил, сколько взаимодополняющие силы, необходимые для осуществления тех или иных процессов или явлений.

Цель любой дуальности — это объединение, слияние в единое целое. Апофеозом этого единства будет предсказанный приход Небесного Иерусалима, где исчезнет принцип дуальности, принцип равновесия полярных сил, а произойдет ассимиляция низшего высшим и темноты светом. Вознесение или восхождение — есть фундаментальная тенденция Космоса.

Если проследить историю развития любой религии, то ее моральный уровень может быть оценен способностями и возможностями за счет своих средств показать преодоление дуализма.

Мир гармоничен, его гармония зиждется на балансе энергий. Заря и полдень — это вдох дня, закат и полночь — выдох. Если вы сделаете только вдох, а выдох не будет сделан, что будет с живым организмом? Равно как и выдох, за которым не последует вдох, столь же губителен. Только ритмическое чередование вдоха и выдоха обеспечивает дыхание жизни -- и в этом заключается смысл биполярных зодиакальных энергий, о которых говорили древние мудрецы Китая.

Один из удивительных мудрецов Древнего Китая Лао-цзы изобразил эту гармонию мира строго, красиво и просто в виде Монады, пристальный интерес к которой не ослабевает, ее используют для медитаций, лечения, ее анализируют. А принцип всего мира, изображенный в Монаде, Лао-Цзы назвал принципом Инь-Ян — Высший предел — Тай-цзы, Инь и Ян равно Дао, которое покоится на естественных вселенских ритмах и циклах.

Темное, пассивное, холодное, влажное, мягкое и печальное — это Инь, но только как отражение светлого, активного, сухого, горячего, твердого, радостного Ян. Темное выгодно смотрится на светлом, светлое на темном. Мужчина и женщина — это божественное единение, удивительная космическая гармония Инь и Ян. Согласно представлениям древних философов, если Солнце, порождая активность, дает живому дневную энергию «Ян», то Луна — ночную энергию «Инь».

Солнце — это Ян, мужское начало, иероглиф «Ян» состоит из последовательности элементов: «склон, который Солнце покрывает своими лучами». При этом, естественно, возникает образ склона, обращенного на юг, озаренного светом и теплом. С этим образом, видением ассоциируется свет, тепло, сухость, величие, жизнь.

Луна — это Инь, женское начало, и иероглиф «Инь» складывается из элементов, в своей последовательности означающих «склон-покрытый-падающей-тенью-и-облаком». Смысл этого иероглифа, образ северного склона, лишенного солнечного света, вызывает в воображении представление о пасмурности, недостатке света, тепла, и, как следствие, -- холод, неподвижность, представление о чем-то скрытом, таинственном, воде, влаге, темноте.

Инь и Ян переплетаются в китайском символе Монады, в которой две рыбы — одна светлая Ян, другая темная Инь соединились своими хвостами, где в каждой имеется уже зачаток полярной энергии, соединенный воедино великий предел есть источник жизни. Абсолютно все сферы восточной культуры — философия, медицина, искусство, наука исходят из этого принципа. Это же развитие двух начал мы наблюдаем во всех культурах мира. В частности, мифы рассказывают, что Аполлон обменял свой золотой пастуший посох на лиру Гермеса, и, когда однажды Гермес повстречал на дороге двух дерущихся змей, он поразил их с помощью посоха Аполлона, и они обвились вокруг посоха, который стал жезлом-кадуцеем Меркурия (Гермеса), символом взаимодополняющих энергией природы.

Всегда и везде мы наблюдаем цикличность: день рождается от ночи, в каждой ночи есть зачаток дня; весна рождается от зимы, в каждой зиме уже есть зачаток весны — в этом огромная мудрость двух связанных воедино и навечно черной и белой рыб — двух энергий Инь-Ян.

Использование принципа полярности — это один из самых эффективных методов предупреждения разлада с самим собой, с окружающими людьми, со своим избранником или избранницей.

Мы уже знаем, что активное творческое начало Ян вносит в мир импульс изменения, направленного действия, второе — пассивное, женское — воспринимает этот импульс, наполняет его силой, формой, содержанием, воплощает в форму бытия, обеспечивает и поддерживает целостность и устойчивость мира. Для гармонии и равновесия в семье нужна смена полярности в разных сферах ее проявления. Оба супруга должны получить возможность самовыражения и лидерства соответственно своим талантам и возможностям. Двое людей встретились и полюбили друг друга, надевая на пальцы обручальные кольца, они глубоко убеждены, что это навечно. Но распадется ли семья или будет счастливой, вырастут в ней дети гармоничными или однобокими и закомплексованными, зависит от многих причин, и главная из них — энергетическая гармония двух начал.

В астрологии существует 12 зодиакальных психологических типов, каждый из которых имеет свои характерные черты и особенности. Опытный астролог на основании вашего психотипа может дать рекомендации для подбора психотипа избранника, но, во-первых, не каждый будет искать для этой цели астролога, а, во-вторых, вряд ли, если вам кажется, что вы полюбили мужчину, относящегося к определенному психотипу, а вам скажут, что он вам не подходит, вы тут же порвете с ним отношения. И правильно сделаете, т.к. только законы полярности могут помочь вам обеспечить устойчивое равновесие в семье. Знание характерных особенностей черт мужского и женского характера обеспечивает счастье в семье, и мы ни в коей мере не должны сравнивать свой характер и свои поступки с характером и поступками мужа — у него Ян-характер, у вас Инь-свойства.

В семье особенно ощущаются эти различия: на сколько творческий, активный, волевой, а подчас и агрессивный интеллект компенсируется и сдерживается мягкостью, мудростью, гибкостью, интуицией, на столько будет прочным такое сообщество.

Женщина чувствует более сердцем, нежели умом, все ее иллюзии, ощущения, порывы окрашены, в основном, именно сердцем, мужчина же проявляет все свои отраженные умом чувства в умеренной привязанности. Женщина готова ради любви жертвовать всем и может жить одной любовью, мужчина же помимо любви должен реализовать свои качества, занять положение в обществе, сделать карьеру и т.д., потому что мужская любовь — это Ян-чувства, порыв, страсть; женская любовь — это Инь-чувства, стойкая привязанность, готовая во имя любви на любое самопожертвование, это тонкие душевные, внутренние переживания. Эту разницу в проявлении чувств мужчины и женщины великолепно показал Л. Толстой в своем бессмертном романе «Анна Каренина».

В спокойной и ровной жизни женщину в значительной мере больше, чем мужчину, отличают оптимизм, общительность, веселость, она удивительный источник радости, она намного успешнее мужчины умеет мириться с горем, невзгодами и нести свой крест с завидным терпением и покорностью.

Мужчина по своей природе гораздо эгоистичнее женщины, он с самого детства чувствует себя мужчиной, привык командовать и требовать. Помимо этих обусловленных природой мужских свойств, положение дел в обществе создает эти предпосылки. Особенно это заметно в милитаристских, тоталитарных, диктаторских системах, где мужчина-творец не в состоянии раскрыть свои творческие Ян-возможности, где общество построено на послушании и слепом подчинении, где любая деятельность осуществляется по инструкции — мужчина перестает быть творцом, становится ущербным, у него развивается комплекс неполноценности, который в семье реализуется (опять-таки по принципу Инь-Ян) самоутверждением и агрессивностью. Вынужденный вне дома принуждать себя к сдержанности и благоразумию из-за страха потерять место, лишиться поощрения, поломать карьеру, дома он дает волю своим чувствам, своему дурному настроению, утверждает себя в мысли, что вся семейная жизнь должна вращаться вокруг него. Начинаются придирки, поучения, упреки, и все это должна компенсировать женщина, ее мудрость и терпение. Но подчас ее энергии не хватает, тогда накапливаются обиды, слезы, упрямство, изменяется женская энергетика, а вместе с ней — равновесие и мир. Семейная гармония нарушается, такая семья может существовать только формально или распадается окончательно, создавая трагедию для детей, общества.

Нарушенный энергетический баланс как у одной личности, так и в рамках семьи и общества, должен восстановиться либо распасться вообще, но зачастую в таких ситуациях проявляется как раз Инь-начало, женский врожденный здравый смысл. Женщина наблюдательна от природы, она умеет пользоваться случайностями и извлекать из них пользу. Несмотря на кажущееся подчинение, она является полновластной хозяйкой в свой доме. Ее подчиненное положение, благодаря ее догадливости и тонкому, изворотливому уму таковым не является. За кулисами любой жизни самые ответственные решения без участия женщин не принимаются. Поэтому в нашем рушащемся мире женщина должна направить всю свою мудрость, гибкость, интуицию на сохранение семьи как основы общества. Дело в том, что энергетическая гармония семьи зависит и отражается на энергетическом состоянии общества и наоборот. Женский принцип должен найти свою реализацию и выровнять нарушенное равновесие, которое наметилось в мире.

Весьма убедительно звучат слова нашей великой соотечественницы Е. И. Рерих, чья семья была образцом гармонии двух божественных начал: «Великая наступающая эпоха тесно связана с возрождением женщины. Грядущее время снова должно, как и в лучшие времена человечества, предоставить женщине место у руля жизни, место рядом с мужчиной, ее вечным спутником и сотрудником. Ведь все величие Космоса слагается двумя Началами. Основа бытия зиждется на равноценности двух Начал. Возможно ли умаление одного из них?

Все переживаемые в настоящее время и грядущие бедствия, космические катаклизмы в значительной степени являются следствием порабощения и унижения женщины. Страшное падение нравственности, болезни и дегенерация некоторых народностей имеют в основе рабскую зависимость женщины.

Поговорка «у великой матери и великий сын» имеет глубокое космическое основание, ибо сын часто больше заимствует от матери, а дочери — наследницы отцовских сил. Велика справедливость космическая! Унижая женщину, мужчина унизил себя! В этом нужно искать проявление скудности мужского гения в наши дни.

Разве возможны были бы творимые сейчас ужасы и преступления, если бы оба начала были уравновешены? В руках женщины спасение человечества и планеты. Женщина должна осознавать свое значение, свою великую миссию Матери Мира и готовиться к несению ответственности за судьбы человечества».

Слово *гармония* происходит от греческого harmonia, что означает согласованность, равновесие. Когда мы говорим о равновесии сил в природе, мы имеем ввиду баланс всех сфер жизнедеятельности: биологической, социальной и интеллектуальной. Гармония — это мост от сердца к разуму, и этот мост зиждется на умеренности, на золотой середине, на равновесии.

В каждом отдельном человеке присутствует два начала, мужское и женское. Их равновесие означает физическое здоровье, гармонию с самим собой, с другими людьми, с природой. Недостаток одного фактора или избыток другого в организме человека ведет к заболеваниям. На выравнивании этих энергий основывается вся теория китайской медицины, приводящая к балансу и здоровью.

В китайской философии существует 5 стихий и 6 энергий, взаимодействие которых отражено в пентограмме; каждая из стихий связана с определенным органом или системой, все они содержат в себе компоненты Инь и Ян, ни одна из стихий не может быть самой сильной или самой слабой. Как Инь и Ян, они равны и всегда зависят друг от друга. У каждой из них своя роль, своя функция, но они связаны единой целью жизни, порождающей и разрушающей.

Качества личности Ян-Инь

Ян — экстравертность, Дух — Мужской	
Конституция — циклотомическая	
Темперамент — холерический, сангвинический	
Ян-положительный	Ян-отрицательный
Воля	Дерзость
Самообладание	Безрассудность
Стойкость	Необузданность
Щедрость	Расточительство
Настойчивость	Упрямство
Решительность	Подавление
Сила	Насилие
Мужественность	Агрессивность
Энергичность	Грубость
Активность	Резкость
Подвижность	Изменчивость
Гордость	Гордыня
Достоинство	Самоуверенность
Энтузиазм	Самовлюбленность
Общительность	Авантюризм
Инициативность	Суперинициативность
Властность	Агрессивность
Откровенность	Болтливость
Предприимчивость	Суетливость
Подвижность	Напористость
Уверенность	Противоречивость
Пылкость	Одержимость
Динамичность	Неуравновешенность
Независимость	Честолюбие

Устремленность	Тщеславие
Рациональность	Стяжательство
Импульсивность	Вспыльчивость
Руководство	Бескомпромиссность
Фундаментальность	Эгоцентризм
Масштабность	Безжалостность
Несгибаемость	Неуправляемость
Страстность	Жестокость
Ответственность	Нетерпимость
Отважность	Заносчивость
Убежденность	Тирания

Инь -- интровертность, Душа -- женская

Конституция -- шизотомическая

Темперамент — флегматический, меланхолический

Инь-положительная	Инь-отрицательная
Замкнутость	Безвольность
Эмоциональность	Ранимость
Впечатлительность	Холодность
Сентиментальность	Мелочность
Нежность	Сомнение
Восприимчивость	Размытость
Мечтательность	Бесформенность
Воображение	Пассивность
Скрытность	Медлительность
Мягкость	Леность
Чувственность	Мнительность
Экономность	Разочарование
Гибкость	Робость
Пугливость	Равнодушие
Сдержанность	Тревожность
Терпимость	Покорность
Проницательность	Скептицизм
Романтичность	Неподвижность
Задумчивость	Плаксивость
Задушевность	Капризность
Интуитивность	Обидчивость
Скрупулезность	Занудство
Осторожность	Неустойчивость
Поддатливость	Депрессивность
Верность	Пессимизм
Самообладание	Недоверчивость
Уравновешенность	Подозрительность
Уступчивость	Зависимость
Спокойствие	Сонливость
Компромиссность	Бездеятельность
Уединенность (любовь)	Податливость

Приведенные в таблице качества Ян и Инь в зависимости от преобладания той или иной энергий могут быть использованы как в оценке своей полярности, так и полярности партнера.

ИНЬ-ЯН В АСТРОЛОГИИ

Каждый человек имеет двойную поляризацию, положительную и отрицательную. Помимо этого, как известно, существует полярность полов, мужчина физически положителен, а женщина отрицательна. В духовном аспекте полярность меняется, т.е. духовно мужчина отрицателен, а женщина положительна. Весьма интересным представляется взаимодейтвие полов на уровне Духа. Оккультные учения утверждают, что разум мужчины — пассивен, ему необходима оплодотворяющая искра. Эту искру зажигает в нем женщина. Женщине в духовном отношении принадлежит активная роль, она пробуждает посредством чувств разум мужчины, бросая ему семя идеи. Эта идея «прорастает и созревает», превращаясь в определенное творческое решение. Французы утверждают, что за кулисами любых важных решений в любой области деятельности (искусстве, науке, государственной власти и т.д.) — «шерше ля фам» (ищите женщину).

Ярким примером такого сотрудничества является греческая мифология, свидетельствующая о женщинах, вдохновляющих мужчин во всех сферах жизни. Мужчина регулирует жизнь законами, а женщина сеет семена этих законов в души мужчин.

Когда мужчина под влиянием женщины рождает идеи или художественные образы, то женщина с ее страстной и увлекающейся натурой, во-первых, пропагандирует эти идеи, во-вторых, конкретизирует и воплощает созданные образы в жизнь.

Прежде чем остановиться на фундаментальных принципах Инь-Ян, являющихся основой и причиной всех биологических и социальных явлений на Земле, а также в Космосе, необходимо уточнить отдельные ключевые моменты.

Некоторые оккультные философы утверждают, что свет есть свет, а тьма есть тьма и при этом абсолютно правы, когда речь идет о состоянии Души. В своем стремлении к Свету, к материи Света Душа должна освобождаться от всех темных пятен, которые еще загрязняют ее низковибрационными эмоциями. В идеале стремление к Свету — это Христосознание, тот ослепительный сияющий свет, который явил Великий Учитель на фаворе. Применяя термины свет и тьма, мы, вслед за мыслителями Древнего Китая, имеем ввиду принципы полярности, где в основе Закона притяжения лежат противоположно заряженные частицы. Притяжение их друг к другу и составляет основы всемирной жизни.

«Великий закон аналогии» как раз и предполагает универсальный фактор или код, проникающий во все жизненные системы как макрокосма (Вселенной), так и микрокосма (человека) и осуществляющий все явления и процессы, из которых ведущими являются процессы созидания и разрушения.

Даже в гомеопатическом принципе подобия по сути вопроса тоже лежит Закон притяжения, равно как и при новой инкарнации «подобное» притягивается к подобному, но не к одноименному полюсу, а только к полярному. В основе мироздания и всех его процессов лежат электрические и электромагнитные явления, а они могут иметь место только при наличии плюса и минуса. Именно в этом плане мыслили мудрейшие философы Древнего Китая, изображая две рыбы, белую и черную, соединенными вместе в Великом круге — пределе Тай-цзы.

После этого небольшого пояснения мы перенесемся с нашей прекрасной планеты Земля в гармонию небесных тел, которые являются символами и носителями божественных сил и вместе с нашей временной обителью представляют всемирную жизнь. Мы заглянем на Небесный Олимп и познакомимся с принципом дуальности, принципом Инь-Ян, мужского и женского начала в жизни планет, а также выясним, как их отношения влияют на наши земные, и не только влияют, а даже формируют определенные женские образы, типы и судьбы. Любовь — это самое универсальное чувство, и его тонкие вибрации несут счастье и благоденствие Земле и всему Небесному Миру. И именно астрология занимается изучением всемирной мистерии динамических и периодических преобразований, являющихся сущностью жизни.

В Древнем Китае все процессы преобразований и природных трансформаций отражены в Книге Перемен «И-Цзин» и символизируются рядом гексаграмм.

Идея двойственности и пола явилась фундаментом «И-Цзин», отражающей последовательное пребывание и убывание Ян и Инь, мужского и женского принципов.

СОЛНЦЕ И ЛУНА

Два полярных светила Солнце и Луна являются носителями Света. Жизнь мы связываем со Светом, эти понятия нераздельны, темнота и ночь пугают своей тайной и ассоциируются со смертью. Солнце, освещая все предметы, делает их видимыми и ясными, при этом исчезает страх, Солнце — источник жизни, женское начало. Луна несет в себе тайну, и эта тайна ночи делает женское начало необыкновенно привлекательным и загадочным. Лунный свет, прекрасный и мерцающий, обладает магией, возбуждает воображение, сулит блаженство, внушая страх. Луна нестабильна, в разные фазы наблюдается различие в ее влиянии и это различие окрашивает все чувства в свои цвета и оттенки.

Аналогично этой Лунной Богине проявляет свое естество и Земная Богиня, испытывающая на себе все таинственные ритуальные особенности Луны и необъяснимое к ней притяжение.

Первая царственная дуальная пара — это Солнце и Луна. Солнце — символ концентрированного Духа и сознания, мужское Ян — начало, творец и источник света. Круг с точкой в центре обозначает концентрацию и индивидуализацию духовного целого в каждом конкретном человеческом существе.

Греческая и римская мифологии оказывают действенную помощь в изучении астрологии, так как позволяют визуализировать образ божества, символизирующего ту или иную планету в палитре многообразия их взаимоотношений, выявляющих все качества, свойства и особенности поведения. Архетип, соответствующий каждой планете, дает возможность более полно оценить ее аспекты.

Солнечный Бог, прекрасный Аполлон, символ Ян-принципа представляет духовное ядро, его внутреннюю сознательную сущность. Внешняя же сущность складывается из характера личности и ее привычек.

Для мужского начала мира Солнце является главным жизнедателем, источником жизненной силы, именно по положению Солнца в гороскопе судят о запасе и полноценности жизненных сил, то, что в натурфилософии Китая обозначается как изначальная Ци, «жизненная Ци», и именно по этим параметрам можно судить об общем состоянии здоровья данного человека в гороскопе.

Итак, как принято говорить в астрологии, Солнце — это мужской Хилег — мужская активная, горячая планета. Астрологически — символ светоносной, жизнедающей, животворящей энергии. Оно символизирует духовное ядро, самосознание, твердость, силу и потенциал развития. Солнце связано с индивидуальностью, со становлением, с Высшими идеалами, к которым стремится человек.

Солнце олицетворяет отца, руководство, принцип власти, творческое начало, царственность, волю, интеллектуальную силу. Это сияющий Бог дня: Аполлон — у греков, сверкающий Ра — у египтян, или Атум Ра, Божество, вдохновенно почитаемое особенно в городе Солнца — Гелиополисе, — оно является центром, вокруг которого вращаются все элементы нашей системы. В Индии культ Солнца олицетворен Атманом — бессмертным духом, а также богом Вишну — человеком-Львом, в зароастризме Ахур-Мзда-Оразмунда. Посвященные считают, что сфера Солнца является также пунктом проявления Мессии, или Спасителя на Земле.

Если в солнечном типе соблюдается принцип гармонии, то люди Солнца благородны, горды, презирают всякие неблаговидные поступки, покровительствуют слабым, защищают униженных. При нарушении гармонии недостаток Солнца дает апатичных, вялых людей. Избыток Солнца порождает гордыню, заносчивость, деспотичность, гипертрофированное тщеславие, властность, себялюбие, жестокость, эгоизм, агрессию.

Положение Главного Светила в гороскопе определяет для каждого из нас тип внутренних духовных отношений с миром, а следовательно, возраст Души, способ и возможности восприятия окружающего мира, а главное, что необходимо знать, это жизненную задачу данного воплощения.

Аналогично положению на Небосводе, где оно занимает центральное положение, в организме человека Солнце контролирует и ответственно за физическое и духовное сердце, систему сосудов и спинной мозг, иными словами, за главные коммуникации, обеспечивающие всю жизнедеятельность организма. Элифас Леви, великий каббалист, пишет: «Духовное Солнце светит душам так же, как материальное Солнце светит телам, ибо вселенная двойственна и следует законам пар...» и далее он продолжает: «Он дует на каждого, и лучи духовного света освещают каждое сознание, и когда все тела, все умы будут в одинаковой мере отражать этот двойной свет, люди станут значительно прозорливее, чем теперь».

Это мужское светило, особенно активное в знаках Огненного Тригона, поистине олицетворяет мужской Ян-принцип, меняя в зависимости от спектра своих чувств ту или иную женскую планету, разделяя ложе любви с прекрасной и царственной Венерой, в ее апартаментах — сердечном центре — Анахате.

Женским эквивалентом Солнца является Луна — это энергия Инь — мягкая, нежная, она воплощает восприимчивость, чувствительность, правит миром бессознательного, нашим подсознанием и связана с нашей душой, эмоциями, романтическим переживанием, интуицией. Она олицетворяет мать, королеву, народ. Луна — это чисто женское начало, она связана с репродуктивной функцией женщины, маткой, молочными железами.

В отличие от Солнца, которое правит миром дня, Артемида, или Диана, правит миром ночи, это царица, владычица ночи и лунатиков. Говоря о фундаментальных космических принципах творения, Гермест Трисмегист отмечал, что «Солнце — отец, Луна — мать всего сущего». В Вавилоне культ Луны олицетворялся с мужским богом Син, который предшествовал Богу Солнца — Мардуку.

В греко-римской мифологии три фазы Луны были представлены тремя богинями. Сиятельная Селена, добродетельная и сверкающая, она воплощает тот же высший принцип, что и Солнце. Древние считали, что Селена представляет определенный этап посмертного пути Души, и во время роста Луны она заполняется душами умерших.

В Индии Селена связывается с Аджной, шестой чакрой, «третьим глазом» интуитивного восприятия и мудрости.

Древние считали, что сознание, высвободившись из сфер Земли, поднимается прямо в сферу Луны и затем дальше — к сфере Солнца. Богиня Геката символизирует темную Луну, предшествующую первой четверти, когда душа спускается в Аид. Эта традиция восходит к глубокой древности, т.к. уже финикийцы разделяли лунный месяц на две части: 14 дней белой Луны (растущей) и 14 дней черной Луны (убывающей).

В мифологии Геката, внучка Солнца, известна как отравительница: для того, чтобы расправиться со своими врагами, богиня использовала волчий корень. После роскошных пиршеств на десерт гостям подавался ароматический напиток, который был последним в их жизни. Зная секреты трав и смешивая их в определенной пропорции, она изготавливала из них снадобья, вызывающие галлюцинации. По образному выражению астрологов, в сумерки Геката омрачает солнечный разум, оставляя после себя пепел, слезы и кровавые следы.

Существовало древнее заклятие: «Да не коснется тебя

дух Лилит». Для древних евреев Лилит была таким же архидемоном, как Геката для древних греков. Согласно Каббале, Лилит — это первая жена Адама, которая посещала его в снах, когда он был еще «холостой», в саду Эдема, и Господь Бог был так встревожен этими встречами, что для спасения создал Еву.

Новорожденная Луна олицетворяется с Артемидой, божественной сестрой Аполлона. Она покровительствует растительности, браку, детям, воде, облегчает роды и трансформирует страсти в добродетели.

Луна, символизирующая женское Инь начало, — ночное светило, символ Души, заведует нашим подсознанием, интуитивным мышлением, миром грез и мечты.

Как женская половина мира Луна обладает восприимчивостью, пластичностью, текучестью. Если Солнце организует пространство, то Луна, как водная стихия, заполняет это пространство, моделируя по необходимости ту или другую форму. Имея истинно женское начало, она может быть капризной и непостоянной, в то же время она несет на себе всю ответственность за воспроизводство, за материнство, вынашивание, питание, обеспечение безопасности и защиты.

Мир чувств с его быстрой сменой оттенков, перепадами настроений, «приливами и отливами», аналогично приливам и отливам океанов и морей, тонкими нюансами изменения психики и движениями души — все это сфера влияния Луны.

Луна очень быстро обходит все знаки, затрагивая самые тонкие струны в нашем гороскопе, самые чувствительные звенья отношений и эмоций. Именно нюансы наших настроений, их перепады связаны с 28 лунными днями, с их специфической окраской. Те или иные наши дела, поступки, события окрашиваются ее таинственным светом и придают им особое звучание, с которым нельзя не считаться, особенно при оперативных вмешательствах. Она как бы руководит скрыто и ненавязчиво, но целенаправленно, направляя в то или иное русло события и судьбы, как истинная женщина, в гороскопе которой ее роль так велика.

Во многих религиях Луне удалось даже потеснить Солнце. Ее огромное влияние отчасти обусловлено близостью к Земле, матерью которой она является, и, как мать, оказывает воздействие на людей, природу.

Олицетворяющая великое женское начало в мире, связанное с воспроизводством и материнством, Луна олицетворяется сразу несколькими богинями, в Риме — Дианой, в Греции — Артемидой, эти две богини символизируют юную, растущую Луну — богиню охоты с луком и стрелами, преследующую диких зверей — очищающую внутренние Джунгли Души от низменных животных страстей.

Светоносная и целомудренная Артемида, в старину известная как Диктина, что обозначает — луч не светится, а сверкает отраженным светом своего повелителя Солнца. Она носит венок из диктамнона, волшебного растения, вечнозеленого кустарника, вызывающего сомнабулизм и излечивающего от него, в ее власти возможности рождения, она богиня эскулапов. На Крите женщин при родах покрывали диктамноном или диктамнусом, а корни этого растения назначали древние врачи как средство для успокоения острой боли при родах. Роженицы помещались в храме, посвященном Богине, непосредственно под ее прямыми лучами, которые несли будущей матери покой и благословение.

Величественная Гера (Юнона), супруга Зевса (Юпитера), хранительница семейного очага, брачных уз и материнства.

Персефона — богиня подземного мира, похищенная с Земли Владыкой царства мертвых Аидом, но получившая разрешение одну часть года проводить на Земле, олицетворяет в гороскопе человека убывающую Луну. Именно фаза убывающей Луны указывает нам на контроль над порабощающим влиянием чувств и знаний, предупреждает о необходимости увеличения усилий в этом направлении.

В период, близкий к новолунию, исчезнувшую Луну символизирует мрачная и загадочная богиня Геката — в ее власти темные глубины нашего подсознания, над которыми мы без духовных усилий порой абсолютно не властны.

Луна в организме человека контролирует и несет ответственность за органы пищеварения (желудок, поджелудочную железу), за систему молочных желез и матки (беременность и кормление), межреберные невралгии, боли в грудной клетке.

В ее компетенции контроль за жидкостями тела, преимущественно лимфой. Мозговые оболочки и зрение (преимущественно левый глаз, правый контролирует Солнце), зрение, отражающее состояние Души, курируются двумя величественными светилами, это обстоятельство поддерживает значение зрения, ответственного за наше видение и правильность оценки увиденного. Один глаз дает информацию о мире проявленном, другой о мире тонком, а третий глаз объективизирует и расширяет эту информацию, а поэтому из всех органов чувств зрение является ведущим и в своей основе имеет стихию Огня.

Энергия Луны чисто Иньская, женская, и апогей ее проявления манифестирует при нахождении ее в знаке Рака.

Весьма важно знать, что все генитальные расстройства, вызывающие у женщин бурю отрицательных эмоций, меланхолию и депрессию (аменоррея, дисменоррея, дисфункция яичников) связаны с Лунными влияниями и довольно легко устраняются назначением серебра, этого удивительного металла лунной природы. Гомеопатическое серебро или украшения из серебра в ансамбле с лунными камнями (селенитом, адуляром, амазонитом, жемчугом, изумрудом) очень быстро помогут вам ликвидировать эти проблемы.

Помимо уже перечисленных минералов, Луне посвящен сапфир, этот удивительный камень, который связывает Владычицу Ночи и Воды с Царственным Юпитером, посылающим свои золотые лучи всему сущему. Один из покровителей Рыб, связанный через этот знак с водной стихией, он таким образом обменивается своими царственными эманациями с Луной, подпитывая ее через гладкую темно-голубую , уходящую в синеву поверхность сапфира, которая производит сомнабулический эффект.

Мартод пишет: «Сапфир, — говорят буддисты, -- откроет запертые двери и помещения (для человеческого духа); он вызывает желание молиться и приносит умиротворение больше, чем другие камни, но тот, кто его носит, должен вести чистую и правдивую жизнь». (Цит. по Е.П.Блаватской «Разоблаченная Изида»).

Алмаз и рубин находятся под влиянием Солнца и ослабленным, астенизированным людям передают солнечные эманации, энергии для укрепления духа и тела, оправлять их надо в жизнедатель Солнца золото, укрепляющее, омолаживающее организм и обеспечивающее долголетие. В Древнем Китае золото входило во многие эликсиры бессмертия.

Единая и бесконечная Вселенная связывает и объединяет творческие аспекты Инь и Ян — Солнце и Луну — Дух и Душу, сливаются вместе — и на Земле разыгрывается мистерия любви и воплощения.

Мужские активные планеты формируют на Земле мужскую природу любви с присущими ей особенностями, из которых главным является умение отдавать. Природу женской любви с ее принимающим началом формируют женские планеты, Луна и Венера. Мы уже говорили, что все в мире подчинено двум началам, мужскому и женскому, и в каждом из нас присутствуют оба начала, умение их полностью развить и уравновесить, наполнить Духовным Светом может позволить человеку вырваться из круга кармической зависимости, позволяет обрести полную гармонию. Союз Солнца и Луны рождает духовно-душевное равновесие, мир, покой и взаимопонимание.

Практическая астропсихология через взаимодействие структуры Ян и содержание Инь дает возможность для глубокого анализа любой формы существования независимо от ее принадлежности.

Чем больше мы говорим о сексе, тем больше мы убеждаем современного человека, что секс является ведущим в его жизни.

Запреты на секс, равно как и его пропаганда, формируют в подсознании постоянно работающие импульсы. Все эти факторы приводят к эмоциональным затруднениям, отклонениям в психике и, в конечном счете, к разрушению личности, отягощенной постоянной сексуальной озабоченностью с одной стороны, а с другой — комплексом страха из-за неуверенности в благополучной реализации половых контактов. Секс не может быть целью и содержанием жизни, как не может сводиться только к функции воспроизводства. Секс, как и жизнь, должен быть гармоничным. В этом дуэте участвуют двое, их созданные природой половые органы, поддерживаемые мелодией остальных органов, вливаются в ритм универсальной жизни.

Необходимо воспитать и привить человеку сознательное отношение к сексу, с учетом его индивидуальных черт, которые зачастую являются решающими, причем, во внимание, как правило, принимаются только эмоциональные аспекты, в то время, как воспроизводство отступает на второй план, со ссылкой на трудности жизни: квартирные условия, материальную сторону жизни и др.

Особенности и нюансы разных эпох, веков, стран, наций, религиозных взглядов обусловливают неоднозначное отношение к этой проблеме. И главной движущей силой отношения человека к сексу является развитие его духовных устремлений, насколько объемно дух включается в структуру «Я» и освещает всю личность.

Одухотворение личности в корне меняет всю жизнь в целом и отношение к сексу в частности. Основным фактором эволюции и окраски личности в определенные тона является воплощение Духа с формированием высших уровней сознания, тождественных Христосознанию. Только в этом видится залог спасения нынешнего человечества.

Под эволюционным развитием следует понимать процесс интеграции личности от Кундалини в Муладхаре (Земли) к Солнцу в Сахасраре (Небу): от атома к молекуле и клетке, от клетки к организму, от человека первобытного к цивилизованному и далее — к подобию Бога, нас сотворившего!

А на свидание с этим поднимающимся вверх Светом спешит Дух, совершая свой процесс «нисхождения» или воплощения, озаряя своей светоносностью материю, и этот процесс мы называем инволюцией.

Человек Новой Эпохи должен четко представлять себе эти два пути. Именно здесь важна полная гармония, так как нарушение в сторону доминирования материализации Духа, с поглощением материей Духа и ведет к «падению» и формированию отрицательной кармы. Не последнюю роль здесь играет неуправляемый и неконтролируемый секс.

Древние халдейские мудрецы, понимая всю ответственность для будущего развития человечества именно процесса воплощения Духа в человеке, представляли и убедительно показали эти этапы в двенадцати основных зодиакальных символах.

Нисхождение Духа в личность осуществляется в той последовательности, в которой осуществляется движение зодиакальных знаков по пути инволюции, — от Овна, в котором «семя дает буйный росток», до Рыб, несущих веру и сознание. «Омытому нужно только ноги умыть, потому что чист весь», — утверждал Божественный Учитель. А потому мытье ног ученикам носит символический характер, связанный с пробуждением веры и сознания. Рыбы — это ступни, на которых расположены все органы человеческого тела, это одна из частей человеческого организма, которая отражает всю его анатомию.

Вы уже знакомы с представительством знаков на человеческом теле, каждый орган или система подчинены определенной планете и управляются определенным знаком. Нисхождение Духа в личность происходит согласно той схеме. Овен — голова, Телец — горло и т.д.

Прежде чем остановиться на значении пола в астроломии, необходимо упомянуть, что та часть половой энергии, которая остается после потраченной на воспроизводство, может быть реализована для самовыражения либо творческого, либо разрушительного.

Инволюционный путь развития личности, начинающийся с Овна и последовательно доходящий до Рыб, путь нисхождения Духа в человеческий организм не всегда может быть успешным. Это может произойти, если энергии земной природы будут доминировать над его ритмом и исказят его характер. Этот «срыв» может произойти в любой из двенадцати зон воплощения Духа в личность.

Скорпион является носителем половых свойств человека, их символом, и, естественно, здесь находится зона повышенного риска для личности. Именно Скорпион есть проверка Эго на «прочность», он может стать, с одной стороны, полем творческого выражения целостной личности, преображенной Духом, с другой — запутаться в материи, погрязнуть в сексуальном омуте и раствориться в нем. Это весьма частый вариант, наблюдаемый в наши дни. Если же этот «срыв» происходит в другом звене, то извращения поведения, желаний и поступков будут соответственно окрашены особенностями этого этапа.

Если нисхождение Духа гармонично, происходит преображение личности, ее духовная трансформация. Это знаменует выход из круга Сансары.

Символически нисхождение Духа в личность происходит в Раке, тогда высвобождение этой творческой силы будет в пятом знаке после Рака — Скорпионе. Здесь необходимо пояснить, что для одного этот процесс может осуществляться за определенное количество воплощений, для другого растянуться на неопределенное количество жизней — все зависит от усердия ученика, т.е. человеческой личности, от понимания своих задач и своего назначения — «Я Есмь!». Дух обеспечивает сознательное бессмертие Эго.

Таким образом, становится очевидным, что Дух може
переориентировать сознание Скорпиона и направить сек
присущий этому знаку, в гармоничное русло творчески
устремлений. На современном этапе только такое реше
ние этой проблемы может спасти человечество от беспо
щадной и уничтожающей "косы" СПИДа.

МАРС — ВЕНЕРА

Весьма наглядно союз женского и мужского начал
проявляется в астрологических архетипах Марса и Вене
ры. Но если Луна — мать, то Венера — любовница, пылка
и страстная, утонченная и элегантная, она дарует любов
красоту, роскошь. В женском организме она связана
яичниками и регулирует функцию почек, которые имею
прямое отношение к деторождению. Астральное тело
ответственное за сферу чувств, за мир желаний как ра
управляется этими двумя планетами.

Как и все в мироздании имеет низшие и высши
аспекты, точно также этот мужской и женский дуэт
разных своих ипостасях имеет разную окраску.

Марс в низшем значении представляет насилие, деспо
тичность, агрессивность, разрушительность, Венера под
ыгрывает ему своей чувственностью, доходящей до раз
врата. В высшем понимании мы видим другого Марса
смелого, динамичного, активного борца за справедли
вость, духовного рыцаря, Венера здесь выступает в орео
ле нежности, грации, духовности и любви. Верхние аспек
ты планет и зодиаков указывают на путь к Свету, низшие
показывают долги неотработанной кармы. Для того, чтоб
Марсу быть, например, духовным лидером, ему
необходимо изжить вышеперечисленные негативные
стороны своей личности, это справедливо и по отношению
к Венере.

Каждый из нас, формируя определенный мир мыслей
притягивает те, которые он сам и производит. Эзотери
ческие учителя знали, что влекут за собой позитивные и
негативные мысли. Мысли любви, света, счастья притяги
вают состояния с этим знаком, равно как противополож

ные притягивают тождественные.

Истоки грехопадения и заключаются в том, что когда человек, пользуясь благами Господа в саду Эдема, вкушает запрещенные плоды низменного удовольствия и погружается в пучину материи, он умирает для Духа. Венера в Тельце, а Марс в Скорпионе и символизируют грехопадение наших прародителей Адама и Евы.

Духовная любовь, пылкая и страстная, партнерской пары планет Марса и Венеры в Овне и Весах, их высший эмоциональный накал формируют на высшем уровне этот брак. Вследствие этого вполне уместно проследить влияние Луны (материнский аспект Земли) и Сатурна (ее отцовский аспект) на детей, рожденных от этого брака.

Мы сделаем попытку проследить через некоторые полярные пары планет весь объем функций, присущих человеку, и их реализацию именно во взаимодействии в паре.

Первый крик — это Ян-энергия, человек возвестил о своем приходе, сделал первый вдох, и с этого начался его Путь на Земле, он получил свой шанс, но для того, чтобы состояться и избрать свой Путь, для этого человеческому существу необходимы Энергии Инь-матери и Ян-отца. При отсутствии одного из этих принципов гармоничной личности может не получиться, вместо нее может сформироваться тип личности с дефицитом тех или иных свойств и с комплексом.

Проблема формирования комлексов остра и актуальна по значению своей психической структуры, к сожалению, она не укладывается в данное содержание. Необходимо только отметить, что климат индивидуальной души сбалансирован настолько тонко, что развитие гармоничной, творческой, тонкой, интеллигентной личности, «без локтей», в условиях Земли, весьма сложно, и любое таковое травмирующее событие легко может сорвать «план» ее реализации. Поэтому мы видим свою задачу в том, чтобы по мере своих возможностей оказать посильную помощь, поделившись своими знаниями и опытом. Здесь универсальной окажется рекомендация, как при «сильном ударе» в центр Души личность могла бы не растеряться, н закомплексоваться, а суметь мобилизовать неисчерпае мый источник своих внутренних резервов. Для обретени этой способности необходима определенная гармоничная программа, которую должны обеспечить Душе ее родите ли, педагоги. Причем, главный акцент должен быть сдела на формирование духовного иммунитета, обладающег самой прочной броней защиты. Ведь, как правило, значи тельная часть комплексов возникает именно в детстве ил юности; именно в это время ребенку грозят первые потря сения и закладываются блоки негативных эмоций, струк тура которых связана с той обстановкой, с тем фоном который был господствующим в семье. В результате чело век, вместо того, чтобы реализовать потенциал своег воплощения, обивает пороги неврологических кабинетов

А поэтому мы позволим себе повториться — самым существенным фактором является ориентация человечес кой личности, умение «организоваться» в ответ на любое событие, которое может нарушить его психосоматическое состояние, или его гомеостаз.

Очень важно помнить, что основным источником возни кновения большинства комплексов является страх, про блема которого волнует сейчас весь мир. Испытанное поражение или ощущение своей неполноценности и мно гие другие негативные факторы могут вывести из равно весия, вызвать серьезные энергетические нарушения органах в том случае, если личность не защищена четким пониманием своей роли и значения, негативное отноше ние к жизни, неуверенность в себе и своих силах, капиту ляция перед натиском тех или иных явлений и событий Знание законов Вселенной, как правило, помогает в лю бой жизненной ориентации.

Для того, чтобы выжить, оформиться в личность, приоб рести опыт, ребенку нужна поддержка, помощь и мудрое руководство, учитывающее цель и задачу отданной на их попечение Души.

Для этих целей мы и представляем возможности астрологических полярных пар. Солнце и Луна соединили Дух и Душу, а на третьей Иньской планете Земля, богатой питательными элементами, материей и Духом, родился человеческий детеныш. К влияниям на рост и воспитание ребенка Солнца, Луны и Земли присоединяются и Сатурн — планета Мудрости (кристаллизации) и Карма.

Заботу о нашем подопечном берет астрологическая дуальная пара — отец-Сатурн, но для его реализации ему необходима Луна, особенно ее влияние на женский организм, формирование женского духовного потенциала, чуткости, гибкости, внимания.

Пара Сатурн-Луна — родительская пара. Сатурн кристаллизирует форму, Луна наполняет ее содержанием. Функция Сатурна всегда сводится к разграничению внутреннего от внешнего, в особенности в формировании индивидуальности в человеке, в стержне, аналогично тому, как на физическом плане Сатурн формирует скелет и совместно с Солнцем курирует позвоночник — опору всей жизнедеятельности организма, отличающего его от других и делающего его тем, что он есть. Сатурн лепит характер человека, вырабатывая в нем постоянство, способствующее стабильности не только его, но и всего общества, а также передачу накопленных знаний и мудрости от поколения к поколению.

Здесь не следует путать отличие одного индивида от другого с чувством собственной исключительности, включающей низковибрационное чувство тщеславия и гордыни.

Роль Сатурна закладывать индивидуализированные особенности, отражающие черты именно данного человека и находящие в нем потенциальные задатки, которые необходимо развивать. Лунное воздействие связано с умением адаптироваться в окружающем мире, опять-таки с учетом тех специфических средств и способов адаптации, которые человек получает при рождении. Один корректен, но напорист, другой добивается своего мягкостью и обходительностью.

Логика, менталитет, образ мышления, умение фокусировать зрение на главном -- поле Сатурна. Это способ приспособления сознания не распыляться на мелочи, а выхватывать главное, превращая его в стержень, фундамент, вокруг которого строится все здание личности и которое Луна наполняет своим содержанием.

Если в биологическом аспекте Сатурну для построения скелета нужны микроэлементы, минералы, то для решения психологических проблем необходимы мудрость, авторитет, высокоморальные качества, твердость, т.е. те черты, которые формируют характер личности и его индивидуальную окраску. Это те качества, делающие человека личностью, которые обеспечивает ему отец. Мать, удовлетворяя его повседневные нужды, опекая его, помогает ему приспособиться к постоянно изменяющимся условиям существования как внутренним (голоду, внутреннему дискомфорту, связанному с теми или иными обстоятельствами), так и к внешним пугающим и угрожающим ему явлениям (к темноте, холоду, теплу, влаге, свету).

Лунная Мать наделяет реальную мать чисто «лунными качествами» — умением справляться с обстоятельствами, с каждодневными событиями, а также способностью любить, сопереживать, формировать правильное мировосприятие, радоватьсяи и быть счастливой.

Мать дает ребенку пищу, кормит его для укрепления физического тела, а своей безграничной любовью и нежностью питает его Душу . Вот почему дети, воспитывающиеся в детских домах, испытывающие дефицит любви, заботы и нежности, вырастают как чахлое деревце, лишенное Солнца и влаги.

Энергия любви развивает у ребенка сердечную чакру, гармонизирует разум и сердце. Но материнская любовь не должна быть слепой, превращающей ребенка в эгоиста, домашнего деспота, а зачастую как раз формы слепой любви носят вампиризированный характер. Это может звучать очень странно, но наши наблюдения подтверждают это обстоятельство.

Кроме того, мать является посредником между детским сознанием, его внутренним миром и пугающим его внешним окружением, незнакомыми, а порой и враждебными людьми, грозными стихийными явлениями, являющимися загадочными, непонятными, таинственными.

До семи лет ребенок видит астральный мир, который может также служить источником страха и кошмаров, мать должна мягко и терпеливо выяснить у ребенка причину его беспокойства, тревоги, слез.

Кроме того, если сама обстановка в семье гармонична, реализация функций отца-Сатурна с его Янской программой и Лунная материнская, Иньская ипостась должны служить образцовым сценарием для будущей самостоятельной жизни, той моделью, той матрицей, по которой будет строиться и будущая семья.

Гармония Ян и Инь в семье создает гармоничную личность, доминирование одного из принципов и ущербность другого вызывают перекос в формировании личности. Доминирование принципа Ян ослабляет Инь — формирует напористость и «образ танка», доминирование Инь –– мягкость и незащищенность, — в любом случае возникает тенденция к развитию комплексов. Мать не может компенсировать ребенку отсутствие отца, его влияния и его функций, равно как и отец при всем желании не сможет компенсировать материнские функции. Это следует хорошо запомнить родителям, взявшим на себя ответственность за родившегося у них ребенка.

В паре Сатурн-Луна отец дебютирует значительно позже, он «включается» тогда, когда ребенок начинает выходить в мир, расположенный за пределами его дома, с матерью его объединяет как весь период его внутриутробного существования, где он чувствовал себя в полной безопасности, в тепле и уюте, так и дальнейшее совместное пребывание, к которому он привыкает. При всех непредвиденных ситуа..ях он ищет поддержки и защиты. От того, какими сформируются у него в сознании образы матери и отца, такой стереотип он будет искать для жизни. Образ матери и отца может быть сформирован в светлых, радующих Душу красках, а может быть темным и мрачным, может излучать волны позитивной и ободряющей энергии, а может нести холод, равнодушие и безразличие. Именно пара Сатурн и Луна символизирует отца и мать, но в несколько более поздний период.

Полярные отношения между мужским началом Солнца и нежной и мягкой Луной закладывают биполярные функции в акт оплодотворения, создающий эмбрион и наделяющий его жизненным принципом. В этом случае мужская сперма несет скорее Ян-полярность Солнца, нежели Сатурна, Сатурн же дает только импульс к созданию костной системы его скелета.

Влияние Сатурна-отца начинается с рождения формированием индивидуальности ребенка и достигает апогея в 7-8 лет, когда молочные зубы, заменяются постоянными сатурнианскими.

Получив в детстве гармоничное воспитание, человек сможет использовать продуктивно для себя и своих близких как материнскую лунную функцию и ее способности, так и отцовскую сатурническую функцию, т.е. гармонично сочетать во всех жизненных ситуациях способность быть индивидуальной личностью (не сливаясь с массой и не подражая другим, то, что у нас называлось «стадным чувством») со способностью адаптации, приспособления к любым перепетиям и сюрпризам судьбы. Дейн Радьяр подчеркивает эту мысль: «Располагая планеты полярными парами, астрология дает нам прекрасный способ оценки этого фактора равновесия».

Помимо Инь-Ян аспектов Сатурна и Луны для создания баланса определенных свойств личности, способствующих ее жизненной реализации необходим тот «набор» качеств, которые могут обеспечить и другие планеты Вселенной. Человек многогранен и, вступая в жизнь, он должен иметь в своем "багаже" все необходимые качества, которые смогут обеспечить ему выживание, существование и процветание.

Дейн Радьяр указывает, что для того, чтобы человеческое существо могло осуществить свою цель, оно должно отвечать четырем основным функциям, дающим основу для ведущих процессов органической жизни:

— Стремление быть особым существом;

— стремление поддерживать (вопреки разрушающим влияниям) характерную форму этого особого существа (забота о состоянии физического тела — *Э.Г.*);

— стремление репродуцировать его;

— стремление трансформировать его в соответствии с определенной целью (в идеале алхимия души, ее самотрансформация — *Э.Г.*).

Влияние полярных астрологических пар — астрологических Отца и Матери — на земных родителей осуществляется как непосредственно через систему информации самого организма, главным образом через точки акупунктуры. В интерпретации натурфилософов Китая — это влияние Неба, а также Ян-энергии влияет опосредовано через Землю, которая поглощает излучения священных планет, трансформирует их через ступни ног в Инь-энергию, поднимает вверх на соединение и слияние с противоположным полярным принципом.

Мы не будем останавливаться на всех парах, надеюсь нам удалось убедить вас в необходимости гармонии и равновесия мужского и женского начал. В заключении мы вернемся к паре Марс-Венера, чтобы оттенить светлые и темные стороны любой дуальной пары. Проследим это на примере мужественного Марса с выраженным Ян-компонентом и его очаровательной женской половины — блистательной Инь-планеты, Венеры.

Учитель О.М.Айванхов весьма убедительно комментирует этот союз, он пишет: «Если вы в течение нескольких секунд будете пристально смотреть на что-либо красное, а затем переведете взгляд на простыню или белый лист бумаги, вы увидите зеленое пятно, а если будете смотреть на зеленое, то, когда отведете взгляд, перед вами появится красное». И далее учитель продолжает: «Почему красное и зеленое так связаны друг с другом? Красный — это цвет Марса, а зеленый цвет Венеры».

Низменные проявления Венеры — это побуждение к примитивной, чисто физической любви, это путь в объятия разрушительного, агрессивного Марса, склонного к насилию. И это мы постоянно наблюдаем в повседневной жизни.

Все, кто предается темной, примитивной любви, в погоне за чувственными животными наслаждениями, неизбежно попадает под влияние низменных инстинктов. Он становится жестоким, грубым, неуправляемым, неспособным на светлые мысли и чувства. И этот негатив он распространяет и на других, маскируясь под смелость и неустрашимость.

В Высшей Сфере, там, где Венера олицетворяет светлую любовь, милосердие, добросердечность, самоотверженность, Марс обеспечивает защиту и поддержку интересов всех угнетенных, обладает великодушием, благородством, стремится к светлым идеалам мира и добра. Если женщина стремится к чистоте отношений, к духовной любви и гармоническому сексу, она по принципу подобия привлечет к себе позитивного Марса-героя, если же в ее Душе бушует пламя низменных чувственных страстей, она притянет (даже сама этого не понимая) такого же низменного Марса. Поэтому наиважнейшей задачей каждого человека является гигиена собственной души, регулярная генеральная ее «уборка».

Мы не случайно уделяем такое внимание женским и мужским свойствам самых царственных светил нашей Вселенной. Наша задача показать, что только гармоничное развитие двух начал, мужского и женского, только дуальность, подчиненная фундаментальному закону единства, — есть символ основополагающего принципа всего существования Вселенной.

В заключение мы познакомим вас с планетными типами женщин в классификации С. Тухолки.

ПЛАНЕТНЫЕ ТИПЫ ЖЕНЩИН

Согласно теории соотношений, женщин можно разделить на семь планетных типов, из которых каждый может выразиться или в положительном, то есть хорошем, направлении, или в отрицательном, то есть дурном, и которым Пеладан дает следующие ассирийские названия:

«Гуля» — тип Солнца — несет свет: это идеальная женщина; ее задача действовать на всех мужчин и на все общество.

В положительном направлении «Гуля» — предмет лирики и достигает славы, в отрицательном — она предмет насмешек и остается в одиночестве.

«Нанна» — тип Луны; она светит неровно чужим светом то вспыхивая, то потухая; она приводит в брожение натуру мужчины, увлекая его миражами; это — беспокойная и ищущая приключений натура, ее назначение быть актрисой. У нее очень развито воображение, в хорошем направлении это — романтичная, в дурном — развращенная женщина.

«Белит» — тип Сатурна; это натура строгая, сосредоточенная, преданная долгу, в лучшем случае она обладает способностью концепции, в худшем — отличается фанатизмом и жестокостью.

«Зарпанит» — тип Юпитера; женщина, любящая блеск, помпу, созданная повелевать, быть во главе общества; в отрицательном направлении это — эгоистка.

«Лаз» — тип Марса; она любит движение и деятельность, по характеру деспотична. В отрицательном направлении она доходит до сумасшествия и до преступления.

«Истар» — тип Венеры; ее элемент — сладострастие, ее задачи — обольщать и любить; в положительном направлении — это страсть, в отрицательном — разврат; она — гетера по призванию.

«Тассмит» — тип Меркурия; это искусная, расчетливая и практичная эгоистка. Она дает тип интриганок.

ГЛАВА 5

ЛУННАЯ БОГИНЯ — ОСОБЕННОСТИ ЖЕНСКОГО НАЧАЛА

«Владычица! Я тебя возвещаю как великую сотрудницу космического разума. Владычица, поверх всех сил космических ты несешь в себе сокровенное зерно, которое порождает жизнь сияющую.

Владычица, утверждающая все явления разума, ты дарительница космического творчества.

Владычица украсит край устремленной творческим огнем.

Владычица мысли и водворяющая жизнь, тебе показываем сияние нашего луча.

Матерь, владыками чтимая!

Мы несем в сердце огонь своей любви. В твоем сердце живет луч дающий, в твоем сердце зарождается жизнь».

(Гимн Матери Мира. Е. И. Рерих.)

Жизнь планет в необъятных просторах Вселенной подобна жизни человека на Земле. Они производят себе подобных, стареют и умирают. И только духовные принципы их бессмертны, они продолжают жить в их потомстве. В космосе ни один атом не лишен жизни, сознания и духа. Закон рождения, роста и разрушения во всем мироздании — один. Идет непрерывная работа по совершенствованию всех форм жизни, но субстанция материи, энергии и духа является единой для всех этих ее проявлений. Наша женская Инь-планета Земля является дочерью и порождением Луны, ее воплощением. Родив Землю, Луна вступила в свою Пралайю, отдав Земле свой накопленный опыт, свой энергетический потенциал, свою Душу. Как утверждают космогонические концепции, Луна сыграла самую большую роль не только в образовании Земли, но в населении ее человеческими существами. Человеческие Монады проходили свой эволюционный путь (животную стадию) на Луне, после чего должны были начать новый этап развития на Земле. Но наши лунные предки приняли участие только в формировании астрального тела, тела желаний. Лунные Боги создали первую коренную расу людей.

Символизм Луны весьма объемен и многогранен. Цицерон отмечал, что «каждый месяц Луна проходит троекторию, совершаемую Солнцем за год... Она в значительной степени способствует созреванию растений и росту животных».

Древние книги мудрости донесли до нас, что каждый новый день приносит нам свою, окрашенную определенной планетой, энергию. Понедельник находится под влиянием Луны, войти с ней в гармонию вам помогут молитва и камни. Если вы хотите в этот день быть гармоничными в семейных отношениях, наденьте бусы или другие украшения из амазонита. Но лучше ожерелье, оно символизирует единство многообразия, т.е. состояние единства, проявляющееся в непрерывности. Нить, на которую нанизаны отдельные бусины, является космическим символом связи и уз. Кроме того, ожерелье из бус, как правило, носят на шее или груди, тем самым оно приобретает связь с соответствующими знаками Зодиака, имеющими представительство на этих частях тела. Так как шея астрологически связана с полом, то ожерелье означает также эротическую связь. Ожерелье, надетое на голову на уровне середины лба, гармонизирует вас с Луной через чакру Аджну, способствует просветлению, интуиции, озарению.

В понедельник уместны украшения из жемчуга и перламутра, их сверкающий непостоянный блеск и переливы идентичны материи астрального мира, ее изменчивости и динамичности. По мнению древних, жемчужина — это «свадьба Огня и Воды», она отождествляется с человеческой Душой. Зеленый изумруд — символ целомудрия и чистоты, его зелень символизирует воду. Лунный камень и горный хрусталь в оправе из серебра сгармонизируют вас с ритмом Луны, принесут ощущение покоя, чистоты, свежести.

Не удивляйтесь, если в понедельник вы на крыльях мысли унесетесь в даль светлую или на вас нахлынут воспоминания и перед вами всплывут любимые вами, но утерянные образы. Захочется излить душу близкой душе или поплакать на ее плече. Облегчите свою душу в слезах, но постарайтесь избежать меланхолии и депрессии. С ними будет нелегко совладать, если им удастся взять вас в плен. Займитесь каким-нибудь делом, отвлекитесь, лучше всего в этот день уделить внимание своему жилью, туалетам, совершить прогулку, попробовать себя в кулинарии.

В понедельник, когда власть Луны наиболее сильна, животная, стихийная сущность в каждом из нас тянется к своей прародительнице. В понедельник Луна тоскует по своему былому величию, по той энергии, которую она отдала Земле и ее обитателям, а посему она индуцирует тоску и навевает грусть.

Особенно сильно будоражит землян лик полной Луны, когда весь ее отраженный свет мешает полетам нашей души в астральный мир за живительной энергией. Луна приковывает душу к Земле, наполняя ее неизвестной тревогой и раздражением.

«Владычица женщин» — она дает земным дочерям, рожденным в понедельник, свое благословение. Как правило, это прекрасные женщины, заботливые матери, великолепные хозяйки, чей дом наполнен чистотой и ароматом изысканных блюд. Мужчины же, рожденные в понедельник, иньизированные, им не хватает мужской твердости для реализации своих жизненных планов.

В каждом из нас живет наш лунный предок — Питри, с которым мы связаны телом наших желаний, возможностью зачатия, тайной ночи. Серебряные потоки света луны волнуют нашу Душу, зовут в дальние миры странствий, будоражат неопределенностью и туманностью сновидений.

Человек с древнейших времен уже знал о тесной связи Луны с приливами и отливами, а также о таинственной связи между лунным циклом и физиологическим циклом женщины. «Владычица зачатий» Луна отвечает за женскую воспроизводительную функцию. Мы видим полную Луну — Лунную богиню-мать, которая каждый раз являет нам появление новорожденного — маленького месяца. А потому для Луны-матери, прежде всего — это дом и семья, это вечное женственное начало, неуловимое и загадочное, как загадка самой Души, о которой на протяжении всей истории человечества спорят выдающиеся философские и религиозные школы. С Душой связано бессмертие и «амрита» (материнское молоко) — в Индии является основой напитка бессмертия.

Многие ученые полагают, что эта зависимость обусловлена зарождением жизни в водных глубинах, имеющих сокровенную Инь-природу, которая задает ритм жизни на протяжении миллионов лет. Это позволяет объяснить важную роль Лунных богинь, таких, как Иштар, Анант, Хатор, Артемида, зависимость женского организма от лунных циклов делает Луну «Владычицей женщин». Эта лунная подвижность, ее небесный плавный 28-дневный танец, в течение которого она успевает побывать в гостях у всех знаков зодиакального круга, делает ее покровительницей путешествий, странствий, определяет ее близость к природе и к Земле.

Луна не только регулирует и определяет земные циклы, но также оказывает на них самое активное воздействие. Она объединяет воды, регулирует плодовитость женщин и животных, оказывает влияние на рост растений. Лунные ритмы по возрасту много старше солнечных, они значительно раньше использовались как мерило времени.

Так как Луна связана с женским началом, соответственно, Луне стали приписывать женский характер, а мужской — Солнцу. Священный брак — брак Неба и Земли — трактуется как союз Солнца и Луны. Изменчивость Луны, претерпевающей преобразование своей формы, ее фазы роста и убывания тождественны цикличности гормональных фаз женского организма. Кроме того, эта лунная фазовость обнаруживает сходство с возрастными биологическими периодами человеческой жизни: рост (юность, зрелость), упадок (зрелость, старость).

Существует поверье, что невидимая фаза Луны соответствует человеческой смерти, что Душа умершего человека уходит на Луну и возвращается к моменту перевоплощения. Эта идея ухода Души на Луну, в материнское «лоно» сохраняется в более развитых культурах (Иран, Индия, Греция). Помимо лунного пространства как обители или вместилища перерождающихся душ, существовали и другие: Солнце, «высшая сфера», Млечный путь. Луна формирует организм, а также руководит его распадом, она осуществляет преобразование форм и их обновление. Исходя из этого, Плутарх утверждал, что души праведников проходят очищение на Луне, после очищения их тела возвращаются на Землю, а дух — на Солнце. Состояние Луны тождественно человеческому состоянию и оказывает на него полярное влияние в связи с тем, что ее высшие аспекты отделены от низших, она выступает то в роли Дианы, то в роли Гекаты, то в роли Селены, то в роли Лилит. Богоматерь всегда изображается над Луной, как символ того, что вечность выше всего изменчивого и временного. Луна — уменьшенный двойник Солнца: в то время, как Солнце обеспечивает жизнь всего Мироздания, Лунная богиня оказывает свое влияние и контролирует рожденную ею Землю.

Пользуясь отраженным светом Солнца, она развила пассивный характер, который отождествляет ее с женской Инь-энергией и с символикой числа 2.

В римской мифологии Луна — богиня ночи и второй аркан колоды Таро изображает Изиду как владычицу ночи. Она восседает на троне, в правой руке полуоткрытая книга, в левой — 2 ключа, один из которых золотой (символ Солнца, слова или разума), а в другой — серебряный (соответствует Луне и воображению). По обеим сторонам трона расположены две колонны (цифра 2 — аллегорическое изображение женского элемента и Луны). Первый столп (солнечный), обозначающий Огонь и активность, красного цвета; второй (лунный) — голубой. Голова Великой Жрицы увенчана тиарой, украшенной лунным серпом, символизирующим цикличность фаз и мира явлений. Тиара подчеркивает доминирующую роль иньской — пассивной, рефлексирующей, женственной - характеристики фигуры. Великая Богиня, матерь всего сущего, опирается на Сфинкса — вечную загадку, а выложенный черно-белой плиткой пол означает, что все сущее подчиняется законам судьбы и противоположностей. Аркан символизирует в позитивном аспекте лунную интуицию и размышление, в негативном — нетерпение, импульсивность.

Луну связывают с мировым яйцом, с маткой, молочными железами — всей системой воспроизводства женского организма. Энергия Луны имеет связь с ночью, с ее окутывающей тайной, с ее опасностью и защитой, с ее бессознательной сферой и противоречиями. Ее противоречия носят крайний характер — от самоотречения духовной жизни до ярких вспышек интуиции. Луна развивает в своих «земных дочерях» буйную фантазию, воображение, мистические настроения, увлекает в мир образов и грез, заблуждений и ложных впечатлений.

С Луной связано серебро, металл успокаивающий, обладающий «прекрасной памятью», аналогично лунной стихии — Воде. Характерно отношение к Луне и к серебру в Исламе. Магомет запрещал использование в амулетах любых металлов, кроме серебра. Сама Луна изображается в виде серебряного диска, имеющего женские очертания. Аналогично Луне земная женщина антропологически соответствует пассивному состоянию природы Инь.

В «Символах трансформации» К. Г. Юнг утверждает, что древние видели в женщине Еву или Елену, Софию или Марию, отмечая ее импульсивность, эмоциональность, интеллектуальность и добродетель.

Аллегории, связанные с персонификацией женщины, сохраняют все перечисленные качества, благодаря этому женщина представляет собой архетипический образ высокой степени сложности и чистоты, как София или Мария — пречистая Матерь Божья. Когда же женщина олицетворяет образ Души, она оказывается намного выше, чем мужчина, поскольку она является отражением самых благородных и возвышенных его качеств. София олицетворяется с Anima (Мировой Душой человека), с его духовным

212

проводником. Понятие Мировая Душа связано с представлением о Великой Матери и о Луне как об источнике изменений и преобразований. Именно Мать первая питает тот образ Анимы (Души), который, по утверждению Юнга, у мужчины бессознательно проецируется на женщину, переходя от матери к сестре и, наконец, к любимой.

Матерь Мира — это космическое женское начало. Мироздание не может не иметь женского начала, у Великих Вознесенных мастеров всегда была Мать, Мать Владык незримо поддерживала и направляла их своей энергией. Женское начало мира содержит тот же энергетический потенциал, что и мужское. Психический аппарат женщины более тонок, более эмоционален, чем мужской.

Женский принцип Воды — это принцип вечной жизни, принцип интуиции, чувства, связи с целым миром, принцип памяти и большой ответственности за тех, кому она дает жизнь. И совсем не случайно в древнем Египте существовал культ Изиды, и ее верховные жрицы передавали веления богини Иерофантам. В женщине горит тот же огонь Духа, присутствует та же Монада, что и в мужчине.

Весьма характерным является факт, что в греческой мифологии Психея, (психе — душа, дыхание) изображалась в виде бабочки или крылатой девочки. Объединив различные мифы о Психее, Апулей создал поэтическую сказку о странствии человеческой Души, жаждущей слиться с любовью. На геммах III-I веков до н. э. встречаются бесчисленные трактаты — темы Амура и Психеи. Использование женского символа бабочки в изображении Души —это олицетворение ее влечения к Свету, очищение Души огнем — бабочка летит на Огонь. Гностики олицетворяли бабочку с жизнью, на некоторых изображениях Ангел Смерти в виде крылатой ступни растаптывает бабочку. В Китае бабочке придавали дополнительное значение радости и супружеского счастья. Великая Мать (Magna Mater) — это прототип, который соответствует таким женским божествам, как Изида в Египте, Астарта в Финикии, Кали-Дура в Индии, Иштар в Вавилоне, Гея и Деметра в Греции.

По мнению К. Г. Юнга, Великая Мать — женское начало мира — представляет объективную истину Природы, воплощенную в образах женщины-матери, сивиллы, богини и жрицы. Женщина выступает как Anima (Душа) и как духовный проводник. Птолемей считал, что София — это посредник между Душой Мира и идеями, через нее мощь вечности противостоит миру явлений (Птолемей «Письмо к Флоре»). С символикой женской любви, в которой происходит смешение сил и энергий, с первоматерией, дающей начало материнскому миру, связано понятие драгоценного сосуда жизни.

Мы не касаемся отрицательных черт женского характера, каждая личность индивидуальна, наша задача показать необходимость равновесия и гармонии двух начал для существования как Великой Вселенной в целом, так и обители материального существования Земли.

Не будем судить тех, кто находится на стезе порока, они не ведают, что творят. Наша цель помочь людям сделать «око светлым»: дать знание законов мироздания, знание истины, открыть то единственное око, которое делает просветленным все тело и проясняет окружающий мир, которое дает несравнимо большое видение, чем имеющиеся сегодня два глаза. И не случайно мы сегодня обращаем наш взор к Великому учению Вознесенного мастера Иисуса, к его заповедям, так необходимым современному человеку, вступающему в «Золотой Век» человечества. Сын Божий бросил через 2000 лет сегодняшнему человечеству «спасательный круг». Истинное толкование его учения поможет познать истину, очистить Душу, укрепить силу Духа и продолжать свой святой Путь к Свету и эволюции.

Цветы и тернии — прелестные женщины, милые и обаятельные, вместе с тем таящие в своих глубинных водах подводные камни, на которых, завлекая и искушая, они нередко губят весьма доверчивых, разрушая их судьбу и Душу. Но, повторяю, разговор не об этом. Женщины именно таковы, какими им следует быть для того, чтобы совместная жизнь обоих полов стала возможной.

В последующих главах читатели узнают, что в длинном жизнепотоке многих реинкарнаций, человеческая сущность меняет свой пол в зависимости от Кармы и задач эволюции. Что в круге Судьбы женская Карма имеет свои особенности. Поэтому не судьи нужны, а учителя, несущие знания. Однако, если в данном воплощении вам выпала женская роль, она должна быть защищена всеми правами и законами общества для выполнения своей высокой миссии. В этом аспекте должен ставиться вопрос о равноправии. Знание законов Мироздания дает возможность реально оценить роль женщины в гармонии Мира, необходимость равновесия двух начал, о которых так страстно писала наша великая соотечественница Е. И. Рерих: «Конечно, если бы человечество не нарушало явления начал, эти две основы бытия вместе удержали бы в равновесии то, что проявляет красоту жизни. Космическое правило дает понимание, что однобокое правление планетой толкает ее в бездну уничтожения. Преобладание одного начала над другим породило нарушение равновесия и, как следствие, разрушения во всех сферах жизни, наблюдаемые сейчас во всем мире. Именно это человеческое разделение привело космические весы в состояние неравновесия. Государства пали, народы пали, страны погибли, ибо один из самых великих вопросов — вопрос о необходимости равновесия начал — был уничтожен. И лишь искупление человечеством нарушенного закона, его восстановление даст новое строительство жизни».

«Если женщина умеет прекрасно выбрать Адониса для своего удовольствия, глупца для своей потехи и болтуна — для того, чтобы о ней говорили, то точно так же выбор ее сумеет найти способного человека там, где это нужно», — пишет Ф. Р. Вэйсс. История на своих страницах запечатлела блистательные имена женщин разных эпох, которые любили, ненавидели, интриговали, творили, давали жизнь и оставили глубокой след на кадрах кинопленки женского энергетического потока. Их успехи, взлеты, победы, равно как падения, неудачи, поражения оформили «банк» опыта, которым пользуются последующие поколения. И самое важное, чем подпитывает нас женский энергетический поток Мира, — это сила материнской любви, которая будет в состоянии трансформировать ее во Вселенскую любовь, в духовные качества внутреннего самосознания, переходящие в принципы единого планетарного сознания. Раскрытие «Центра Чаши», которая едина для всех накоплений, дает возможность использовать весь многообразный и многовековой опыт прежних жизней.

Во всех мифах и легендах древности женские божества носили наиболее сокровенные и тайные свойства и силы. Женское начало — это одна из вершин Бытия, и в Новую Эпоху ему предстоит сыграть весьма важную роль, чтобы спасти мир от разрушения.

Каждый Космический принцип имеет свою аналогию или проявление на Земле. Вселенская Матерь Мира в земном отражении представляет великий Дух женского энергетического потока. Во всех сложных ситуациях, встречающихся в жизни каждой женщины, помимо обращения к Отцу Небесному, она может просить помощи и поддержки у Владычицы Небесной, у Пречистой Девы Марии, у Духа женского энергетического потока Мира. И если вы просите о помощи, и помыслы ваши чисты, и сердце раскрыто навстречу любви и переполнено ею — вам обязательно придет помощь. Храни Вас Бог!

Эту аналогию мы наблюдаем во всех явлениях нашей жизни, в природе, в гармонии полов. Как ни парадоксально это заявление, но одноименные знаки не уживаются друг с другом, они отталкиваются. Жизнь требует магнита с двумя полюсами, и сама она тоже магнит со всей гаммой своих тонких энергий, взаимодействующих и пересекающихся между собой.

Попробуем, исходя из уже сказанного, оценить роль этих начал в семье, в обществе, в мире и наметить, в соответствии с этими принципами, пути гармонизации личности, т.к. человек сможет реализовать свой жизненный потенциал, особенно в Новой Эпохе, только в том случае, если он научится быть в одном резонансночастотном диапазоне со всем своим окружением, научится настраивать свои ритмы в соответствии с ритмами Земли и Вселенной.

Для этой цели он может использовать все, что создала природа и Вселенная, что представляет ее непреходящие ценности — пищу, минералы, цвет, звук, число, имя, одежду, взаимоотношения друг с другом, т.е. психологическую совместимость людей между собой на уровне их энергетических тел.

Используя принцип полярности, мы должны четко представлять себе всю разницу в мироощущении и миропонимании между мужским Янским и женским Иньским началами. Эти два начала абсолютно различны, как различны Солнце и Луна, они призваны дополнять друг друга, создавать равновесие, тогда можно рассчитывать на мир, любовь и благополучие, как в индивидуальном аспекте, так и во всем мире.

Только женская Душа с ее Иньской мудростью способна передать тонкие переживания, полные нежности, доброты, сострадания, которые по своему этимологическому смыслу означают «участие в душевном состоянии ближнего». Ее душевная чуткость и наблюдательность, инстинктивное чутье жизненной правды, своеобразный острый ум помогают ей выбрать правильную жизненную позицию и решение.

Великие философы, мудрецы и мыслители Индии — Рамакришна, Шри Ауробиндо Гоша, Свами Вивекананда, Ганди — прославили женщину-мать, возведя ее в ранг Матери Мира. В своих вдохновенных беседах Свами Вивекананда пишет: «С понятием Матери зарождается понятие о божественной Энергии и Вездесущности. Всепрощающая, всемогущая — таковы качества Божественной Матери. Всякое наблюдаемое во Вселенной проявление энергии — «Мать» — Она — жизнь. Она — мудрость. Она — любовь. Она — Вселенная. И если вы действительно хотите достигнуть любви и мудрости, поклоняйтесь ей».

Если мужчина может создать объемное полотно без штрихов и мелких оттенков, Ян-сферу, то женщина может передать те скрытые в глубине души оттенки (лунные качества), чувства, которые она испытывает сама, наполняя их своей удивительной природной чуткостью, лаской, вниманием, интуицией. Их глубинный интерес ко всему окружающему позволяет заметить и передать скрытые движения души, поступки и факты. Мужчина же отражает то, что четко входит в круг его интересов. Несмотря на его наблюдательность и интеллект, женщина как Иньское начало обладает более высокой степенью приспосабливаемости ко всем жизненным ситуациям, жизненный опыт заставляет ее мириться со всевозможными обстоятельствами и условиями существования.

С древних времен принято считать, что женщина является существом слабым, безвольным, в меньшей степени, чем мужчина, обладает мужеством и нравственной силой. Широкое исследование этого вопроса показывает, что женщина обладает не меньшей, а, может быть, и большей выносливостью к физической боли, усталости и болезням. Если мужчина способен на подвиг — вспышку, атаку, Ян-действия, то женщина в силу своих особенностей может выносить тяготы повседневной жизни без жалоб, упреков, слез, если она понимает целесообразность и необходимость этого, если ее порывы и действия находят поддержку и одобрение близких или в коллективе, — это Иньские качества.

Разве не о мужестве и нравственной силе свидетельствуют исторические подвиги жен декабристов, которые нашли в себе решимость расстаться с беззаботной и блистательной светской жизнью и последовать за своими мужьями в Сибирь? Такими примерами изобилует история. А длительный и изнуряющий уход за тяжелобольными — кто, кроме женщины, возлюбленной, жены, матери может изо дня в день, забыв о себе, безропотно нести это бремя?

Мужчина тоже способен на самопожертвование, но

ради идеи, четкой проблемы, дела — и очень редко ради одного человека. Мужчина ведет, в основном, жизнь социальную, внешнюю, соответственно своей стороне Ян, «склону, покрытому Солнцем», и это отражается на всех его инстинктах — его энтузиазм направлен на благо всего человечества, в интересах всего мира, всей Вселенной. В силу своей природы он не может быть сиделкой возле тяжелобольных близких длительное время. Мужчины должны высоко ценить эту нравственную силу женщин, удивительную жертвенность, идущую из глубины ее сердца, и помнить, что, если жизнь принесет ему не только взлеты, но и невзгоды и страдания, в своей спутнице жизни он найдет ту утешительницу, того друга, который скрасит все превратности его судьбы.

На Востоке бытует поговорка: «Птица человечества не может лететь на одном крыле». Сам факт создания Великим Творцом Вселенной двух начал на Земле свидетельствует о дуализме, о необходимости равновесия и гармонии. Схема нарушения энергетического баланса Инь-Ян в организме, приводящая к болезням, является миниатюрным отображением процессов, имеющих место при аналогичном состоянии в семье и обществе.

Характер и поведение женщины определяется, главным образом, ее основным биологическим инстинктом продления рода. В гробнице египетского фараона Тутанхамона, в последней ее камере, символизировавшей надежду на возрождение, был обнаружен драгоценный ящик, украшенный резьбой из слоновой кости. Резьба изображает царицу Анхесенамон, протягивающую своему супругу два букета из лотоса, папируса и мандрагоры. Они выражали желание, чтобы в потусторонней жизни муж дал им детей (брак был бездетным). Царица положила также в гробницу два забальзамированных зародыша (проявление высшей магии) — семи и восьми месяцев — как свидетельство своего несбывшегося желания и вековой мольбы на его осуществление в следующей жизни.

Биологический инстинкт продления рода является самым важным инстинктом женской сущности, на котором держится мир. Трудно себе представить, если бы женщины вдруг пренебрегли этой своей, Богом данной, миссией. И в свете этого материнского инстинкта, служащего продлению жизни на Земле, следует рассматривать такие женские свойства, как желание быть красивой, нравиться мужчине, кокетство.

Сама природа способствует и создает условия для воспроизводства, создавая для женского организма, будущего священного сосуда для вынашивания дитя, более благоприятные условия для жизни и развития. Так, статистика свидетельствует, что женщины рождаются всегда в большем количестве там, где лучшие экономические условия, тогда как во время войн или накануне их, во время голода, всевозможных бедствий рождаются главным образом дети мужского пола.

Великий Творец Вселенной для наиболее выгодного воспроизводства вида дал женщине врожденные, проявляющиеся чисто инстинктивно особенности и склонности создавать своему потомству безопасные условия зарождения и развития. Благодаря материнскому инстинкту и заботам о потомстве, вылившимся в предусмотрительность, древняя женщина стала заготавливать впрок некоторые запасы ценных растений, помещая их в определенное место, где после кочевания их можно было бы отыскать. Таким образом, кочевые племена возвращались на прежние места к оставленным продуктам и к началу периода новой жатвы — так возникла зародышевая форма земледелия. Обработка земли явилась достижением женщины, заботящейся о своем потомстве. В Мексике Богиня Коатликуа покровительствовала заготовке и обработке маиса, в Греции жатве покровительствовали женские ипостаси божеств.

Важное событие, без которого не смогла бы реализоваться жизнь на Земле, это данный Прометеем огонь, за что он и был наказан Зевсом. А если рассматривать этот вопрос на бытовом Ян-уровне, то, хотя мужчина Ян и изобрел огонь, женщина Инь является постоянной его хранительницей. Вспомним культ древних весталок, хранительниц вечного огня и вечного семейного очага.

Иногда даже крошечная, тлеющая семейная искорка благополучия сохраняется благодаря тому, что женщина не даст ей угаснуть, а иногда благодаря своей мудрости, интуиции и гибкости разжигает ее в настоящее пламя.

Древний инстинкт воспроизведения рода, великая миссия продления жизни на Земле толкает ее на поиски самых благоприятных условий, какие только возможны для развития своего зародыша, устраняет все вредные воздействия, вырабатывая веками лучшие наследственные качества.

Велика трагедия женщины, которая не может стать матерью. Мне как врачу часто приходилось наблюдать это горе, эту открытую или скрытую тоску. Зато какое счастье испытываем мы обе при реализации этого желания! Какой жизнедеятельной и счастливой становится женщина, зачавшая ребенка, какая готовность ею движет, чтобы передать ему лучшую часть своей жизненной энергии. И на какие муки способна женщина, чтобы выносить и сохранить эту новую, зарождающуюся в ней жизнь.

Мужчина же как Ян-носитель нацелен охранять эту жизнь, обеспечивая пропитание женщине, свод законов, безопасность, надежный общественный строй. В мире животных и дикарей для продолжения и воспроизведения вида мужская особь раскрашивается, украшает себя перьями, чтобы произвести впечатление на самку, соблазнить ее и увлечь. Особенно это показательно для царства птиц, где весьма скромные самки, без звонкого голоса, со скромным оперением являются предметом ссор и соперничества великолепных самцов с разноцветным оперением, гордым хохолком и пестрым хвостом. Весьма любопытное зрелище можно наблюдать, когда они стараются завладеть вниманием самок, усердно ухаживая, облетая их со страстным желанием понравиться и победить соперника.

В обществе же людей эта тенденция нравиться, завоевывать мужчину, победить соперницу принадлежит женщине, в древности от ее победы зависели реализации материнского инстинкта, а затем и всех атрибутов жизненного благополучия.

Паолола Ломброзо описывает, каких только жертв не приносит женщина, каким мукам не подвергает себя ради приобретения красоты, чтобы нравиться мужчинам. Так, например, готентотки стремятся до невероятных размеров развить свои ягодицы, так как именно такие ягодицы нравятся их мужчинам; папуаски имеют груди, висящие до колен и они забрасывают их за шею. В Тунисе идолом женской красоты считается невероятный вес, и поэтому, чтобы понравиться мужчине и выйти замуж, туниски откармливаются, поедая невероятное количество риса и сладостей до тех пор, пока не превращаются в тушу, теряющую способность двигаться. На острове Малакк особенно красивой считается женщина с непомерно длинной шеей, поэтому на несчастных девочек чуть не с самого рождения надевается подобие деревянного ошейника, заставляющего ее держать голову кверху. По мере роста девочки ошейник делается постепенно все более и более высоким, к 15-16 годам шея приобретает чудовищные размеры. Китаянкам с детства надевают на ноги колодки, превращающие их ноги в беспомощные культи, на которых они с трудом передвигаются. И все это женщины делают с единственной целью — привлечь внимание мужчины и понравиться.

На протяжении всей истории развития человечества наиболее стойкими, заложенными в подсознании, являются самые древние истины. К таким древним истинам и можно причислить инстинкт привлечения противоположного пола.

Среди основных женских качеств следует выделить красоту, нежность, обаяние, милосердие, восторженность. Несправедливо считать эти качества ниже силы воли, рассудительности, созидания, натиска, храбрости, присущих мужской половине человечества. Вполне естественно, что без этих мужских качеств невозможно существование жизни на Земле. Однако без женского влияния созидание может легко перейти в разрушение, воля в безволие, рассудительность — в «потерю головы».

Женщина должна четко представлять себе свою уникальную роль в Мироздании. В наивысшем аспекте женщина есть Матерь Мира, Небесная Дева — Дух всего женского энергетического потока, который всегда готов откликнуться, если просьба ваша направлена на добро, благополучие и созидание. Естественно, что обращаться с просьбами разрушительного свойства к пресвятой Деве, Матери Мира, абсурдно. Способный выполнить просьбы такого свойства проживает по другому адресу, и услуги, которые он оказывает, будут стоить вам весьма дорого.

У индусов великая гармония двух Божественных начал олицетворяется в Шиве (мужском начале) и его супруге Шакти — женской части мира, женской божественной и созидательной энергии. Шива — это бесформенный свет, Шакти — это поток, который его воплощает. Без воплощения Свет Сознания является лишенным своей Цели. То, что в мире является самым лучшим, что можно достичь самого высокого, — одному достичь невозможно. Мир не может существовать при наличии только одних мужчин, равно как и одних женщин. Мужчина и женщина по природе своей отличаются друг от друга: мужчина — это пространство, огонь, воздух, женщина заполняет это пространство, обихаживает его, приспосабливает и никогда не забывает о воплощенной форме.

«Это именно Женщина в таких Мужчинах, как Будда и Иисус, сделала их Великими Учителями Мудрости и Сострадания».

ГЛАВА 6

УНИВЕРСАЛЬНАЯ СЕКСУАЛЬНАЯ ЭНЕРГИЯ И ПУТИ ЕЕ ТРАНСМУТАЦИИ

«Дао» (переводится дословно «Путь») представляет собой важнейшую философскую идею о первооснове и законах бытия всего сущего в Мире. Эта философия является основным проявлением всей культуры Китая, и весьма призлекательна ее даосская интерпретация. Даосы утверждают, что их концепция относится к глубокой древности, к эпохе Желтого императора (Хуан-ди). Поэтому даосизм иногда выступает как учение Хуан-ди и Лао-цзы, который, к свою очередь, в Китае обожествляется.

Дао в даосизме выступает одновременно как субстанция — основа — и как закономерность всего сущего, закон существования Вселенной, человека и общества. Для даосизма характерно понятие Ци, энергии «эфира», «пневмы». Понятие Ци является основой всей натурфилософии Древнего Китая, но даосизм отшлифовал и придал этому алмазу очарование и блеск бриллианта. Философия даосизма понимает под энергией исходную первосубстанцию, из которой состоит все сущее и которая заполняет все пространство Вселенной, сгущаясь и материализуясь, Ци становится веществом, а, утончаясь, энергия становится Духом. Иными словами, все, что существует во Вселенной — это суть различные формы энергии. В промежуточном состоянии энергия представляет собой как бы жизненную силу, растворенную в природе и поглощаемую человеком при дыхании. Индусы называют эту энергию «праной». Эта же жизненная энергия циркулирует по особым каналам (Цзин) в человеческом теле. Эти каналы являются каналами акупунктуры, и по точкам акупунктуры происходит энергообмен и обмен информацией между телом человека и окружающей средой.

Идея покоя и движения, их равновесие и взаимопереход, которые обусловливают гармонию взаимодополняющих противоположностей Инь-Ян, — основа всех живых существ Вселенной.

Древнекитайская философия учит, что человек получает энергию от «прошлого Неба», т.е. то, что человек получает от родителей, и от «будущего Неба». В момент зачатия сливаются энергии матери и отца, образуя изначальную энергию, т.е. его наследственную энергию. Количество наследственной энергии определяет лимит нашей жизни, у одних он больше, у других меньше. Человек в процессе своей жизни может сделать перерасход этой энергии всевозможными излишествами, удовлетворением своих необузданных желаний, а может укрепить, бережно расходовав запас «изначального ума». В период внутриутробного развития плода «от прошлого Неба» накапливается сексуальная эссенция Цзин, которая в зрелом возрасте определяет уровень сексуальной потенции мужчин и репродуктивную способность женщин, а также состояние здоровья человека, его силу.

Нас интересует именно Цзин (сперматическая эссенция, воспроизводящая сила, сексуальная энергия), т.к. согласно натурфилософии Китая и учению Дао, жизненная сила, энергия организма, основная Ци — это интегральная энергия, обеспечивающая все этапы жизнедеятельности нашего организма, и источники ее образования — разные.

Две почки, правая и левая, которые китайцы называют «корнями жизни», — по аналогии с корнями Древа Жизни — обеспечивают энергизацию всех процессов. Причем, согласно концепции Нань-цзин, левая почка действительно является почкой, правая хранит наследственную энергию и называется «Воротами жизненности» (Мин-шэнь), здесь же хранится весь запас сексуальной энергии Цзин и источник жизненных сил Ци. У мужчин здесь находится сперматическая эссенция Цзин, у женщин — менструальная кровь и энергия, удерживающая плаценту. Поэтому, когда речь идет о женском бесплодии и мужской импотенции, я в своей целительской практике добиваюсь успеха, обращая, прежде всего, внимание на состояние почек, нормализуя их функцию. Иногда женскую аменоррею удается легко ликвидировать, санируя печень, ответственную за состояние крови.

Здесь возникает вопрос о разграничении энергий. Когда мы говорим о сексуальной энергии Цзин, а, именно, о Янской сексуальной эссенции, которая обеспечивает репродуктивную функцию, зачатие, то, согласно китайским канонам, ее хранилищем является правая почка. Когда речь идет о центре женской энергии, мы говорим о второй накре, и эта энергия, находясь в матке, обеспечивает сексуальную коммуникабельность, подбор и притяжение партнера, взаимодействие с энергией Цзин, — их синтез, а также обеспечение тонкостей именно женской сферы с ее особенностями. Энергия матки для женского организма является ведущей, т.к. именно она окрашивает весь женский поток, придавая женскую особенность и привлекательность всей его деятельности. Даже женщины, которые пытаются походить и подражать мужчинам (я не имею в виду транссексуалов, а обычных женщин), все равно в этом подражании дают именно специфику Инь-потока. В чисто физиологическом аспекте матка регулирует менструальный цикл, изменяясь каждые 28 лунных дней качественно, с надеждой принять в свои объятия оплодотворенную яйцеклетку, и, если этого не происходит, то, по образному выражению, «матка плачет кровавыми слезами о несостоявшейся беременности», т.е. приходит очередной менструальный цикл с последующим очищением, новой подготовкой и надеждой выполнить свою Богом данную функцию в следующий раз.

Менструации, согласно китайской нумерологии, начинаются с 14 лет (2х7) (господствующее число женщины 7, мужчины — 8), сперматогенез с 16 лет (2х8), климакс с 49 (7х7), исчезновение спермы с 64 лет(8х8) — эти цифры могут варьироваться в зависимости от индивидуальных особенностей личности. Вторая функция матки — это сохранение плода, которое обеспечивается через энергетические связи ответственных за этот процесс меридианов. На протяжении всей беременности за счет энергии меридианов происходит "питание" находящегося в полости матки плода и поддерживается его стабильность.

Если вдруг беременной женщине угрожает выкидыш — это свидетельствует о недостатке энергий в двух важнейших меридианах, обеспечивающих эндокринную сферу, вследствие чего происходит нарушение гормонально-секреторной функции и поэтому необходимо тонизирующее воздействие.

Здесь мы опять-таки будем иметь разную компонентность Инь-Ян и их проявления. Эта энергия может дать трансмутацию в любую необходимую область для реализации тех или иных проектов, задач, она силой мысли может соединиться с энергией женского потока Космоса и через верхнюю чакру получить силу и информацию. Так можно лечить бесплодие, фригидность, планировать пол будущего ребенка и т.д.

Очень характерно, что почки, хранящие запасы необходимой жизненной энергии, наследственной и сексуальной, обеспечивающие нашу жизнедеятельность и стабильность, отвечают за состояние костей, зубов, волос на голове, ушей и практически являются микросхемой всего организма. Когда у человека имеется серьезное нарушение деятельности почек, связанное с истощением их энергии, происходит изменение костей, костного мозга с развитием глубокого малокровия, кожа и подкожная клетчатка плохо связаны с костями, «кости и внутренняя плоть не соприкасаются друг с другом». Если при этом теряется блеск волос, они перестают виться и укладываться, что свидетельствует о потере их жизнедеятельности — никакие широко рекламируемые чудодейственные средства не вернут им утраченной красоты. Аналогичную картину мы наблюдаем в отношении зубов, при нарушении энергетики в почках зубы становятся длиннее, оголяются их шейки. При первых же симптомах недомогания обратите все свое внимание на почки, на их энергетику и не откладывайте свой визит в медицинский центр. При изменении блеска и качества волос на голове, я не случайно подчеркиваю именно волосяной покров на голове, т.к. волосы на туловище и кожа находятся под контролем легких, надо думать о серьезном нарушении костей в связи с низкой энергией почек. Мой врачебный опыт свидетельствует, что любое серьезное нарушение в организме необходимо первоначально лечить с восстановления энергии почек (если это еще возможно) и пищеварения — и результаты бывают просто поразительные. Но в каждой конкретной ситуации вопрос о выборе метода лечения, конечно, решается индивидуально.

Из органов чувств, по утверждению китайцев, «почки хранят желание», и излишние желания ранят почки. Об этом необходимо задуматься тем, кто находится в плену своих желаний, расходует энергию, пренебрегая показаниями своего «счетчика». Поэтому проблема мужской импотенции и женской фригидности неразрешима без знания об энергетическом балансе почек. И большой разговор о невротическом генезе этих сексуальных расстройств абсолютно оправдан, т.к. окраска любой эмоции связана с определенным органом — почкам присуща эмоция «страха» — страх, сильный испуг действуют губительно на энергетический потенциал почек и избавить пациента от страха можно, прежде всего восстановив функциональное равновесие его почек. Очень часто мы видим всевозможные индивидуальные особенности больного, обратившегося с той или иной патологией, где источник и причина таятся в перенесенном в глубоком детстве испуге, страхе, детском потрясении. Об этом надо знать и всегда помнить матерям, которые фиксируют такие эпизоды в жизни своих детей, помощь должна выражаться в немедленной коррекции почек, их энергетического баланса.

Необходимо уяснить, что то очарование, блеск и фейерверк эмоций, накал страстей, создаваемых вечным притяжением и отталкиванием полов, развитие науки и всех отраслей промышленности, любых знаний и уровней деятельности служат главной цели — продолжению жизни, воспроизводству рода, сохранению расы и ее эволюции. В этом аспекте мы должны рассматривать полоролевую функцию мужчины и женщины, скорее их ансамблевость, где каждая скрипка, каждый инструмент в оркестре исполняет свою партию, обеспечивая тем самым стройное звучание всего оркестра. Что же движет нами, когда мы творим, любим, мечтаем и т.д.? Произведя разделение полов и создав таким образом притяжение этих полов друг к другу для таинства любви, рождения детей, природа наделила человечество энергией, которая в эзотерических учениях называется универсальной сексуальной энергией, а в древнем Китае назвали ее энергией «семени Цзин», бережному ее использованию и защите от потери посвящены многочисленные даосские практики. Поэтому бесплодие у женщин и импотенция у мужчин обусловлены малой энергией «семени Цзин».

В манускриптах эзотерических знаний и канонах китайской натурфилософии и медицины сказано, что половая энергия имеется или создается в значительно большем количестве, чем ее требуется для воспроизведения рода и продолжения жизни, для этой цели природа расходует лишь бесконечно малую часть созданной энергии, вся остальная часть энергии используется человеком для обеспечения достойной жизни себе и своему потомству, для продолжения и сохранения вида и его эволюции. Именно для эволюции, в аспекте развития человеком более высокого сознания, пробуждения в себе дремлющих сил и способностей служит половая энергия, и эти знания мы находим в многочисленных эзотерических учениях. Почти все школы оккультных знаний утверждают возможность и реальность трансмутации, т.е. превращение определенных видов энергий в другие, в данном случае речь идет о трансмутации сексуальной энергии в энергию сознания и духовности. Для человека есть два пути: один в одухотворении материи, ведущий к Высшему сознанию и эволюции, другой — в материализации Духа, который ведет к реализации всех страстей и желаний, такому человеку дают определение «раб желаний», для него самым важным является удовлетворить свои сексуальные потребности, вкусно поесть, хорошо поспать, погулять и т.д.

Алиса Бейли называет такого индивида «неразвитым человеком», его половая энергия используется непродуктивно. Использование половой энергии, ее влияние на интеллект, волю, ее трансмутация обеспечивают созидание, творчество, искусство, создают творческую личность с богатыми духовно-душевными оттенками. Очень образно об этом пишет учитель О.М.Айванхов, приводя в пример астрологические архетипы. Рыба, свободно плавающая в безбрежных водах океана, изящная и грациозная, но предпочитающая покой, не использующая свой плавательный пузырь, покрывается панцирем и превращается в лангуста и, вместо счастья бороздить водный простор, она погружается на дно. Точно так же человек, запутавшийся в материи, идет по пути инволюции и, если ничто не препятствует ему на этом пути и он не изменяет свой маршрут, то он, как и рыба, вначале превращается в «лангуста», а далее трансформируется в злобного, язвительного «скорпиона».

Когда мы обнаруживаем, что опускаемся все ниже по пути инволюции, три силы можно призвать на помощь: Веру, Надежду, Любовь. Вера связана с Рыбами — знаком религии и мистицизма. Надежда — это Рак, знак изобилия и плодородия, все души входят в воплощение в знаке Рака, имеется в виду самая первая человеческая инкарнация, которая имеет место в этом знаке и который многие века назад Великими Посвященными был назван как «Врата в жизнь тех, кто должен познать смерть».

Любовь же отождествляется со Скорпионом, символизирующим трансформацию сексуальной энергии. Это символ того, что все низменные инстинкты в человеке могут быть преобразованы во Вселенскую любовь и готовность к самопожертвованию. От того, как будет вести себя человек в Скорпионе, зависит его либо падение, либо вознесение.

Очень часто женщины глубоко творчески одаренные, отдающие большую энергию и т.д., имеют нарушения в репродуктивной сфере и изменение функции эндокринных желез, ответственных за процесс воспроизводства, в результате страдают бесплодием, невынашиваемостью и т.д. Особенно это характерно для артисток балета. Они глубоко от этого страдают, но не в состоянии отказаться от избранного пути, а если бы они это сделали, то через очень короткое время стали бы глубоко несчастны, не имея возможности реализовать свои устремления и творческий потенциал.

Надо полагать, что их душа уже "проделала опыт" материнства и сексуальная энергия данной жизни в основном расходуется на другие цели. Но это крайний вариант, а в мире все усреднено: кто рожает много детей, а кто одного.

Этот пример приведен для наглядной демонстрации превращения половой энергии в творческую. Расходование сексуальной энергии, ее трансмутация в другие виды энергий зависит от степени эволюции души: чем выше эволюция, тем больше энергии трансмутируется на другие сферы деятельности; чем ниже этот уровень, тем больше тратится на сексуальные утехи, вплоть до извращений и сексуальных преступлений. Это не значит, что люди с развитым менталитетом ведут отшельническую жизнь, отказываясь от радостей любви и половых связей, вовсе нет. Здесь проблемы глубже, и в основном связаны с выбором партнера или партнерши, с желанием и возможностью найти не только сексуальную совместимость, но и духовное соответствие, общность интересов и т.д. Люди ведь не 24 часа в сутки проводят в постели, занимаясь любовью, есть паузы и их надо чем-то заполнять. Вот тут и необходимо помнить о психологическом дополнении, о дуальности. И, как правило, когда кончается «любовный угар», т.е. острая фаза, которая аналогична любому заболеванию, такую любовную одержимость Авиценна относил к состоянию психоза, сумасшествию наступает либо хроническое течение, либо протрезвление.

Наследственная энергия называется еще прародительской энергией, если она правильно пополняется за счет энергии питания, она поддерживается на высоком уровне, проявляется в духовном росте и полном развитии.

Здесь надо упомянуть, что системе половых органов в древности уделялось большое внимание, в.истории всех религий мы наблюдаем фаллические культы, обожествление мужских и женских половых органов и их аналогов в природе. Действительно, при высоком духовном развитии человека, при приближении его к божественным энергиям, эти символы становятся священными, так как при их слиянии, освещенном любовью, возникает самое прекрасное творение Великого Владыки Вселенной — Человек. Именно в этом духовно-нравственном аспекте надо рассматривать сексуальные отношения и сексуальную энергию. Потому всякое распятие любви, ее зрелищные аспекты, продажность и торговля любовью, извращения – тяжкое преступление против духовности, против Человечества, что и влечет самые тяжкие кармические наказания.

И, если мы уже упомянули духовность, то — есть глубокий смысл поговорить и обсудить вопросы Духовной энергии в том аспекте, как ее представляли натурфилософы Древнего Китая.

Фаллические культы или оба сексуальных символа египетских и индийских религий, а также соответствующие тексты Библии надо понимать, как одухотворенность материи, направленной на созидание, на воспроизведение и продолжение жизни.

Е.П.Блаватская в «Разоблаченной Изиде» приводит высказывание Лидии Марии Чайлд, которая пишет: «В Индии поклоняются одной эмблеме, как виду творчества или источнику жизни. Это наиболее обычный символ Шивы (Бэла или Макадэва), который вообще связан с его почитанием. Шива не был только восстановителем человеческих форм, он представляет оплодотворяющий принцип, порождающий силу, наполняющую собой Вселенную... Маленькие изображения этой эмблемы, вырезанные на слоновой кости, золоте или кристалле, носят как украшения на шее» (соответственно, такой талисман может служить и как лечебный для страдающих импотенцией в связи с низкой энергией почек – *Э.Г.*).

Эмблема материнства также служит предметом религиозного почитания и, поклоняющиеся Вишну, изображают ее на своем лбу горизонтальным знаком. Разве это странно, что они с уважением взирают на великую тайну человеческого рождения?

Или они поэтому не чисты, или же мы не чисты, что не так смотрим на это?

Мы проделали далекий путь и не чисты были тропы с тех пор, как те древние анахореты впервые говорили о Боге и Душе в торжественных глубинах своих первых святилищ. Не будем улыбаться над их образом прослеживания бесконечной и непостижимой причины через все тайны природы, чтобы этой улыбкой не бросать тени от нашей собственной грубости на их патриархальную чистоту».

К сожалению, когда начинается волнение и буйство «нечистой» крови и под вопли о возрождении национальных культур культивируется оголтелый национализм, и выплескивают вместе с водой «младенца», унижают и критикуют чужое мнение, взгляды, «чужую» религию, а может ли быть «чужая» религия, если Господь един!? Так случилось с «великим пролетарским писателем» М.Горьким, который останется великим даже из-за одного своего произведения: «Рождение человека» — этого гимна женщине, рождающей Человека!

Истинный ментал, любя свой народ, свою культуру, свои национальные традиции в равной мере с глубоким уважением относится к наследию и культуре других народов. Он с одинаковым восторгом будет говорить об Александре Пушкине и Янке Купале, о Чингизе Айтматове и Василе Быкове — здесь важны два фактора — талант и глубокая человеческая порядочность, чистота Души и помыслов, и никогда узкая обособленность культур не может претендовать на развитие, а только на вырождение.

Мир велик, и каждый в нем должен поделиться с другими своими знаниями, опытом, достижениями, только в этом случае можно рассчитывать на выживание, прогресс, процветание. С этим единством мы сможем существовать в Эпоху Водолея.

Трудно себе представить полный отрыв от достижений и культур Китая, Японии, Индии и др., я полагаю, что жизней нескольких поколений вряд ли будет достаточно, чтобы прочитать или даже бегло ознакомиться с трудами этих стран по истории, поэзии, религии, философии, религиозным наукам, медицине. Весьма опасна тенденция ко всякому "инакомыслию", к отсутствию компетентности по тем или иным вопросам — приписывать «сатанинское» — такие тенденции некорректны и просто опасны. Такие «судьи» забывают важную заповедь Великого Божественного Учителя Иисуса Христа: «Не судите, да не судимы будете». Опасность заключается в том, что, когда люди начинают вмешиваться в дела Господа на Земле, начинают пылать костры, льется кровь и создается отрицательная Карма народа, за которую придется расплачиваться во многих жизнях самим, а также детям и внукам.

К сказанному об энергиях необходимо добавить, что еще до того, как плод развивается в чреве матери, из энергии Ян и Инь возникает новая энергия «чистый дух», это есть — главная жизненная сила, из которой формируется головной мозг, костный мозг, кости и сочленения.

Всеобщим источником различных энергий является «замечательная жизненная сила» Цзин, универсальная сексуальная энергия, часть которой тратится на способность производить потомство. Когда Инь и Ян смешиваются, возникает новый живой организм в форме оплодотворенного яйца. Возникновение этого яйца происходит от главной энергии спермы Цзин, мужской способности производить потомство. Семя Цзин имеет в своем составе две кардинальные стихии — женскую Инь — Воду и Землю и мужской пылающий Огонь. Эта концентрированная мощная энергия производит в момент зачатия высший акт оплодотворения яйцеклетки и дает импульс к развитию будущего члена общества, а каков он будет, мы подробно поговорим в главе о любви, браке, зачатии и Карме.

Трансмутация универсальной половой энергии в другие виды деятельности, согласно учению Дао, осуществляется благодаря или посредством Огня Сердца, относящегося к Небу и ртути, получающего свою энергию Ци из Универсальной энергии Вселенной. Сердце по своей природе Инь, а по своей силе, положению и значению в Духовно-Душевной Жизни человека относится к Ян, проявляя тем самым Великое единство двух начал.

Целенаправленная сублимация сексуальной энергии в даосской алхимии осуществляется путем медитативных практик (визуализации и направления потоков энергии в определенные энергические центры, называемые «киноварными полями»), имеющих целью обрести бессмертие. Иными словами, взращиванием «бессмертного зародыша» достигается обеспечение долголетия, молодости и процветания, что составляет основу секретов даосских магов и содержание даосской йоги.

Трансмутация сексуальной энергии производится с целью оздоровления как физического, так и духовного. В обычных условиях человек, стремящийся к духовному совершенствованию и расширению своего сознания, использует эту, Богом данную энергию, в этих целях. Из этого вовсе не следует, что такой человек должен совершенно отказаться от радостей половых отношений, но этот секс должен быть направлен вверх, а не вниз, только такой секс дает ощущение полета и высокий обогащающий энергетический потенциал. Секс, направленный вниз, оставляет ощущение давящей тяжести, болезни женских половых органов и страдание предстательной железы у мужчин. И не надо ссылаться на возраст, охлаждение и т.д. — причина здесь в непроизводительных растратах и беспорядочных половых связях. Каждая энергия помимо действия обладает еще информационным аспектом, и этот информационный аспект дает возможность познать все явления и процессы жизни, выявить все причины и вытекающие из них следствия, уже не говоря, что очень хорошо известны причины большинства воспалительных заболеваний женской половой сферы и простаты у мужчин (предстательная железа).

Не вникая в подробности процесса трансмутации сексуальной энергии, остановимся лишь на ее результатах.

Трансмутированная сперматическая энергия, эссенция Цзин и свет Духа (трансмутированный ум) называются у даосов "свинцом и ртутью" (тигром и драконом). Единение Воды и Огня, единение Инь и Ян дает сбалансирование всех энергетических потенций организма.

Почти все оккультные учения, которые утверждают об имеющей место эволюции, или совершенствовании человека, считают трансмутацию основой такого совершенствования. Стала доказанной многочисленными даосскими практиками теория обретения бессмертия путем превращения половой энергии в энергию высшего порядка.

В заключение хочется сказать, что сексуальная энергия — это огромный дар человечеству, но как и все виды энергии, как и все процессы, происходящие во Вселенной, она подчиняется определенным законам, нарушение которых приводит к большим бедствиям. Часть этой великой силы, которую мы используем на продолжение рода и любовь, должны быть внутренним Светом, который, излучаясь изнутри, освещает все вокруг, этот свет превращается в тепло и согревает себя и окружающих, этот свет должен давать побудительный импульс к движению, к преображению и совершенствованию. Этот Свет — это Любовь.

ЧАСТЬ II

ЭНЕРГЕТИЧЕСКИЕ ОСНОВЫ ЛЮБВИ

Проблема пола, начиная с Лемурианской эпохи, а именно когда произошло разделение полов на Земле, всегда волновала человечество — на протяжении всей его сознательной истории, так как самым тесным образом была связана с самой жизнью и всей системой существования общества.

От того, как складывается судьба каждой конкретной личности, от ее моральных установок, от выбора пути своей реализации и гармонии созданной ею семьи, зависит гармония, мораль и нравственность всего общества, государства и мира в целом.

Периоды попрания морали, падения нравственности влекли за собой гибель цивилизации, откладывали роковой отпечаток на истории народов, тормозили ход эволюции, несли боль, страдания, унижение, деградацию.

Каждая нация, народ имеет свои взгляды, свой подход к проблеме пола, вернее, к взаимоотношениям между полами. Подсознательно мир всегда стремился к моногамии (единобрачию), поскольку только такой вид отношений может служить надежной опорой государству, но сегодня мы еще весьма далеки от реализации этого. Сегодня еще существуют гаремные формы отношений на Востоке и далеко не единобрачие — на Западе.

Крупные мыслители, психологи и психиатры на протяжении всех веков пытались внести свой вклад в исследования проблемы пола. Но именно в этой сфере, как и в медицине, использование только ортодоксальной науки, без знания науки оккультной, именно науки, превышающей уровень тех знаний, которые дают функционирующие на данном этапе эволюции 5 органов чувств, может пролить свет на эту глобальную проблему. «Познать самого себя» призывал великий Сократ. Кто мы? Кем мы были? Для чего мы приходим в этот мир? Почему уходим, кто раньше, кто позже? Почему проявляются разные наклонности, способности? Эти вопросы всегда задавало себе человечество, и ответы на них официальная наука без оккультных знаний не в состоянии будет дать.

Дискуссия о принципиальном различии психологии мужчины и женщины, равно как и их физиологических отличиях, связанных с выполнением разных полоролевых функций, будет еще долго будоражить умы, создавая теории, движения, борьбу за равноправие и т.д. Ответ на этот и другие вопросы мироздания был найден много тысяч лет назад в натурфилософии Древнего Китая, представляющей мир полярным и утверждающей, что именно эта полярность, имеющая мужскую и женскую окраски, является основой мироздания и существования всех вещей во Вселенной. Эти принципы Инь и Ян, которые не могут существовать изолированно друг от друга, которые уравновешивают и дополняют друг друга, являясь основой дуализации, и составляют при правильном подборе основу взаимоотношения людей в семье, коллективе.

Согласно древней мифологии, сын Гермеса и Афродиты, бог Гермафродит, сочетал в себе как мужские, так и женские черты. В орфическом мифе, воспроизведенном Платоном в диалоге «Пир», описывалось, что предки людей имели по два лица, четыре руки, четыре ноги, были трех родов: мужчины, женщины и андрогины, обладавшие признаками обоих полов. Зевс наказал этих перволюдей за их гордость, разрубив каждого вдоль, повернув лица и половые органы в сторону разреза. И вот теперь люди ищут утраченную половину, и когда эти половинки находят каждая свою, наступает истинная гармония, возникает любовь — Эрос.

Существует мнение, что в библейской притче о сотворении Богом Евы из ребра Адама отразился в искаженном виде миф об изначальной бесполости первых людей. К этой точке зрения склонялся и средневековый еврейский богослов Маймонид. Весьма интересным является то обстоятельство, что слово «ребро», прочитанное другим способом, имеющим подлинный смысл в аспекте всех мифологических утверждений о разделе полов, имеет значение «сторона». Если понимать, что человек был гермафродитом, то слово «сторона» больше, чем «ребро», объясняет как эзотерический аспект, так и взгляд современной науки, — что человек был когда-то двуполым, пока пол не был дифференцирован на мужской и женский для выполнения функций размножения в том виде, каком она представлена сейчас. С этого и началось грехопадение прародителей. Подтверждением принципа андрогинности является тот факт, что человеческий зародыш до определенной стадии развития является двуполым, затем один пол начинает доминировать, а второй задерживается в своем развитии и находится в латентном состоянии.

Характерно, что производить потомство могут только разнополые половины, потомки андрогинов. Ученый фон Ромер, исследовав этот миф, пришел к выводу, что «андрогинная идея характерна для всех религиозно-мифологических систем мира». Такая общая для всего мира мифологическая идея двуполости и бесполости свидетельствует о том, что люди делятся на мужчин и женщин, т.к. прежде они не были разделены. В тонких мирах Душа не имеет четко выраженного пола. Пол проявляется там в виде двух четко определенных качеств — Воображения и Воли. Воля связана с Ян — мужской энергией и солнечными силами. Воображение — это иньская женская энергия и связана она с силами Луны. Этот факт оттеняет тенденцию женского начала к сильному воображению и ту власть, которую «Владычица ночи» имеет над женским организмом. Разделение полов явилось следствием тех процессов, которые лежали в основе образования планет. Материя, из которой впоследствии были сформированы Земля и Луна, входила в состав Солнца. Тело вновь сформированного человека было пластичным и испытывало на себе в равной мере как влияние Солнца, так и влияние Луны. Такое двойственное воздействие испытывали на себе все тела. В результате такого двустороннего влияния, как Солнца, так и Луны, человек Гиперборейской Эпохи был гермафродитом — способным размножаться без соития с другими, а путем выделения из себя другого существа. При дальнейшем развитии Вселенной, когда Земля отделилась от Солнца, а затем выделилась Луна, силы этих двух царственных светил уже были не в состоянии оказывать одинаковое воздействие на тело человека и на другие тела. Возникло разноплановое влияние, одни тела воспринимали больше солнечное влияние, другие лунное. Это обстоятельство привело к необходимости разделения полов и дифференциации их задач.

Очень интересные сведения об эволюционном развитии человека излагает Макс Гендель. В «Космогонической концепции Розенкрейцеров» он пишет: «...В последней части Лемурианской эпохи тело приняло вертикальное положение, и настало время, когда Эго (Душа) смогло обитать в теле и контролировать его. Но обитать внутри — это еще не конец и не цель эволюции. Это просто средство, при помощи которого Эго может лучше выразить себя через свои инструменты для проявления в физическом мире. С этой целью должны были быть построены и усовершенствованы органы чувств, гортань и, главное, мозг. В течение ранней части Гиперборейской эпохи, пока Земля была еще едина с Солнцем, солнечные силы снабжали человека всеми необходимыми ему средствами к существованию, и он неосознанно пускал излишки на цели размножения. Когда Эго вступило во владения своими проводниками, появилась необходимость использования части этой силы для строительства мозга и гортани, которая первоначально являлась частью созидательного органа. Гортань была построена, когда плотное тело было согнуто в мешкообразную форму, уже описанную выше, каковой является до сих пор форма человеческого зародыша. Когда плотное тело выпрямилось и стало вертикальным, часть созидательного органа осталась с верхней частью плотного тела и позднее стала гортанью. Таким образом, двойственная созидательная сила, которая до определенного времени работала только в одном направлении, а именно с целью создания другого существа, теперь разделилась. Одна часть была устремлена вверх на строительство мозга и гортани, посредством которых Эго стало способным мыслить и передавать мысли другим существам. В результате этого изменения лишь одна часть силы, необходимой для создания другого существа, осталась доступной для одного человека. Отсюда и возникла необходимость для каждого отдельного человека искать кооперацию другого, обладающего той самой частью воспроизводительной силы, которая у ищущего отсутствует. Так развивающаяся сущность приобрела осознание внешнего мира ценой потери половины своей производительной силы. До этого времени она использовала внутри себя обе части этой силы для выделения другого существа. В результате этого изменения, однако, она развила в себе способности создавать и выражать мысль. До тех пор сущность была творцом лишь в физическом мире, с тех пор она стала способной творить в трех мирах». Для гармоничного развития и существования всех сфер жизнедеятельности на планете необходимы два равных взаимодополняющих начала — мужское и женское. При дефиците одного из них процессы на Земле, в семье, обществе и государстве приобретают уродливое, однобокое, грозящее вырождением течение.

Зададим себе вопрос: так ли уж полно произошло разделение полов, о котором мы говорили? Не сохраняется ли андрогинность при четко дифференцированном строении женских и мужских половых органов? Оказывается, сохраняется. Четкость и стройность работы наших желез внутренней секреции и их выделения — "субстанция жизни", называемая гормонами, — определяет наш пол, внешний вид, тип поведения, характер, судьбу. Китайская натурфилософия четко утверждает, что во всем, без исключения, присутствуют силы и энергия Ян и Инь, окраска этих энергий, величина их компонентности в каждом из нас определяют наш психотип. Именно с этих позиций можно оценить проблему бисексуальности, подбор партнеров, выбор правильной сферы деятельности каждой личности для ее реализации в данном земном воплощении. Как правило, во все периоды истории феминистские движения с требованиями эмансипации организовывались женщинами с явно преобладающим Ян-компонентом. Движение это не носит какой-то новый характер, оно имеет свои корни еще в Древней Греции, Риме, Египте. Изучение этого вопроса всегда приведет нас к одной и той же мысли, что не все женщины добиваются руководящих постов и борьба за женское равноправие обычно возглавляется наиболее янизированными особами. Это равноправие необходимо, так как в цивилизованном мире женщине должны быть предоставлены возможности реализации своего пути, того, который ей предназначен этим рождением — будь то роль крупного политического деятеля, либо матери многодетного семейства, скромной швеи или главы фирмы. Она должна иметь право выбора, иначе нарушаются равновесие и гармония мира. Это хорошо себе представляли крупные мыслители и философы всех времен. Об этом с такой убежденностью писали Елена и Николай Рерихи. Только синтез тех знаний, которые накоплены официальной наукой и системой эзотерических знаний, даст человеку Новой Эпохи ясность и понимание многих ключевых вопросов медицинской науки и проблем человека в целом. Нельзя обвинять определенный пол за те или иные проблемы времени, эпохи, зная, что каждое человеческое существо циклически является либо мужчиной, либо женщиной. В зависимости от задач данного воплощения мы выступаем то в роли мужчины, то в роли женщины. Алиса Бейли в «Эзотерической психологии» по этому поводу писала: «Пол не существует в том смысле, в каком мы его себе представляем, по отношению к душам; только в оформленной жизни такой пол существует. Только в процессе дифференциации, преследующем целью эксперимент, осуществляется воплощение духовного человека сначала в мужское тело, а затем в женское, тем самым соединяя в круг негативный и позитивный аспекты жизни в форме». В мире все несут одинаковую ответственность за создание условий, достойных для существования человека, и все одинаково ответственны, если в мире царит хаос, убийства, войны, беспорядок, падение нравственности и разврат. При гибели такого общества одинаково гибнут, независимо от пола, как мужчины, так и женщины. И об этом нужно помнить! Также весьма важным представляется высказывание А. Бейли, проливающее свет на проблему пола и брака: «Первый постулат, который должен быть установлен и к которому массы должны быть приучены, состоит в том, что все души воплощаются и перевоплощаются в соответствии с Законом Перерождения. Отсюда каждая жизнь есть не только краткая сводка жизненного опыта, но и воплощение принятия старых обязательств, нового обретения старых связей, возможностей для уплаты прошлых задолженностей, шанса достичь восстановления и прогресса, пробуждения глубоко скрытых качеств, распознавания старых друзей и врагов, решения восстать против несправедливостей и объяснения того, каковы те условия, которые делают человека тем, что он есть. Таким является закон, который взывает сегодня к всеобщему признанию и который, когда он понимается мыслящими людьми, сделает многое для решения проблемы пола и брака». А посему ясно, что наше рождение в определенный день, месяц, час, год, в том или другом месте, с принадлежностью к одному из полов и национальности не является случайностью. Изменения или отклонения от этого запланированного рождения, связанные с вопросами питания женщины во время беременности, переездами в другую местность и т.д., могут определять те или иные колебания, предрасположенности, но не являются определяющими.

БИСЕКСУАЛЬНОСТЬ КАК СЛЕДСТВИЕ РАЗДЕЛЕНИЯ ПОЛОВ

У человеческого зародыша до пятой недели пол еще не определяется. Только после пятой недели к исходу третьего месяца беременности можно определить, кто придет в этот мир — мальчик или девочка. Это двуполое строение даже высшего создания, коим является человеческое существо, подтверждает факт, что признаки другого пола всегда остаются. Разделение полов, о котором мы говорили, никогда не бывает полным и совершенно законченным. В каждом из нас имеются женская энергия Инь и мужская энергия Ян, обусловленные уровнем деятельности, развитием наших эндокринных желез и избирательной работой нервных центров в данном воплощении. Все особенности мужского пола Ян можно найти в определенном проценте у женского пола и наоборот. Об этом свидетельствует наличие внешних половых признаков: мужских у женщин, а женских у мужчин (это касается признаков оволосения, развития молочных желез и т.д.).

В своих «Очерках по психологии сексуальности» Зигмунд Фрейд пишет: «Учение о бисексуальности в своей самой грубой форме сформировано одним из защитников инвертированных мужчин следующим образом: женский мозг в мужском теле. Однако нам неизвестны признаки «женского мозга».

Крафт-Эбинг полагает, что бисексуальное предрасположение награждает индивида как мужским и женским мозговыми центрами, так и соматическими половыми органами.

Это значит, что в каждом человеке имеются мужские и женские элементы, только в соответствии с принадлежностью к тому или другому полу одни несоизмеримо более развиты, чем другие. Эти же мысли и констатации мы находим практически у всех ученых, занимающихся проблемами психологии полов (Карен Хорни, Зигмунд Фрейд, Отто Вейнингер, Крафт-Эбинг и др.). Однако объяснить это обстоятельство, этот замысел Творца официальная наука так и не смогла, несмотря на многочисленные теории по поводу существования маскулинизированных женщин и феминизированных мужчин. Только эзотерические наука и знания в состоянии объяснить это обстоятельство. Уже не говоря, что даже внешне имеются индивиды Ян с признаком Инь — женский таз, молочные железы более развиты, чем обычно у мужчин, слабая растительность на лице, а также чисто внешняя женская форма поведения и стремление выполнять работу, которая всегда считалась женской (стирка, приготовление еды и т.д.). И наоборот, янизированная Инь — с узкими бедрами, с плоской грудью, низким грубым голосом, плохо развитыми мышцами ягодиц.

Во все времена существовали внутренне противоречивые типы Инь-Ян, которые не укладывались в жесткие рамки чистых половых стереотипов. В патриархальном обществе такие люди выглядели «белыми воронами», их безжалостно осмеивали, а порой и травили. Молодой человек, не участвующий в драках, в силовых играх, а замкнутый и романтичный, с тонкой мечтательной душой был вынужден терпеть насмешки своих сверстников и сомневаться в своих Янских-мужских свойствах. А женщин, которых не удовлетворяла только роль хозяйки дома, имеющих свои профессиональные интересы, называли «синим чулком» и строго осуждали.

Мы уже говорили о дуализации личности, о гармоничном подборе пар по Инь-Ян принципам, кроме того, в аспекте нечеткой поляризации или стереотипизации людей по Инь-Ян признакам чрезвычайно расширяются возможности их индивидуального самовыражения, обусловленного миссией их настоящего воплощения. Это весьма важно, так как этого требует общество, где необходимы — и мы это покажем в дальнейшем изложении — разные личности как для реализации процессов жизнеобеспечения, так и для того, чтобы Душа могла приобрести свой эволюционный опыт.

Таким образом, человек представляет и несет в себе оба начала, распределенные в самых разнообразных пропорциях, обусловливающих его темперамент, роль в обществе, задачу эволюции и ту роль, которая ему определена кармически.

ДВА ЭНЕРГЕТИЧЕСКИХ НАЧАЛА — ИНЬ — ЯН. ХАРАКТЕРИСТИКА ЖЕНСКОГО ЭНЕРГЕТИЧЕСКОГО ПОТОКА

Говоря о биполярности двух энергий Инь и Ян, имеющих универсальное значение и подчиняющихся закону аналогий, мы будем выделять два сексуальных потока — женский Инь и мужской Ян. В нашей работе, путем медитативной практики, пришло понимание, что в связи с «избранностью человека» для его нормального воспроизводства, устойчивости этого процесса и эволюции эти потоки неоднородны, они многогранны и многофункциональны. На мой взгляд, именно этим обстоятельством объясняются, во-первых, бисексуальность личности с явным преобладанием энергии Инь или Ян, отсюда феминизированные мужчины и маскулинизированные женщины, во-вторых, изменение полоролевых функций Души и самого пола при разных воплощениях, в-третьих, разнообразие и разноплановость психотипов Инь в потоке энергии Инь и психотипов Ян в потоке энергии Ян, я имею в виду разные типы мужчин и женщин.

В огромном мире явлений человек развивается во множество индивидуальностей, в каждую из которых основная Монада заключена как жизненное начало еще до рождения. Непосредственно в момент зачатия она превращается в биполярное явление «человеческой природы» и «жизни». В этом разгадка такого множества типологических форм, каждая из которых выполняет свою роль в общем процессе воспроизводства и поддержания жизни.

Аналогию мы имеем в стуктуре пчелиного роя, пчелиной семьи, где роль всех членов семьи направлена к единой цели — воспроизводству рода. Такая общая цель и ее воплощение присущи и многим сохранившимся племенным народам.

Посмотрим на жизнь пчелиной семьи и оценим ее удивительную структуру, целесообразность в выполнении определенных функций, именно ее полоролевые аспекты. Но самым интересным обстоятельством является то, что эта поистине коммунистическая семья не только обеспечивает свое воспроизводство и процветание, но и оказывает неоценимую услугу жизни леса, лугов, полей путем опыления и улучшения сортов растений, миру животных, питающихся этими растениями, а также человеку, производя мед, один из ценнейших даров природы, «нектар Богов», воск, прополис, цветочную пыльцу и т.д. Удивительный пример сотрудничества во благо жизни и процветания всех царств природы.

Пчелиный улей вызывает восторг архитектурой своих восковых построек, слаженной системой взаимодействия многих тысяч своих членов как внутри гнезда, так и за его пределами, когда возникает необходимость найти пищу, воду, обеспечить безопасный брачный вылет молодой матки или совершить путешествие на новое место жительства.

Пчелиное гнездо в зависимости от времени года и необходимых сезонных работ выглядит по-разному.

Ранней весной и в первую половину лета восковые соты заняты расплодом. В одних сотах находятся отложенные пчеломаткой яйца, в других — уже вылупившиеся личинки, в третьих — запасы меда и перги. В конце лета и осенью все соты сплошь бывают заняты янтарным медом. Ячейки или соты прочны, легки и удобны. Весьма интересным является тот факт, что в сотах соблюдается идеальная чистота, труженицы пчелы производят регулярную уборку своего помещения, чистят, отбеливают, полируют, скребут. Такая большая, кропотливая работа, связанная с обеспечением чистоты в сотах, необходима для того, чтобы заготовленная впрок пища не портилась, не загрязнялась, а также чтобы нежные личинки не подвергались заболеваниям. Такая образцовая чистота поддерживается не только в сотах, но и в улье. Прополисом, обладающим бактерицидными свойствами, обрабатываются стены, потолок, выбрасываются из улья трупы уничтоженных насекомых, которые пытались проникнуть к медовым запасам. И не только насекомых, но и более крупных животных: мышь или ящерицу постигает та же участь. Трупы непрошеных гостей пчелы-санитары тонко бальзамируют прополисом во избежание их разложения и загрязнения улья. Улей ремонтируется и чистится добросовестно и неутомимо и покидается только в том случае, если использовать его уже совсем нельзя, только в этом случае пчелы покидают родные, насиженные гнезда и ищут себе новое жилище.

Медоносные пчелы представляют пример общественного устройства, поражающего целесообразностью распределения функций, объединенных одной целью — сохранением вида, воспроизводством для поддержания жизни. Попробуем глубже познакомиться с их «государственным строем» и проследить аналогию с их старшими братьями, принимая во внимание только тот примитивный строй, который обеспечивает этот процесс. Вполне естественно, что Homo sapiens требует целой социальной системы для своего нормального жизнеобеспечения.

Семья пчел состоит из нескольких десятков тысяч особей, которые сообща находят себе жилище, отстраивают в нем восковые ячеистые соты, накапливают кормовые запасы, выращивают расплод. Большинство обитателей пчелиного жилища - рабочие пчелы, которые ухаживают за маткой, выполняют все ульевые работы, собирают мед, пыльцу с растений, прополис, охраняют гнездо. Каждая семья имеет одну матку и несколько сотен самцов — трутней, которые прилетают или появляются летом для спаривания с молодыми матками в период роения. Без семьи матка, трутень или рабочая пчела жить не могут. Рабочие пчелы являются недоразвитыми самками, поэтому с трутнями спариваться не могут. Только в исключительных случаях — гибели матки или долгого ее отсутствия — они способны откладывать в ячейки неоплодотворенные яйца, из которых могут выводиться лишь самцы. Такие яйцекладущие рабочие пчелы называются трутовками

При длительном отсутствии матки такая семья может вымереть. Матка отличается от рабочей пчелы большими размерами тела, особенно груди и брюшка, половые органы у матки хорошо развиты. Они состоят из парных яичников, яйцеводов семяприемника и влагалища. Для вывода маток рабочие пчелы отстраивают на ребрах сотов круглой формы мисочки. В роевую пору матки откладывают в них оплодотворенные яйца, чтобы вывести новую матку. В этих мисочках (маточниках) пчелы кормят личинок только одним молоком. В экстремальных случаях, чтобы выжить, пчелиная семья может вывести так называемую свищевую матку из любой личинки до трехдневного возраста, которая развивается в пчелиной ячейке. На 17-й день созревания матка мощными челюстями прогрызает верхушку маточника и выходит наружу. Весьма любопытный факт: чтобы себя утвердить единоначальной хозяйкой пчелиного гнезда, она разрушает соты с другими маточниками и уничтожает своих соперниц. Если случай способствует выведению двух маток, они ловко, с большой осторожностью, ищут удобного момента и вступают друг с другом в смертельную схватку, в ходе которой одна гибнет, а вторая на 3-5-й день становится половозрелой. В красивый, погожий, солнечный день она делает первый вылет, затем повторные и ищет встречи с трутнями. Спаривание происходит в воздухе и только в хорошую погоду, такова инстинктивная забота о здоровом потомстве. Порой неблагоприятная погода откладывает любовные дела на несколько дней. Если же матка в течение месяца не спарилась с трутнями, она теряет способность к оплодотворению и превращается в «трутовку». Через 3 дня после оплодотворения матка интенсивно откладывает яйца в заранее заготовленные рабочими пчелами ячейки. В сутки одна матка может откладывать до трех тысяч яиц, а за сезон — около двухсот тысяч. Такая продуктивность возможна только потому, что деятельность матки по откладыванию яиц обеспечивается уютным и чистым жилищем, достаточным количеством пищи (нектаром и пыльцой), покоем в семье и другими необходимыми для ее жизнедеятельности условиями. Обильно потребляя корм, пчелиная семья непрерывно снабжает молочком, которое вырабатывается в глоточных железах пчел-кормилиц, яйцекладущую матку и нарождающихся многочисленных деток. Расплод постарше возрастом пчелы кормят смесью меда и перги. В трутневые ячейки матка откладывает неоплодотворенные яйца, из них выводятся только самцы-трутни.

Трутень значительно больше пчелы, брюшко у него короткое и толстое с опущением на конце, при спаривании с маткой он мгновенно погибает по принципу: «Мавр сделал свое дело, Мавр может умереть».

В роевую пору пчелы беспрепятственно впускают в свои гнезда трутней и обхаживают их. В конце сезона коварно и безжалостно выгоняют их из ульев, обтрепывают им крылья и лишают корма. Беспомощные трутни погибают в результате жестокой целесообразности и экономии — тратить на них корм в силу их бесполезности не имеет смысла. Из приведенного отрывка из жизни пчел возникает мысль о стройной биологической системе продолжения вида, которая может иметь вполне определенную аналогию-схему в мире людей и других биообъектов.

После знакомства с удивительным миром пчелиной семьи вернемся в мир своих собратьев. И попробуем разобраться в человеческих взаимоотношениях, уяснить себе, почему одна женщина может ограничить свой мир благородной и святой обязанностью рожать и воспитывать детей, обслуживать свою семью, удивлять всех своими кулинарными способностями, чистотой и уютом своего жилища, скромно и без жалоб выполнять изо дня в день свои обязанности матери и жены, а другой этого явно не достаточно, ее зовут ветер странствий, посещение собраний и заседаний, чисто мужской мир борьбы за власть, участие в политической жизни, мир науки, театра, искусства. Многие из таких женщин пытаются совмещать роль жены и хозяйки со своей общественной жизнью, но ее детям и мужу не достается и 20% того, что получают дети и муж в первом случае. Как объяснить такую разницу в психологических типах женщин? На мой взгляд, ответ можно найти в поляризации личности, а эта поляризация уже обусловлена рождением, где на большой сцене жизни каждый из нас выполняет свою роль, участвуя в сложном процессе обеспечения жизни, воспроизводства, мудро спланированных Великим Творцом.

Любая жизнь это, с одной стороны, будни с их повседневными заботами о пище, монотонным трудом дома и на производстве, финансово-экономическими проблемами сохранения баланса семьи и т.д. и, с другой — праздники с их фейерверком огней, шумом, блеском и красотой. Принято считать, что это отдых, но для одних это действительно отдых, изменение, расслабление, уход от монотонности и рутины, а для других повседневная жизнь. Будни и праздник — это пример двух психологических типов женщин, имеющих разные характеры и обслуживающих разные сферы нашей жизни. Это не означает строгой специализации одной и другой, это только незримые, а порой и зримые, черты характера, особенности личности.

Женщина-Мать, чистая Инь, имеющая в этом своем воплощении задачу освоить опыт ведения семьи, ее хозяйства, воспитание детей, обслуживание их и своего мужа, делает это безропотно, как нечто само собой разумеющееся. Дети и муж, их жизнеобеспечение — это цель ее жизни, и другой жизни ей не надо. Все красивое она, прежде всего, готова приобрести для своих детей, для мужа. О том, что это было бы неплохо ей самой, — такие мысли даже не приходят в голову, а если кто-то ей посоветует приобрести вещь для себя, это всегда вызывает у нее возражение и удивление.

В ее доме всегда уютно, пахнет вкусной пищей, вся семья собирается вместе за столом, накрытым белой скатертью, мирно обсуждаются события дня. Женщина-Мать здесь создает весь фон и атмосферу любви, уклад жизни; ее такт, спокойствие, дипломатичность, мудрость объединяют всех членов семьи. Она может быть и громоотводом, если между детьми и мужем возникают стычки, разногласия. На ее груди можно поплакать, если у кого-то из домочадцев возникают конфликты на работе, в любви, в отношениях с друзьями. К ее советам прислушивается и ее владыка-супруг, к ней он обращается в ситуациях, когда необходимо принять важное решение. Это вовсе не значит, что именно такой социальный тип должен быть выдержан во всех деталях. При описании типов женщин энергетического потока Инь мы обращаем внимание на доминирующие свойства. В данном случае, женщина может быть не обязательно домохозяйкой, она может иметь и солидный производственный стаж, быть учителем, врачом и т.д., но главное ее свойство и качество — это забота о своих близких, это женщина-мать, живущая ради и во имя своих детей. Именно о такой женщине вдохновенно писали С. Вивекананда, Шри Ауробиндо Гоша и др., именно такой образ вдохновлял поэтов на создание поэм, посвященных женщине-матери, скульпторов — на величественные монументы, увековечивающие материнское начало, композиторов — на вдохновенные оратории. Это женская ипостась Праматери Мира — Матери- Земли с ее мощным энергетическим потенциалом, заряжающим нижнюю чакру Муладхару и свернутую в ней энергию Богини Кундалини, раскрывающуюся и поднимающуюся навстречу своему Солнцу и соединяющуюся с ним в Верхней Чакре Сахасраре в вечном блаженстве. Это Высшее сознание, приближающее человека к Богу и делающее его Богом. Это ровный, постоянно мерцающий свет, дающий тепло и покой. Для детей это отчий дом, который дает опору и надежду вернуться, если заблудишься, устанешь и захочешь отдохнуть, ты знаешь, что всегда тебя здесь ждут, обогреют и утешат, не будут упрекать, если совершил ошибку, сюда ты можешь прийти в любую минуту и по лицу сразу же прочесть, как тебе здесь рады и как тебя ждали. Какое удивительное слово Мать, какая музыка в этом слове независимо на каком языке оно произносится. Какое счастье, когда она есть, когда она с нами, и как тяжела горечь и боль утраты, когда она уходит в лучший из миров.

Такая женщина создает атмосферу любви и уюта не только у себя дома, но и в любом месте, где бы она не находилась, она «создает дом», «строит крепость», вносит свою Ауру тепла, которая согревает всех, кто бы с ней ни соприкасался, и это не зависит, находится ли она в цивилизованном мире, либо в поселке, деревне, общине. Было бы ошибкой считать, что это унылый, монотонный труд, ведущий к отупению, хотя может быть и такой вариант, но, в основном, это высокотворческий потенциал: здесь женщина может выступать как дизайнер при решении вопроса об интерьере своего жилища, а потому у одной действительно жилье, а у другой интерьер; как кулинар, неистощимый в творческом проявлении именно в этой области; как художник-модельер — если умеет шить и вязать. В этом случае вся семья пользуется ее услугами, подпитываясь ее энергией, передаваемой через связанный сыну и мужу свитер или сшитое для дочери платье. В этом характере могут быть разные нюансы поведения, подтипы, но мы останавливаемся на наиболее выраженных психотипах Инь-потока, обеспечивающих главную задачу человека — продолжение, сохранение и улучшение вида.

Все характеризуемые нами типы, можно сказать, социальные типы, зависят от превалирования в них Инь и Ян признаков, обусловливающих их бисексуальность. А. Клизовский пишет: «Необходимо пояснить, что при разобщении Начал полного разделения положительного начала от отрицательного или мужского от женского не было, но в каждом положительном, или мужском осталась часть отрицательного или женского, и в каждом отрицательном, женском, часть положительного или мужского, иначе жизнь стала бы невозможной». И далее он продолжает: «Таким образом, разобщением Начал основной закон жизни нарушен не был, и, став из цельного существа половинчатым, человек остался при двух началах, но так, что одно начало в нем всегда преобладает, или мужское, или женское» («Основы миропонимания новой эпохи»). Мы привели это высказывание А. Клизовского для более углубленного понимания состояния бисексуальности человека, его полярной основы для жизненной необходимости эволюции и продолжения рода.

Следующий тип женщины, ярко выраженный, вносящий в энергетический женский поток ветер, шторм, а порой и бурю — это женщина с очень сильным компонентом Ян с мужской полярностью — женщина Лидер. Такие женщины любят реализовываться в сфере политики, бизнеса, общественной организации, кстати, именно такие женщины выступают за эмансипацию, это яркие феминистки. О таких женщинах О. Вейнингер пишет: «Насчет эмансипации женщин можно сказать только следующее: эмансипироваться в женщине хочет только мужчина в ней заключенный… Если мужественная женщина стремится к уравнению в правах с мужчиной, то женственная женщина не испытывает ни малейшей потребности в эмансипации». Я ни в коей мере не разделяю основных положений молодого австрийского ученого Отто Вейнингера, изложенных в его книге «Пол и характер», я уже упоминала, что, на мой взгляд, его суждения о женской природе носят болезненно-субъективный характер, его книга, вышедшая в 1903 г., вызвала бурную полемику. Сразу же после выпуска книги автор покончил с собой. Господь ему судья! Его трагическая жизнь, которая так внезапно оборвалась в 23 года, свидетельствует лишь о том, что ученый должен следовать объективным фактам, освещая тот или иной вопрос, особенно если это касается одного из фундаментальных начал мироздания — женского начала, за нарушение таких идеалов — карма срабатывает мгновенно.

Несмотря на весь характер книги, некоторые вопросы, изложенные в ней носят объективный и научный характер. Не исключено, что если бы автор был знаком с системой эзотерических знаний, с законами перевоплощения и Кармы, его большая и интересная работа по изучению психологии мужчины и женщины носила бы совсем иную окраску.

Вернемся к характеристике женского психотипа Лидера. Мое участие в работе Международного женского конгресса подтвердило мои наблюдения, размышления и обобщения. Можно даже утверждать, что этот конгресс и послужил стимулом к написанию этой книги. Подавляющее большинство делегаток были Янизированные особы. Мой многолетний опыт целительства и диагностики по внешнему виду позволил сделать заключение об определенной гормональной ориентации этих женщин, с явно превалирующим по сравнению с нормой андрогенным (баланс мужских гормонов) компонентом. Об этом свидетельствовали походка, речь, фигура, лицо.

Спешу оговориться, в характеристике психотипов с преобладанием Ян и Инь речь идет только о характерологических особенностях, укладывающихся в варианты нормы, а не об изменениях гипоталамо-гипофизарного комплекса, обеспечивающего высший контроль всех вегетативных функций. Нарушение их регуляции ведет к значительным изменениям эндокринных желез с формированием серьезных патологических отклонений.

Женщина со значительным Ян-компонентом — Лидер не склонна к домашним делам, она предпочитает этот труд переложить на кого-нибудь из своих домочадцев, чаще эти функции берет на себя «глава семьи». Из изложенного ранее можно предположить, что дуальность такого рода может быть устойчивой только, если дуалом будет мужчина с превалированием Инь в своем характере. Главным оружием такой женщины будет толстый блокнот, который одновременно может служить записной книжкой, где четко определен весь объем работы на день, естественно, не домашней. Сфера деятельности здесь значения не имеет, она может быть самой разнообразной: политическая, профсоюзная, общественная и т.д., а если женщина какое-то время не работает, то лидерство проявляется в полном объеме в руководстве семьей, в поучении всех ее членов и требовании беспрекословного подчинения. Дом в такой семье — это жилище, ни в коей мере не интерьер, такие мелочи, как уют, здесь значения не имеют. В зависимости от занимаемого положения может быть либо дорогая, либо дешевая мебель, ковры, хрусталь, но женская рука не чувствуется в таком доме.

Вкусный обед, приготовленный хозяйкой, просто радостный эпизод, который очень долго помнится всеми домочадцами, если кто-то не берет на себя заботу о пище, то в ход идут либо полуфабрикаты: фарш или сосиски, либо всем домочадцам вручается какая-то сумма на обед и «клюйте», где хотите. В женском потоке Инь такие женщины обеспечивают социально-правовую поддержку, отстаивая, защищая, предлагая, внося, требуя.

Внешность значения не имеет, она может быть самой разнообразной. Естественно, если такая женщина красива и обаятельна, то ее карьера бывает молниеносной, и она быстро достигает желаемого. Иногда такую семью спасает бабушка.

Следующий тип — это женщина Инь, но это царственная Инь, где иньский мерцающий свет сочетается с Янским блеском, источник энергетической и сексуальной подпитки мужского потока. Женщина — мастер на все руки, но при этом изящная, уделяющая массу внимания себе, своему здоровью, своей внешности, употребляющая самую дорогую косметику, после пребывания такой женщины в помещении надолго сохраняется ее аромат, а, следовательно, и воспоминание. Как известно, память долго хранит запахи (учтите это, женщины, если хотите сохранить о себе воспоминание). Для такой женщины день педикюра, маникюра, укладки волос, посещение косметолога — день святой. Она никогда им не пожертвует даже ради самых важных дел, ну, а парная баня — почти как юбилей начальства. Такие дамы всегда одеты по последней моде, естественно, по мере финансовых возможностей, но всегда стремятся расширить рамки этих возможностей и не отказываются, если эти возможности представляются. Как и в предыдущих случаях, специальность — самая разнообразная. Такие женщины быстро решают все вопросы за счет своего обаяния, они пылкие и страстные любовницы (разведенная или замужняя). Если такая дама — одинокая, и попадает в общество, где собираются семейные пары на какой-нибудь «фест», она вносит тревогу и озабоченность в сердца женщин и повышенную активность и немотивированную эйфорию в поведение мужчин. Это настоящий стимулятор, дрожжи в тесте, она раскованна, мила, прекрасно танцует, кокетлива. Владыка-Ян в таких ситуациях просто теряет голову, он, как мотылек, устремляется к Огню, совершенно не осознавая, что может сжечь крылья, в лучшем случае, а в худшем — просто сгореть дотла. Смешное и жалкое зрелище, но такой стимулятор в женском потоке необходим, такая женщина стимулирует не только мужчин, она стимулирует также и женщин, заставляя задуматься, почувствовать неуверенность в своих силах, а следовательно, подумать о защите границ, обратить внимание на себя, свою внешность, манеры, походку, поведение. Надо помнить, что остановленное движение — это вырождение, стоячая вода загнивает и уже не может утолить жажду прильнувшего к ней путника. Как видите, наш женский поток нуждается во всех представителях.

Итак, основная и фундаментальная задача жизни на нашей планете — это сохранение, продолжение и улучшение рода, и для ее решения совершенно не достаточно только наличия двух полов, зачатия и рождения.

Весь процесс воспроизводства должен быть обеспечен всей системой социальной и биологической организации, где будут задействованы самые разнообразные действующие лица. На ум приходит аналогия с грандиозным спектаклем, где есть главные герои — Он и Она — и второстепенные действующие лица, обязательно влияющие на жизнь и судьбу главных героев, вплоть до всех работников театра, включая гримеров, костюмеров, уборщиц, электриков, механиков и других, без которых не мог бы осуществиться ни один спектакль. Функции этих действующих лиц должны быть разноплановыми, но направленными на осуществление одной цели и действующими, в одном направлении, а именно в плане обеспечения жизни и сохранения вида. Кроме того, глобальная проблема, стоящая перед каждым обществом, состоит в улучшении, совершенствовании вида с целью выживания и достижения гармоничной личности и общества. Вокруг этой благородной цели, вокруг этого мудрого замысла Творца вращается вся государственная машина любого общества. И если во главе такого государства стоят мудрые люди, ощущающие Бога в своем сердце и понимающие всю Его мудрость, знающие устройство Вселенной - они будут стремиться создать в обществе все условия для гармоничного развития человека, достойные словия для его прихода в этот мир и для его ухода из его.

Не касаясь в данной книге всей системы обеспечения воспроизводства Homo Sapiens всеми структурами общества, мы попытаемся высказать свою точку зрения, а именно показать участие в этом процессе и его обеспечении женской половины человечества, разнообразие и разграничение в женском энергетическом потоке характерологических типов, выполняющих две главные задачи: сохранение вида и его улучшение.

То, что Великий Господь создал нас всех разными, отличающимися друг от друга вплоть до отпечатков пальцев, но при этом огромном разнообразии смог выделить общие черты (группу крови, доминирующую стихию, уровень работы центров и эндокринных желез и т. д., позволяющих систематизировать нас всех по типам, темпераментам в зависимости от преобладания одного из двух полярных начал) говорит о его огромной Отцовской заботе о продлении рода и улучшении его. С этой же целью в переломные эпохи и годы, в судьбоносные для человека периоды для спасения и вразумления сынов человеческих Великий Владыка Вселенной посылает пророков и своего Сына явить людям свою Боговдохновенную истину.

Закон аналогии и единого Вселенского кода дан нам для понимания того многообразия жизни, которое нас окружает. А поэтому аналогию нашей жизни мы можем искать в жизни наших соседей по планете, представляющих три других царства природы, через которые прошел человек, двигаясь к совершенству, но всю целесообразность и схему сохранил в своих клетках и генах. С высоты своей гордыни человек никогда не может смириться с мыслью о том, что он происходит от животного! Но если у нас есть Душа, то почему ее не должно быть у животных? Если мы любим жизнь, почему это чувство не должно быть у животного? Если мы заботимся о сохранении вида и жизни — это присуще и миру животных. В каждой частице Вселенной есть Бог, а по образному выражению одного суффийского мудреца, «в каждом минерале спит Бог».

Человеческая Душа прошла через множество форм жизни, начиная с самых низших, переселяясь из одной в другую в зависимости от Колеса Жизни, совокупности впечатлений, сохраняющихся в нашем уме, но Свобода становится доступна ей только в Высшей человеческой форме. Древняя философия Китая говорит об «избранности человека», остальные религии выражают это в Богоподобии человека, и эта Богоподобность человеческого существа обязывает к величайшей ответственности за свою жизнь, поведение, поступки. И с горечью можно констатировать, что есть люди, которые намного хуже животных, и сравнение их с животными должно быть оскорбительно для последних!

Мы показали жизнь, способы ее сохранения и продолжения в пчелиной семье, где наблюдали глубокий инстинктивный разум — суть, опыт сохранения жизни, ушедший в подсознание. Тот же процесс мудрости и целесообразности можно наблюдать и в жизни муравьиного роя.

Попытаемся понять всю целесообразность многообразия психотипов, формирующих систему обеспечения репродукции женским энергетическим потоком. Именно необходимостью обеспечить все звенья этого процесса объясняется бисексуальность, вычленяющая один половой тип от другого в зависимости от преобладания тех или иных полярных свойств Инь-Ян и влияющая на формирование в женщине мужских черт и свойств, а в мужчине — женских. Эти особенности диктуют роль, стиль, поведение и задачи женщины и мужчины. Во всем этом есть глубокий смысл, понимание которого может изменить наше мировоззрение в Новой Эпохе, поднять нас до сознания того, что было известно древним грекам: только тот народ может быть свободным, где женщина свободна, и только свободная и счастливая женщина, глубоко образованная и духовная может притянуть аналогичную Душу. «Рабыня может воспитать только раба!»

В женском энергетическом потоке есть еще одна категория женщин, которых можно назвать «жрицами любви». Им очень быстро надоедает любой мужчина: какими бы сексуальными возможностями он ни обладал, каким бы вниманием ни окружал женщину, как бы материально ее ни обеспечивал, ее взор постоянно ищет новизну, жажда приключений толкает ее то в одни, то в другие объятия. Здесь речь идет не о продажной любви, или проституции, — такая женщина любит бескорыстно, причем каждый раз ей кажется, что новый партнер непревзойденный, именно в этот раз ее ощущения полны новизны и прелести. Независимо от того, замужем она или нет, ее идеал — свобода, хотя свобода эта призрачна, т.к. она в плену своей сексуальной зависимости.

Существует абсолютно аналогичный тип в мужском энергетическом потоке. «Это — мужчина легкий мотылек», порхающий от одного цветка к другому, в компании абсолютно незаменимый весельчак, танцор, прикладывающийся то к одной, то к другой ручке. Герой-любовник, дающий клятвы в вечной любви каждой очередной избраннице, а наутро, абсолютно забыв все клятвы, собирает нектар уже на другом цветке.

Эта патологическая сексуальность у обоих полов, напоминающая алкоголизм, наркоманию, злоупотребление транквилизаторами, является следствием нарушения гормонального баланса из-за неблагоприятной Кармы. Очень часто это приводит и к алкоголизму, так как каждое свидание обставляется как «праздник», где неизменно присутствует бутылка (в зависимости от уровня развития это может быть французский коньяк или самогон, но и в том, и в дугом случае прослеживается алкогольная зависимость), сигареты, в общем, полный букет греховных дел и неминуемая расплата. Подробно на этом мы еще остановимся при разборе Кармы. Единственно хотелось бы отметить, что красивая чистая любовь, когда двое образуют единое целое — одно нежное дыхание, единую мысль и неслыханное блаженство быть вместе — это кармическое вознаграждение за достойную жизнь, за добрые дела, за чистоту, за свет в прошлой жизни. Уметь любить — это талант, который получает далеко не каждый.

К последней категории относятся два подтипа — это замужняя женщина, где, естественно, муж должен быть очень сильный Ян, но не просто Хозяин и Лидер, а Ян-царь, властелин, Юпитер, за которого такая женщина держится мертвой хваткой, не выпускает даже агонируя, нежный романтичный мужчина здесь очень быстро надоест. И второй вариант — это свободная женщина, которой тесно в рамках семьи, она не желает давать отчет о своем образе жизни, месте пребывания, такая женщина может выходить замуж, но гнезда не совьет — это кукушка. Профессии разные, семья для нее клетка. Могут быть дети — один, двое, не больше. Но все это между делом, иногда может быть и пылкая привязанность к своему ребёнку, но скорее эгоистического толка.

Нельзя не упомянуть и женщин самой древней профессии на Земле, бедные создания, находящиеся вне потока духовного совершенствования и заполняющие, в зависимости от ранга, либо богатые отели, либо публичные дома, набережные портовых городов, сверкающие неоновыми рекламами улицы и тихие окраины. Эти бедные создания гибнут в огромном количестве, судьба их просто ужасна — гонимые и преследуемые, они зависят от сутенера или от случайного посетителя, который может оказаться маньяком, извращенцем, садистом. Они с ужасом думают о старости, каждый раз с тревогой глядят в зеркало.

Заботясь об улучшении вида, природа обрекла их на бесплодие. Очень редко у кого из них есть дети, что весьма знаменательно. Это практически бесправные и угнетенные женщины, слишком мизерную плату они получают за свой «труд» по сравнению с расплатой за распятую любовь, самое высшее в мире чувство. Но любая Душа может вернуться к Господу, и свидетельство тому — Мария Магдалина, ее трепетная Душа, которую повернул к Свету Иисус Христос и которая осталась с ним в самую тяжелую годину, когда все его покинули, даже его ученики.

Справедливость заключается в том, что за все содеянное нужно платить. На протяжении веков люди злоупотребляли и неверно использовали ту функцию, которая была дана Богом для продолжения жизни.

Вследствие проституирования, своих слабостей и своеволия, они развивали тело желаний и старались не отказывать ему ни в чем. Сексуальная энергия, полученная для универсального использования во всех сферах деятельности, растрачивалась на сексуальные наслаждения и извращения — в результате было положено начало эре болезней.

В течение всей истории человечества вокруг половых отношений накоплена масса страданий, злодеяний и грехов. Огромная семья венерических заболеваний, которая увеличивается адекватно падению нравственности, сегодня ознаменовалась последним предупреждением особенно блудливой части человечества — СПИДом. И никакими советами и рекламой презервативов, никакими марафонами сочувствия и солидарности с заболевшими ситуацию не изменить. Средство для излечения от СПИДа найдено не будет, равно как и от не менее коварного его собрата сифилиса, который притупляет бдительность заболевшего, симулирует выздоровление, а затем, предательски подкрадываясь, «бьет наотмашь», напоминая о грехе. Я в свои студенческие годы курировала женщину, переболевшую в молодости сифилисом, а затем, по мнению врачей, излеченную. Она вышла замуж, родила дочь, выдала ее замуж, радовалась рождению внучки и ... в 53 года вдруг потеряла возможность членораздельно разговаривать. При осмотре была обнаружена сифилитическая гумма в толще языка — четвертая стадия сифилиса. Через 30 лет страшный недуг напомнил о грехе молодости. К счастью, ее дочь и внучка оказались здоровы.

Возникнув в Лемурианскую эпоху, венерические болезни с тех пор шествуют, сопровождая человечество, периодически то ослабляясь, то вспыхивая вновь. Случайные половые связи на фоне выпивок, «снятия стресса» и т.д. обильно подпитывают их существование. Сам способ заражения через половой контакт не вызывает сомнений в причине их возникновения на Земле — сначала это предупреждение через более легкие формы, а затем неотвратимость наказания неизлечимыми формами — такими, как сифилис и СПИД за повторные, неконтролируемые «утехи». В этом великая мудрость Творца, напоминающего неразумной части человечества об истинном назначении сексуальной энергии. Излечение и исчезновение этих заболеваний только в возрождении нравственности, в поднятии морали, в переоценке моральных ценностей.

Омраам Микаэль Айванхов учил: «Единственное решение проблемы сексуальности заключается в манере отношения к ней мужчины и женщины, как они себя в ней видят. Причина всех беспорядков и распущенности в том, что мужчины не знают, как воспринимать женщину, а женщины не умеют понять мужчину. Если мужчина воспринимает женщину как самку, как Мессалину, как объект удовольствия, он уже этим определяет свое поведение и будет вынужден дать выход всем своим страстям. Но если он воспринимает ее как божество, то его чувства и поведение изменяются». Мудрое и справедливое высказывание — все вещи и явления в мире зависят от нашего отношения к ним, от того, как мы их воспринимаем.

В настоящую эпоху мужчины и женщины должны изменить отношение друг к другу, иначе они закроют для себя путь к эволюции. Женщина, в свою очередь, тоже не должна выискивать в мужчинах только отрицательные свойства. В большом и малом, касаясь любой сферы нашей жизни, проще и легче осуждать и обвинять, копаться, выискивать недостатки и их обличать — труднее и сложнее понять, помочь, забыть обиды и простить. Это значительно сложнее, чем злословить и осуждать, причем очень немногие из ныне живущих людей имеют моральное право осуждать других. Нравственное возрождение общества возможно в том случае, если каждый его член займется «улучшением» себя. У современного человека непоколебимая тенденция исправлять и воспитывать других, и в собственных бедах искать на стороне виновных. В Евангелии (гл. 9 Апокалипсиса) говорится: «...И освобождены были четыре ангела, приготовленные на час и день, и месяц, и год для того, чтобы умертвить третью часть людей. Число конного войска было две тьмы тем... От этих трех язв, от огня, дыма и серы, выходящих изо рта их, умерла третья часть людей, ибо сила коней заключалась во рту их и в хвостах их; а хвосты их были подобны змеям, и имели головы, и ими они вредили... И не раскаялись они в убийствах своих, в чародействах своих, ни в блудодеянии своем, ни в воровстве своем».

На "блудодеяния" указывают пророки во всей Библии, предупреждая о тяжких последствиях для рода человеческого. Статистика венерических заболеваний растет, становится совершенно неуправляемой. А на страницах «уважаемых» газетных изданий рекламируются все виды сексуальных услуг, причем их сервис все более расширяется и утончается. В одной из газет опубликовано весьма любопытное объявление: «Молодая супружеская пара приглашает молодую женщину для совместных развлечений». Какого рода эти развлечения и в какой изощренной форме они осуществляются, нормальному человеку трудно представить себе даже в кошмарном сне. Но по просчету Кармы, в наказание за такие «шалости» эта пара в следующем воплощении будет резвиться в обществе дворовых псов в качестве активных участников всех «собачьих свадеб», хотя эзотерические школы отрицают факт перевоплощения человеческих Душ в тела животных.

А с телевизионных экранов выражается полное сочувствие и солидарность с больными СПИДом, им горячо жмут руки и публично целуют. Человечество находится у роковой черты, только узкая полоска отделяет его от пропасти. Люди могут погибнуть из-за своего невежества, так как не понимают, что Новая Эпоха — это не просто смена страничек календаря и продолжение обычного потока времени.

Новая Эпоха — это новые энергии с их особенностями, приход и увеличение активности седьмого луча, а также переориентация в активности важнейших нервных центров, открытие и работа Аджна-чакры, дающей ясновидение и мощный интуитивный канал. Это скачок в эволюции, который может многих обойти стороной.

Характеризуя психотипы женского потока, надо отметить, что это женские ипостаси с разным процентным содержанием Ян энергии, с женской реализацией для обеспечения воспроизводства, но каждая приходит на Землю со своей Кармой, своей миссией, здесь «отрабатывает» свою роль, отдает свои долги и приобретает опыт. Поэтому подражать мужчине, играть его роль не имеет смысла, ведь женская логика, женский интеллект имеют свои особенности, и использование этих особенностей вносит свой неординарный подход, свой «шарм» в решение разных проблем.

Необходимо заметить, что приведенные психотипы женщин не всегда можно вписать в четко очерченную схему, существуют как промежуточные типы, так и смешанные. Встречаются женщины, в которых сплетаются лучшие черты всех типов представительниц женского пола: неординарный ум, блестящая внешность, тонкий вкус, темперамент и прекрасные качества матери и хозяйки, и весь этот букет дополняют выдающиеся организаторские способности. Такую женщину можно охарактеризовать как «счастливый лотерейный билет», но ей нужно сделать правильный выбор, этот билет на всю жизнь должен быть наградой достойному дуалу, так как вместе они могут сделать большой вклад в развитие человечества.

Случайный же выбор, энергетически несовместимый,

может «постоянно гасить этот свет», мешать в реализации творческих планов. Выбор для женщины — это определяющее всю ее жизнь решение, от него зависит ее счастье, осуществление планов, ее реализация как личности, физическое здоровье и благополучие ее детей. Поэтому, если вы поняли, что совершили ошибку, что это судьба, но не ваша — вы вправе ее изменить, это ведь ваша жизнь, и вы не просто пришли на Землю отметиться, поставить «птичку», «отсидеть» на этом земном собрании. Господь много нам дает милостей, но и вправе с нас спрашивать. Еще раз проверьте себя, посоветуйтесь с разумным психологом, знакомым с системой эзотерических знаний, определите, может быть в сложившихся негативных отношениях больше вашей вины, и страдаете не Вы, а Он, а может, объективно вы просто несовместимы, не сочетаетесь по Инь-Ян энергиям, оба больше Инь, или оба очень Ян — тогда не теряйте время, делайте новый выбор. И вы найдете свое счастье, а он — свое.

За многие годы врачебной деятельности мне приходилось очень часто видеть такие пары несовместимых людей. Расставаться нужно вовремя, не доводя отношения до озлобления, ненависти, скандалов и ссор. В цивилизованном мире люди обязаны нести полную ответственность за свои ошибки и исправлять их, сохраняя достоинство, а расставаясь, оставаться друзьями. Супружеские пары, сохраняющие любовь и взаимное уважение, оказывающие друг другу в любых ситуациях взаимную поддержку и помощь, имеют огромные заслуги в прошлых жизнях.

Обычно такие личности отмечены Господом, они получают кармическое воздаяние за добрые, светлые дела в прошлой жизни, и, как правило, это уже довольно зрелые Души, имеющие значительный положительный опыт и накопления. Об этих людях говорят, что они от Бога — это, на мой взгляд, самая высокая похвала, которую может заслужить человек. Если Бог одарил своей милостью, «он кладет ему свою руку на плечо» как знак возложенной ответственности и доверия, как знак Миссии.

ГЛАВА 2

ЗАГАДКА ПРИТЯЖЕНИЯ ПОЛОВ

Говоря о глобальной цели человечества, направленной а воспроизводство, поддержание и продолжение жизни, родуманной во всех деталях Великим Творцом, необходио выяснить, какие же механизмы целесообразности этого роцесса регулируют и осуществляют этот замысел.

Знание этих звеньев может помочь по-новому осмыслить, а осмыслив, интерпретировать роль каждого из ачал для их улучшения и адаптации к изменившимся нергиям Новой Эпохи. Человечеству дан весьма больой срок для своего духовного прозрения и очищения, и но обязано использовать этот шанс.

А отсюда к главному фактору Жизни — продолжению ода — необходимо добавить фактор обеспечения каждой личности гармоничного развития всех ее возможносей и способностей, реализации заложенных в ней ценостей. Эти два направления являются определяющими, а их основе строятся различные типы поведения, развиаются все многочисленные виды деятельности, равноенные по своему значению и роли. И среди всех сфер деятельности человечество как в прошлые века, так и в астоящем и будущем будет с надеждой обращать свой ззор к сфере здравоохранения, которая, я глубоко убеждена, в будущем будет врачевать всего человека, а именно, его тело, Душу и Дух. Целитель будущего уже будет без всякого сомнения, а с глубокой убежденностью знать, то в принципе почти все болезни — суть болезни Духа!

В данном изложении мы рассматриваем чисто поведенческие аспекты, связанные с репродуктивной деятельностью человека. Сюда конкретно можно отнести отношения полов, на этом мы остановимся несколько подробнее. Какие механизмы обусловливают притяжение полов? Почему одному мужчине нравится именно эта, а не другая женщина, которая тоже, в свою очередь, готова разделить с ним судьбу, кров? И почему в одном случае эта установка на долгосрочные отношения — судьба, вся жизнь, в другом — только ночь и одеяло?

Разгадка лежит в различии между типами, но фундаментальные принципы различий до сих пор остаются невыясненными до конца. Деление на темпераменты не может быть удовлетворяющим, оно носит весьма общий характер. Надо полагать, что в недалеком будущем в основу дифференциации типов будут положены особенности активности центров и связанных с ними желез внутренней секреции — по их комбинации и выделяемым ими секрециям можно будет четко идентифицировать эндокринологический тип и особенности его формы, личности, Души, диктующие соответствующий тип поведения. Особенности той или другой группы крови тоже, надо полагать, внесут свои нюансы в этот ансамбль. Тем не менее механизмы, которые притягивают к себе определенного мужчину и определенную женщину, еще долго останутся тайной для широкого круга людей и известны лишь узкому кругу Посвященных, владеющих тонкостью эзотерических знаний.

Австрийский ученый и писатель Отто Вейнингер, чья книга «Пол и характер» вызвала бурную общественную реакцию, полемику и споры, пытается дать ответ на вечный вопрос о роли мужчины и женщины в мироздании. При всей субъективности излагаемого материала в нем немало оригинальных мыслей и утверждений. По его мнению, каждый человек обладает по отношению к другому полу определенным, одному ему свойственным вкусом. Он утверждает, что если сравнить портреты женщин, которых любил в своей жизни тот или иной знаменитый человек, то почти во всех случаях можно найти удивительное сходство между предметами его любви, касающееся даже самых мельчайших деталей (формы рук, пальцев и т.д.).

И действительно, мы часто поражаемся, что нашел этот мужчина в этой женщине, как она может ему нравиться? И наоборот. Отто Вейнингер пишет: «... в каждом человеке находятся известные свойства, для которых вовсе не безразлично, какой именно индивидуум другого пола соединяется с ним и что отнюдь не каждый мужчина или женщина может заменить другого мужчину или женщину так, чтобы при этом не ощущалось какого-либо расстройства в проявлении полового чувства».

И действительно, каждый из нас знает из своего опыта, что одни лица противоположного пола привлекают нас, к другим мы совершенно безразличны, а третьи нас просто отталкивают. Какими же свойствами должны обладать мужчина и женщина, чтобы одна из встреч была для них определяющей в решении соединиться навсегда? Или должен каждому типу мужчины или женщины соответствовать определенный полярный тип? О. Вейнингер категорически заявляет: «Контрасты сходятся — вот ответ, который приходится слышать так часто». И далее он продолжает: «Для соединения полов нужны — совершенный мужчина «М» и совершенная женщина «Ж», хотя и разделенные в двух разных индивидуумах в совершенно различных сочетаниях».

Такая формулировка приемлема только в том случае, если мы предполагаем, что у каждого индивидуума количество женственности безусловно равняется недостатку мужественности. Абсолютно мужественное существо нуждается в абсолютно женственном, и обратно. В тех же случаях, когда при наличии большей доли «М» имеется известная часть «Ж», дополняющее существо должно принести недостающую долю «М», одновременно дополнив собой и недостающую часть «Ж».

Эта точка зрения полностью совпадает с концепцией китайской натурфилософии о единстве взаимодополняющих полярных начал Инь-Ян, об их взаимном притяжении как основе дуальности, обеспечивающей взаимную гармонию двух встретившихся полярных существ.

Мы можем утверждать, что наличие определенного полового вкуса, диктующего выбор партнера, бесспорно. Взаимодополняющая концепция андрогинна и имеет, как мы видим, свои законы, которые обусловлены связью между нашими половыми вкусами, с одной стороны, и особенностями физической и психической ориентации, с другой.

Помимо данной концепции о притяжении полов, которая, на мой взгляд, носит вполне научный характер (как и все, что накопила китайская медицина и натурфилософия, да и все человечество в целом) существует еще одно обстоятельство, которое объясняет наши привязанности в жизни и позволяет оценить силу настоящей любви, а также приглушить боль от потери близких людей (возлюбленного, мужа, детей, родителей) и дать надежду на встречу с ними. Это теория перевоплощения, объективность которой мы наблюдаем как в выборе очередного Духовного лица Тибета - Далай-Ламы, а также в весьма подробных рассказах очевидцев, узнающих людей, местность, город, страну, семью, где они жили в прежнем воплощении, причем весьма детализированно, с самыми мельчайшими подробностями.

Закон перевоплощения объясняет, почему мы любим одних и ненавидим других. Это происходит вследствие наших прежних отношений с этими людьми. Смерть не разделяет нас с тем, кого мы любили в прежней жизни. Во время длинной небесной жизни, которая у каждого индивидуальна и зависит от его задач, — у иных она может продолжаться тысячелетия — мы находимся с теми людьми, которых мы любили на Земле. И когда мы возвращаемся на Землю, чтобы выполнить очередной урок и приобрести определенный опыт, мы обычно возвращаемся с теми, кого мы любили прежде. Невзирая на то, что они могут воплощаться в разных уголках света, они находят друг друга и сходятся вместе в качестве друзей или возлюбленных; мужья, жены, родственники воплощаются вместе. Этот факт позволяет оценить силу настоящей любви — если это настоящая любовь, она не может быть унесена смертью или новым рождением, ее узы не могут быть нарушены ни на Небесах, ни на Земле.

Нередко, когда вы встречаете человека впервые и испытываете к нему необыкновенное влечение, сердечное расположение, доверьтесь этому расположению — это зов Духа через одеяние плоти! Но это должно быть глубокое внутреннее побуждение, а не взрыв сексуальной страсти. Доверьтесь внутреннему зову Духа — с этим человеком вы встречались в прошлой жизни, и вас связывала искренняя трепетная любовь. Эта теория не исключает подбор по Инь-Ян принципу взаимодополнения и гармонии, наоборот, она его подтверждает и усиливает ответственность за сделанный выбор, т.к. при удачном выборе и истинной любви вы можете практически не расставаться, а вместе проходить «земные уроки», «сидя каждый раз вместе», пользуясь «одними учебниками». И, напротив, в случае неудачно сделанного выбора, если вам не удалось ничего изменить в этой жизни, что ж — в следующей жизни у вас есть шанс все изменить с учетом своих ошибок.

К сожалению, в новой жизни мы можем встретить не только дорогих нам людей, с которыми нас связывали тесные узы любви, дружбы и сотрудничества, но и старых врагов. Эти люди нас с первого же взгляда отталкивают, к этим ощущениям надо прислушаться, там как они могут быть предупреждением, предостережением Души перед старым врагом, поэтому лучше держаться от такого человека подальше.

Этот прекрасный закон может помочь нам стать сильнее, понять, что печаль и страдание проходящи для тех, кто вечен. Это помогает преодолеть любое несчастье, любую потерю. Возможен вариант, если ваша любовь намного сильнее, а ваш избранник, на ваш взгляд, вас любит меньше, постарайтесь понять, что, возможно, в прошлой жизни вы его чем-то обидели, и сейчас, в этой жизни, вы искупаете свою вину. В следующей книге мы вернемся к этой теме, когда будем говорить о перевоплощении и о женской Карме.

Согласно закону полового притяжения, можно предположить, что, конечно, в мире имеется значительное количество промежуточных половых типов, масса соблазнов и разнообразных ситуаций, но, зная закон дуальности, основанный на вечном принципе Инь-Ян, можно найти свою утерянную половину, даже если поиск затягивается. Но это значительно лучше, чем впоследствии убедиться, что вы ошиблись, что уровень ваших интересов абсолютно разный, уровень менталитета тоже, а общее одеяло плохо греет и порой даже совсем не сохраняет тепло. И чем позже это выясняется, тем меньше шансов что-то изменить, освободить ячейку для другого, другой любви. Тогда остается одна надежда — сделать правильный выбор в следующей жизни. Поэтому не торопитесь, продлевайте испытательный срок и смело «увольняйте» невыдержавших, недостойных, неподходящих.

П. Успенский, анализируя вопрос притяжения полов, считает, что в половой жизни мужчины и женщины делятся на несколько основных типов, причем их число не слишком велико. Согласно его точке зрения, наш выбор и поиск значительно может быть облегчен. По его мнению, для каждого типа одного пола существует один или несколько положительных типов противоположного пола, которые возбуждают его желание; затем несколько безразличных и несколько отрицательных (т.е. явно отталкивающих). В связи с этим возможны различные комбинации, но в любом случае необходим союз соответствующих друг другу типов, об этом также свидетельствуют эзотерические теории, которые основываются опять-таки на особенностях половых типов.

Знакомясь с характерологическими особенностями отдельных типов мужчин и женщин, можно отметить как их отличительные, так и общие черты. В выборе им предоставляется практически полная свобода. И я повторяю еще раз то, о чем говорила во вступлении, — свободный и полный выбор определяет ваш успех, счастье, гармоничную семью. Плохой муж или жена — это не кармическая предопределенность, это ваша ошибка, ваш неудачный выбор. Кармическое наказание может быть только за предательство в любви, за отказ от настоящей любви во имя материальных благ, комфортности, удобства, за неправильный выбор. Такие решения принимаются теми личностями, у которых нет гармонии между мозгом и сердцем, когда мозг советует, диктует, убеждает, а сердце молчит и рыдает, сознавая, что ждет его владельца в этой жизни, а также в последующей. Всегда доверяйте сердцу, и вы вытянете выигрышный лотерейный билет, где выигрышем будет вся жизнь.

Как правило, в сложной сутолоке жизни, во всем многообразии ее проявлений закон притяжения и отталкивания — закон Инь-Ян дуальности — может быть нарушен, но это происходит только тогда, когда по каким-то причинам, возможно вследствие внешнего энергетического влияния недоброжелательного лица, любящие друг друга люди начинают испытывать обоюдную неприязнь, вражду и т.д. Такие отношения вполне могут распасться, если кто-либо авторитетный не разберется и не придет на помощь, не отрезвит и не подскажет путь выхода из тупика. Но люди, не совместимые друг с другом как в половом, так и в духовном аспекте, никогда не смогут полюбить друг друга, а если и соединятся в порыве случайных чувственных ситуаций, то такие отношения всегда обречены на неудачу и распад, и уже в этом случае никакой авторитетный психолог или психотерапевт ничего сделать не смогут. В лучшем случае их советы будут иметь кратковременный успех.

Огромной бедой является наша духовная слепота, особенно зловещие последствия она влечет в вопросах пола. Люди должны себе уяснить раз и навсегда, что при неправильном подборе полового партнера, при несоответствии их психотипов один или оба супруга проживут жизнь (если им удастся сохранить семью) совершенно без любви, испытывая друг к другу полное безразличие, будут искать и находить себе любовь «на стороне», т.к. природа не допускает вакуума. Любопытно, что люди всегда знали о последствиях неправильного выбора. В древние времена существовала эзотерическая идея «таинства брака». Брак совершался «посвященным», который «видел» и знал тайну эзотерических типов и мог вынести правильное решение по каждому конкретному браку. Его решение было основано на знании им особенностей типов, в том числе и совместимых в половом отношении.

Успешное сочетание типов важно не только для одной конкретной семьи, ее жизни, счастья, но и для более высоких целей эволюции. Именно эволюция и создала типы для своей реализации, для формирования более совершенных, духовно богатых личностей. В Индии существовал кодекс законов Ману, по которому все общество делилось на касты, целесообразность такого деления объясняется самой сущностью человеческой природы. Глубокого смысла преисполнены законы Ману, относящиеся к браку. В этих законах излагаются те последствия, которые происходят в результате неправильного союза людей разных каст, вернее, различных по своей внутренней природе. Отрицательные последствия наблюдаются в случае, когда мужчина имеет более высокое внутреннее развитие, а женщина более низкого развития, или наоборот.

По мнению Ману, в неравном браке низкие низводят высших до своего уровня, он утверждает, что такой неравный брак особенно губителен для женщин и их потомства. В этих законах просматривается мудрая мысль и идея, что половой инстинкт женщины — это средство отбора, поиск наилучшего партнера для рождения наилучших детей. Игнорируя этот закон, уступая своим стремлениям «лишь бы выйти замуж», женщина несет ответственность перед своим потомством и эволюцией. Это один из пунктов женской Кармы.

В жизни мы очень часто замечаем недостойное поведение дочери, сына по отношению к своей матери — истоки этого надо искать как в настоящей, так и в прошлой жизни. Поэтому еще раз повторяем, что притяжение полов или их отталкивание, множество типологических особенностей, половой инстинкт, который необходимо стимулировать, — весь этот процесс поддерживается разнородностью женского потока Инь, и все это служит единой цели — искать наилучший вариант, способствующий поддержанию жизни в ее высшей форме, и обеспечить задачи эволюции. Если же половой инстинкт ослабевает, становится невыразительным, индифферентным, когда не затрачиваются силы и усилия на поиск, — слабым расам может грозить вырождение.

Мы привели пример закона Ману как подтверждение того, что люди во все времена заботились о правильном выборе, т.к. прекрасно понимали, что от этого выбора зависит жизнь и процветание расы.

В этой связи необходимо добавить, что, не принижая значения человеческой личности, ее ценности и достоинства, так как все мы сотворены по образу и подобию Божьему и каждый из нас несет в Душе его искру, идея социального «равенства» всех и во всем приносит только вред и ухудшает положение человечества. Поэтому деление на касты в Индии или деление на классы на Западе подсознательно несет мысль о наилучшем выборе для процветания расы. Изучая законы эволюции в их разнообразных вариантах, понимаешь, что каждая человеческая личность находится на своей ступеньке длинной лестницы, ведущей к Богу, и если мы сегодня на ступеньке выше, завтра ее может занять другая Душа.

И, естественно, что кухарка управлять государством не может, это мы с большой убедительностью показали на примере нашей страны и успешно доказали всему миру, и надо полагать, этот наш опыт не пропадет, но зато очаровательная кухарка может накормить таким обедом и, при этом, проявить такое высокое кулинарное искусство, которого никогда не сможет достичь самый умный политический деятель. В этом и заключается идея «равенства» на мой взгляд.

Но люди всегда обижаются. Не знающих законов эволюции всегда привлекает идея равенства, особенно, когда за абсолютно разный вклад в сокровищницу процветания общества получают одинаковое вознаграждение, возможность реализовать только два действия математики —

«отнять и разделить». Однако история свидетельствует, что культурный и жизненный подъем наблюдались именно в период четкого разделения на классы, об этом свидетельствуют периоды расцвета Рима, Греции, XIX и начало XX века в России. Не углубляясь в историю этого вопроса, можно сделать следующее заключение: любая деятельность, направленная либо на воспроизводство рода, либо на сферу жизнеобеспечения этого рода, должна осуществляться правильным подбором действующих лиц, имеющих определенный уровень подготовки и выполняющих каждый свою роль в сложном спектакле жизни.

Видовая потребность человека в воспроизводстве и своем дальнейшем развитии имеет очень сложные и фундаментальные механизмы, которые призваны обеспечивать непрерывность процессов, ведущих к продолжению жизни. Эти механизмы были заложены при возникновении человека, и если бы не поддерживались и не обеспечивались стройной системой отбора и т.д., то, наверно, жизнь на планете давно перестала бы существовать. Современной наукой установлено, что как у человека, так и у всех млекопитающих в головном мозге, а точнее в отделах подкорки, заложены структуры, которые обеспечивают наследование форм сексуального поведения, а также навыков по выхаживанию и жизнеобеспечению потомства. Рядом с миндалиной найдены образования, связанные с сохранением вида. Подкорковые отделы мозга, в основном лимбические структуры, имеют свои «компьютеры», занимающиеся получением и обработкой информации, имеющей особое значение для выживания и сохранения как собственной жизни индивида, так и всей популяции в целом. Утверждать, что все эти удивительные механизмы, дающие возможность слаженного взаимодействия, продуманного во всех самых мельчайших деталях, обеспечивающие все необходимое для жизни, воспроизводства и развития, произошли случайно, или строить теории и гипотезы возникновения жизни без учета главного действующего лица — Великого Владыки и Творца всей Вселенной — просто нелепо и несерьезно. Во всем многообразии жизни, во всех научных достижениях прошлого, настоящего и будущего мы видим и ощущаем Великую мудрость, любовь и разум Отца Небесного, заботящегося о своих детях независимо от их цвета кожи, национальности, вероисповедания.

Наше сознание вносит свои коррективы в процесс саморегуляции воспроизводства, который осуществляется сигнальной цепочкой, начинающейся от желания сексуального удовлетворения к поиску партнера, т.е. сексуальной активности, удовлетворения этой потребности, и затем к сексуальной паузе. Саморегуляция этого процесса является весьма продуманным звеном во всей этой цепи, т.к. чрезмерная сексуальная активность увеличивает энергетические потери мужским организмом и приводит к нарушениям нормального зачатия вследствие невозможности выработать сперматозоиды, о чем даосами написаны целые трактаты, как в плане теоретических работ, так и конкретных наставлений по Дао любви и «Искусству внутренних покоев». Кроме того, весьма активная сексуальная деятельность истощает организм и ведет к снижению влечения и потенции. За все надо платить, а потому призывайте своих возлюбленных к умеренности, истинная любовь поддерживается не только сексом, но и сексом... тоже!

Кстати, зная периодичность не только своего менструального цикла, но и цикличность продукции сперматозоидов, можно расширить возможности предохранения. Это один из механизмов саморегуляции, второй и весьма важный его аспект — сохранение сексуальных проявлений или потребностей для поддержания вида на должной высоте, о чем мы уже говорили в разделе о неоднородности потока женской энергии Инь.

И еще одно важное обстоятельство: при выборе своего избранника руководствуйтесь не только сиюминутными порывами, принимая страсть за большую любовь, но не забывайте о будущем потомстве, так как только истинная

любовь двух любящих сердец может обогатить генофон[д]
человечества. Только в такую семью притягиваются высо[-]
кие Души для получения дальнейшего опыта. Об это[м]
своём долге перед человечеством должна помнить кажда[я]
женщина, когда страсть включает нижнюю чакру Свадхис[-]
тану, но забывает включить Аджну, высший центр которо[й]
своим нежным мерцающим светом Лунной природы окра[-]
шивает наши эмоции и чувства, даруя женской ипостас[и]
неповторимую интуицию, мудрость и гибкость, прелесть [и]
очарование.

ПОДБОР ПАРТНЕРОВ НА ОСНОВЕ ДУАЛЬНОСТИ

Решение проблемы пола всегда было затрудне[но]
вследствие интимности этого вопроса и неумения взгля[-]
нуть на него как на естественный и инстинктивный про[-]
цесс, такой же необходимый, как и остальные функци[и]
человеческого тела. На протяжении всего периода наше[й]
цивилизации существовали самые разнообразные взгля[-]
ды на отношения между мужчиной и женщиной, начиная о[т]
болезненных оргий с широко распространенными беспо[-]
рядочными половыми связями (ознаменовавшими возни[к-]
новение венерических болезней в Лемурианскую эпоху[,]
тяжкое наследие которой окрасило все века, и наш[ей]
частности) и заканчивая моногамией. В результате все[х]
этих воззрений сформировалась система взглядов, утвер[-]
дившая ограничения и строгость по отношению к женщин[е]
и оправданную обществом вольность для мужчин.

На протяжении всего периода существования челове[-]
чества люди злоупотребляли, извращали и неверно ис[-]
пользовали дарованную Богом функцию взаимного притя[-]
жения, продолжения рода, гармонии отношений, и тогд[а]
отсутствие контроля над своими желаниями положил[о]
начало болезням, как умственным, так и физическим[.]
Исходя из чисто медицинских и физиологических аспек[-]
тов, на основании изучения медицинских трактатов [и]
эзотерических знаний, можно утверждать, что угроза не[

благоприятных последствий для будущих поколений коренится как в беспорядочности половых связей, так и в несчастливых браках, не освященных духовностью и любовью. Эта важная мысль находит свое яркое выражение в уже упомянутом мифе об Андрогине, где говорится, что человек может быть счастлив только тогда, когда он найдет свою половину. При поиске этой половины должна учитываться, прежде всего, психологическая совместимость двух потянувшихся друг к другу людей: совместимость, как правило, определяется одинаковым уровнем эволюции Души и доминирующим в этом воплощении центром. К уровню эволюции и доминирующему центру применимо образное выражение А. Бейли о людях, развитых ниже диафрагмы и выше диафрагмы — имеется в виду преобладающая работа нервный центров — чакр, с которыми вы уже познакомились несколько ранее.

Андрогинная проблема находит свое яркое выражение в натурфилософии Китая о взаимодополняющих Инь-Ян. Исследования К. Г. Юнга, Э. Фромма, Э. Кречмера, П. Ганушкина и других мыслителей по изучению психологических типов имеют огромное прикладное значение в плане индивидуализации лечебного процесса, характерного для китайской медицины, и что не менее важно, в подборе своего полярного партнера для создания семьи, подбора психологически совместимых и дополняющих друг друга сотрудников коллектива, экспедиций, путешествий. Гармоничный выбор является частью решения проблемы профилактики стресса, который является причиной несовместимости в браке, в коллективе. Эту древнейшую проблему полярности Инь-Ян литовская ученая А. Аугустинавичюте выразила понятием «дуализация». Психика человека напоминает магнит, образованный из двух полюсов, только полюсы магнита всегда вместе, а человек всегда ассиметричен, его вторым полюсом является другой человек. Найти свою вторую половину и обрести гармонию и счастье в огромном мире психологических типов весьма трудно и не всегда осуществимо. Ведь не зря существует истина, что «браки заключаются на небесах», браки, заключенные наспех, только из желания выйти замуж или из страха одиночества,нагромождают конфликты, противоречия, стрессы и целый ряд психосоматических заболеваний. Жизнь человека складывается счастливо и гармонично, если он имеет любящего и полярно дополняющего партнера, обеспечивающего его психический баланс. Огромной ошибкой как в выборе партнера, так и в нашем требовании к людям, детям и близким является моделирование поведения, психологического типа по своему образу. Господь создал нас всех разными для выполнения больших задач эволюции, разделив на группы, типы, окрасив наши личности энергиями разных эпох, климатических зон, национальными особенностями. И для выполнения сложнейших задач эволюции жизни на Земле мы должны подбирать не психологически подобных себе типов (как правило, однотипные индивиды не уживаются), а взаимодополняющих, полярных. Буйство пламени, не остановленное водой, может привести к катастрофическим последствиям. Кроме того, глубокое понимание, что непонятное нам поведение партнера, особенности его личности, те или иные поступки обусловлены его психологическими качествами, его психической структурой, может дать две возможности: 1) найти компромисс и пути приспособления, без раздражения, с пониманием и уважением, с акцентом на положительных аспектах Души и личности партнера, не концентрируясь на отрицательных; 2) при невозможности найти пути к взаимному существованию нельзя надеяться, что «стерпится, слюбится» — не стерпится и не слюбится, а будут накапливаться раздражение, агрессивность, нетерпимость, а порой и злоба. О таких ситуациях образно пишет арабский поэт и мыслитель Джебран Халиль Джебран: «Муж и жена чувствуют взаимное отвращение, ссорятся и становятся чужими друг другу, но не проходит и дня, как их родственники устраивают совет и находят способ примирить супругов; они приглашают жену и пичкают ее лживыми поучениями, которые заставляют женщину краснеть от стыда, но не в состоянии убедить, а затем призывают мужа и набивают ему голову красивыми словами и примерами, которые заставляют мужчину смириться, но не могут изменить его мнений. Так достигается согласие — временное согласие между супругами, которых насильно заставляют жить под одной крышей, и это продолжается до тех пор, пока не начинает слезать золото и не прекратится действие боле-утоляющего средства, изобретенного родственниками, и мужчина вновь начинает проявлять отвращение и нена-висть, а женщина жаловаться на свои несчастья». А след-ствие всего этого — глубокие невротические срывы с нарушением функции внутренних органов, безысходность, отсутствие смысла и цели в жизни. Одной из главных причин скороспелого выбора в жизни является сексуаль-ный компонент, он на первых порах играет определяющую роль, окрашивая все отношения между партнерами. Осно-вополагающей должна стать истина, что лишь гармонично поляризованные люди, психически совместимые, являют-ся абсолютно совместимыми и в сексуальном отношении, либо легче находят пути к сексуальной совместимости. Тогда как сексуальное влияние без психического дополне-ния и единства, принимаемое за любовь, обычно несет горечь разочарований в жизни и самой любви, а также в семье.

Два человека, сочетающие в себе равновесие качеств Инь-Ян, способны вынести любые семейные штормы, подъемы и падения, материальные затруднения и обрести желаемое. Такие пары имеют общие интересы, но реали-зуют их по-разному, каждый в меру своей активности и способностей, но в общих интересах. Отсутствие общих интересов — первый признак несоответствия. Правиль-ный андрогинный подбор — это супружеская пара, пред-ставляющая одно общее «Я». Совместная деятельность осуществляется как стройное звучание одного оркестра, состоящего из разных инструментов, но доставляющего огромное удовольствие во всех аспектах взаимоотношений. В таких семьях воплощаются прекрасные Души и дети повторяют, как правило, положительный опыт своих родителей. Подробно об этом мы еще поговорим.

Весьма существенным является то обстоятельство, что в гармоничных семьях значительно меньше заболеваний, а больные быстрее выздоравливают — атмосфера любви и внимания сама по себе обладает целительными свойствами, да и воля и стремление к выживанию в этих семьях выше, чем в неблагополучных, раздираемых ссорами и противоречиями, где порой у человека нет цели, жизнь кажется бессмысленной, и как следствие — резкое снижение психического иммунитета и воли.

Крайне важно, чтобы союз двух, разделенных в свое время Зевсом людей, был гармоничным в трех планах — физическом, эмоциональном и ментальном. В этом случае была бы решена задача, которую поставил Господь при создании мужчины и женщины. Только в этом случае это будет истинный брак, в котором Душа может быть обеспечена необходимой для воплощения формой. Если родители чисты физически и эмоционально, то такова будет и природа их ребенка. Еще раз цитируем арабского поэта и прозаика Джебран Халиль Джебрана. В своем сборнике «Слеза и улыбка» он пишет: «Именно здесь любовь начинает слагать поэму жизни и создавать из смысла бытия крепость, воспеваемую временем. Именно здесь страсть срывает покровы с загадок минувшего и создает из крупиц наслаждение счастья, с которым может сравниться лишь счастье Души, обнимающей своего властелина. Брак — это союз двух божеств во имя возникновения на Земле третьего божества; это соединение двух сильных в своей любви для борьбы с вечностью, слабой в своей ненависти, это смешение красок, рождающее цвет, подобный цвету небес перед восходом солнца. Это отказ двух Душ от противоречий и слияние их в союзе. Это золотое звено в цепи, начало которой — взгляд, а конец — бесконечность, это прозрачный дождь, являющийся с чистого неба на священную природу, чтобы пробудить к жизни силы блаословенных полей. Если первый взгляд возлюбленной напоминает семя, брошенное любовью на ниву сердца, а первый поцелуй ее уст подобен первому цветку на ветви жизни, то брак — это плод первого цветка, выросшего из первого семени».

Мы уделяем этому большое внимание, так как в Эпоху Водолея изменяется энергетический фон, люди будут достигать более высокой стадии развития, и следовательно, будет совершенствоваться институт брака.

Всякие теоретические предпосылки обладают ценностями, если они имеют прикладное, чисто практическое применение. Я надеюсь, что мне удалось убедить вас в равноценности полов и в возможности обретения личного счастья в том случае, если удастся отыскать в этом громном и подвижном мире свою андрогинную половину, с которой вы будете составлять единое «Я». Тогда не нужно будет долго и настойчиво убеждать своего партнера в том, что вам кажется единственно верным, а он или она поймет вас с полуслова, легкого прикосновения руки, добрительно брошенного взгляда. Вопрос этот не простой, ведь неудачный выбор — это не только ваша проблема, в этой неудаче участвует значительное количество действующих лиц, на которых вы индуцируете не радость и счастье, а свою подавленность, безысходность, тоску и слезы. Это, во-первых, ваши дети, которые наследуют не положительный опыт, а трагический, их ауры заполняются мрачными красками; сопереживающие вам родные и близкие, которые страдают с вами наравне, а иногда и больше; и, наконец, сотрудники, которым вы отравляете жизнь своим тоскливым видом, поскольку поле такого свойства передается окружающим. Недаром на одном из предприятий Японии через проходную не пропускают людей в мрачном и подавленном настроении, т.к. свое настроение они распространяют на окружающих, в результате чего, как было установлено, снижается производительность труда.

Попробуем, исходя из натурфилософии Древнего Ки-

287

тая, полярности Инь и Ян, определить, какие партнеры могут в жизни составить взаимодополняющие семейные пары и прожить свою жизнь счастливо, с радостью встречая очередную дату своей свадьбы. Но хочу предупредить, что помимо механизмов Инь-Ян, в жизни есть много очень серьезных и объективных факторов, которые играют ведущую роль в счастье двоих, решивших объединиться для совместного выполнения земных задач. Решающее и главное условие — одинаковый уровень духовности и возраст Душ. Во многом это зависит от пробуждения психических центров и их функционирования в данном воплощении.

Рассмотрим типичный вариант. Мужчина с ярко выраженным Ян-принципом наделен властью и любит властвовать, причем на первое место выступают такие качества, как логика, воля, разум. Он оценивает в людях прежде всего не интеллект и тонкость восприятия мира, а умение рационально действовать. Очень любит общество и постоянно ищет общения, в компании он весьма подвижен и шумлив, всегда стремится быть в центре внимания и подчинить себе других. Это ярко выраженный тип руководителя. В людях отмечает элегантность и физическую форму, внешность, в общем, все, что вызывает внешние эффекты. Любит красивую одежду, но она должна быть функциональной и удобной, так же, как и все, что его окружает. Он обладает необузданным динамизмом, весьма плодотворной деятельностью во всех сферах, в которых прилагает свои усилия, отличается живостью жестов и слов. Его понятие о любви и влечение к противоположному полу окрашены логикой и вполне сознательны — это его убеждения, он считает их единственно правильными. Он умеет любить и быть любимым, чувствует потребность в любви, но его любовь не романтического свойства, пылкие признания и слова любви ему не присущи, в любви он тоже ищет логику. И хотя ему доступна любовь с первого взгляда, он боится поверить в нее, чтобы не обмануться. Во всем он привык полагаться на себя и свои силы, в своих действиях он уверен и доверяет больше рассудку, чем интуиции, не верит в случайности, больше полагаясь на логику и продуманность своих поступков, добиваясь всегда и во всем ясности, уверенности и убежденности. Он не отдаст своей любви тому или той, в ком сомневается или не доверяет чистоте ее помыслов. В любви он не терпит опеки и не может полюбить того, кто слишком самостоятелен и не нуждается в его заботе и внимании, скорее ему нравится опекать партнера, больше привлекает его беспомощность, чем независимость и уверенность в себе. Как правило, умеет рисковать, но, разочаровавшись в своем выборе, прерывает отношения. В партнере он ищет одобрения своим поступкам, своим заботам, своим действиям. С таким человеком можно легко идти вместе, если вы его поддерживаете, не портите ему настроение, находитесь всегда в форме, милы и улыбчивы, тогда он может гордиться вами, вашими достижениями и успехами, но желательно, чтобы эти достижения и успехи были в другой области, другой сфере.

Вам, наверно, ясно, что если в семье два руководителя, два янских типа, то здесь можно говорить скорее о соперничестве, нежели о дополнении и гармонии.

Кого можно рекомендовать в партнеры вышеуказанному типу Ян? Что необходимо для того, чтобы семья была гармонично взаимодополняющей?

Чарлз Дарвин в книге «Происхождение человека и половой отбор» (1871 г.) считал непреложным фактором психологические различия между полами, утверждая принцип дуализации, психологического дополнения: агрессивного напористого мужчину дополняет пассивная нежная женщина. Этот вариант может иметь место в обратном соотношении полов.

Какую же партнершу мы могли бы порекомендовать в спутники жизни выше охарактеризованному типичному представителю энергии Ян для дополнения и создания целостного психотипа? В данном случае подходит женщина, из которой не фонтанируют идеи, которая не создает самостоятельных предприятий, не обладает качествами руководителя, не проявляет собственной инициативы, ждет приглашения на танец, на работу, признания в любви, мечтает создать семью, и в этой семье несет бремя своих обязанностей тихо и незаметно. Такая личность дополняет и практически создает условия для реализации более сильной личности. Добросовестно и продуктивно помогает партнеру выполнять свои задачи, делает за него все, что он не может. Такая партнерша незаметно, но целеустремленно и направленно помогает своему «Владыке» обрести устойчивое положение в обществе, материальные блага, играть видную роль, сама при этом всегда находится на втором плане, на страже собственных интересов, не допуская постороннего влияния на своего партнера и советов со стороны, иными словами «несет вахту» оберегая и защищая свою границу и завоеванные позиции. Такая жена прислушивается ко вкусам своего мужа, может неукоснительно выполнять любые его требования, касающиеся даже сугубо женских дел (мода, прическа, косметика). Такая Инь-особа готова отказаться от устоявшихся, приобретенных годами собственных вкусов в угоду своему янскому повелителю, который не мог бы сосуществовать с человеком, имеющим свое принципиальное мнение по ряду вопросов и отказывающимся изменить его в угоду другому.

Нам будет вполне ясно, что для ярко выраженного психотипа Ян нужна скромная, тихая, с морем богатых, но спокойных внутренних чувств, с тонкой интуицией женщина, умеющая снять эмоциональное напряжение с одной ей присущей возможностью приспособиться к настроению, эмоциональному фону, ненавязчиво разрядить обстановку, приласкать и успокоить, дать почувствовать, что мир семьи — это самая надежная крепость, способная устоять и выдержать любой шторм, любую бурю и натиск. При всей хрупкости, тонкости чувств, мягкости и гибкости такая партнерша весьма устойчива, душевно богата, даже несколько самоуверенна.

Особы Инь иногда производят впечатление замкнутых,

овольно холодных, но внутри у них бушует пламя страс-
ей, иногда это «тихие омуты» с огромным внутренним
иром, с гаммой всех чувств и оттенков. Но, как правило,
сли говорить о сексе, то их больше волнуют романтичес-
ие отношения, любовь платоническая, возвышенная. Они
енавязчивы и не требуют постоянных словесных увере-
ий в любви, не нуждаются в постоянных ее доказательст-
ах. С их тонким внутренним мироощущением они без-
шибочно могуть отличить истинное чувство от деклари-
ованного, искреннюю привязанность, диктуемую необхо-
имостью друг в друге, от искусственной или увидеть
тсутствие этой необходимости, когда партнеры, кроме
овместного тусклого проживания и общего семейного
юджета, не дают ничего друг другу, уже не говоря о
заимности душевного обогащения и дополнения. Такое
овместное «одиночество» значительно страшнее, чем
росто одиночество. Оно культивирует постоянное раздражение, неудовлетворенность, депрессию. Это, естес-
венно, затрудняет процесс развития личности, ее эволюцию, и, что весьма опасно, может привести к переключе-
нию энергии центров на более низкий психический уровень. Но психотипу Инь, при всей тонкости и кажущейся
холодности, нужно постоянное внимание и оценка ее
личности. Своих чувств она стыдится, старается их не
афишировать, для нее характерен «комплекс» страха,
связанный с боязнью быть смешной, униженной. От своего янского партнера она требует нежности, защиты,
выполнения обещаний, заботливости, вежливости, а самое главное, что ей импонирует — это наличие у партнера
собственного принципиального мнения, которому легко
довериться, а не беспочвенных словесных размышлений и
разглагольствований.

Психотип Инь рядом с «расплывчатым», неконкретным
партнером чувствует себя ненадежно, мечется и, в принципе, несчастен. Психотипу Инь необходима твердая
рука и умение партнера взять на себя ответственность за
семью, события, взгляды. Эти люди весьма мечтательны,

порой живут в мире грез, но по мере возможности он реализуют свои мечты и счастливы внутренней тихо радостью, которая проявляется в глазах, в облике, а н шумно и не бурно. Их нельзя упрекнуть в отсутстви собственного мнения, собственного вкуса, желаний взглядов, но ради гармонии и взаимопонимания они могу поступиться всем этим и приспособиться к партнеру Более того, выясняются даже сокровенные чаяния партне ра, невыявленные желания и выражается готовность к ни приспособиться. Эта полярная андрогинная природа че ловека при правильном подборе недостающих качест составляет истинную гармонию во всех сферах, в частнос ти и в семье.

Два однополярных индивида, из которых каждый пре тендует на одну и ту же роль в этом сложном жизненном «спектакле», очень образно напоминают театр, где на одну роль претендуют несколько актеров, поэтому, кроме со перничества и самоутверждения, ожидать в такой ситуа ции семье ничего не приходится.

Между этими двумя психотипами Инь и Ян существуют естественно, и промежуточные варианты, в каждом Ин присутствует элемент Ян и наоборот, но для подбор важно ключевое преобладание, принципиальные черты, не второстепенные качества, которые не являются опре деляющими. При добрачных встречах можно, пользуяс нашей таблицей признаков личности Инь и Ян, поставит перед собой ряд вопросов и получить нужный ответ.

Еще раз хочется подчеркнуть мысль, что преобладание тех или иных свойств в психотипе личности, на мой взгляд, зависит от задания данного воплощения и реализацию его обусловливают знак зодиака, время, год и регион рожде ния. А все остальные ценности, которые приобретает индивидуальность в процессе жизни, зависят от ее микро и макроокружения, семьи, школы, общества.

Мы привели только общую схему полярных, дополняю щих свойств, она рассчитана на замену одних полороле вых полярных свойств на другие. Иными словами, сцена-

...й может быть проигран, если брачными партнерами
...дут выступать янизированная женщина и инизирован-
...ый мужчина.

КРАТКИЕ ОПРЕДЕЛЕНИЯ ОСНОВНЫХ ХАРАКТЕРОВ
ПО ТИПУ ЯН И ИНЬ

**...ытливый,
...юбознательный Ян** — характер чувствительный, спонтанный, живой, добровольческий, разум пытливый, быстро понимающий, обладает интеллектом братства, сотрудничества.

...ластический Ян — характер открытый, любит прекрасное, развито чувство прекрасного, добрый, милый, податливый, в гармонии с окружением, любит комфорт, непостоянный, изменчивый, отсутствие инициативы, воли, не очень самолюбивый.

**...епостоянный Инь
элементами Ян** — характер гибкий, легко адаптируется, любопытный, утонченный, ум живой и бдительный, снисходительный, красноречивый, элегантный, любит путешествия, поверхностный, поддается влияниям, неуверенный, нервный, болтун, эгоист.

...амолюбивый Ян — любит господствовать, руководить, быстро реагирует, страстный, творческое воображение, любовь к большим вещам, ум практичный, самонадеянный, высокомерный, поверхностный, чрезмерное самолюбие, тиран.

Гармоничный Ян с элементами Инь	характер щедрый, искренний, доброжелательный, дружеский, откровенный, любит путешестви гордый, избегающий волнений, покровительствующий.
Бурный Ян холерический	характер спонтанный, вспыльчивый, буйный,энтузиаст храбрый, отважный, решительный, лояльный, холери агрессивный, резкий, боится одиночества, транжир.
Замкнутый Ян с элементами Инь	характер думающий, честолюбивый, любит рассуждать, терпеливый, настойчивый, предвидящий, любит учиться, очень скрытный, легко в себе сомневается, бережливый, скупой, не терпит сюрпризов, осмотрительный, любит общество,но боится интеграции.
Консервативный Инь	характер чувствительный, трудолюбивый, осмотрительный, имеющий сноровку, консервативный, кроткий, милый, демонстративно спокойный, необходимы физические нагрузки, сильные внутренние эмоции, требует стимуляции, боится изменений, упорный, любит деньги и земельную собственность.
Уравновешенный ДЭН	характер аккуратный, точный, аналитический, трудолюбивый, любит точность, эклектический, стремится к

	совершенству, добросовестный, отважный, нервный, разум не очень сверкающий, скупой, карьерист, испытывает недостаток человеческого тепла, должен разложить на факторы любую проблему, которую хочет решить.
Лимфатический Инь (Лунный)	чувствительный, поглощающий, снисходительный, терпимый, интуитивный, хорошо ассимилирующий, щедрый, гостеприимный, идеалист, воля непостоянная, несмелый, колеблющийся, неумелый, пренебрежительный, нет полета, апатичный, романтичный, беззаботный.
Упрямый Ян с элементами Инь	терпеливый, приветливый, деликатный, с воображением, реагирует на чувства, упрямый и стойкий, хоть на вид непостоянный, не нежный, хоть легко ранимый, нет воинственности, гордый, подозрительный, несмелый, трудно привязывается.

Согласно этой таблице, необходимо оценить свой характер, а уже затем характер партнера. После чего выяснить для себя возможность совместимости, реализации.

ГЛАВА 3

ЛЮБОВЬ — УНИВЕРСАЛЬНЫЙ ЗАКОН ВСЕЛЕННОЙ

Одна любовь — и больше ничего,
Одна любовь — и ничего не надо.
Что в мире лучше любящего взгляда?
Какая власть! Какое торжество!
Вы скажете: «Но существует зло,
И с ним добро обязано бороться!»
А я вам дам напиться из колодца,
Любовь и нежность тоже ремесло.
Любовь и нежность — тоже ремесло
И лучшее из всех земных ремесел,
У ваших лодок нет подобных весел,
И поглядите, как их занесло!
«Увы, мой друг, — вы скажете, — как быть;
Любовь и слабость или злость и сила,
Кому что надо и кому что мило:
Вам — драться, им — ломать, а мне — любить».
А мне — во имя Сына и Отца,
Во имя красоты, во имя лада...
Что в мире лучше любящего взгляда?
И только так, до самого конца!

Марлена Рахлина

На всем протяжении истории человечества, с момента разделения полов и до настоящего времени, пол и сексуальность составляют значительную часть культуры человечества. С одной стороны — Восток с его натурфилософией, оценивающей воспроизводящую силу энергии семени Цзин как главенствующую, определяющую жизнь, здоровье и долголетие индивида, с другой - гениальный З. Фрейд, увидевший универсальность проявления сексуальной энергии и различные пути ее утилизации. Несмотря на критику его отдельных взглядов и концепций, его вклад в психологию огромен.

В Каббале семя считается воплощением и источником жизненной силы, в ее текстах записано: в яичках «собрано все масло, достоинство и сила мужчины со всего тела». Индийские Риши отождествляли семя с абсолютным идеальным началом: «Поистине, этот (Атман) сначала становится зародышем в человеке». В Упанишадах это сравнение с Атманом, лежащим в основе мироздания, носит вполне определенный смысл: «Это семя — силу, собранную из всех членов тела, — носит в себе, как Атман» (человек — Э. Г.). В Бхагавадгите сказано, что в семени содержится сущность человека, а акт зачатия, оплодотворения священен.

Мифология мира дает нам в поэтических символах непосредственное изображение и культ мужских и женских половых органов, отождествляя их с плодородием, источником жизни и процветания. Например, крест символизирует активное мужское начало, изображает фаллос (мужской половой член) и воплощает плодородие, а сочетание креста с кругом - символ единения мужского и женского начал, — символ рождения жизни. Интересна символика свастики, изображающей крест с развернутыми концами влево или вправо: левосторонняя свастика - это женское начало, а правосторонняя -- мужское.

Мужские половые органы символизируют общее одухотворяющее начало. В Древней Греции, например, перед храмами стояли гермы -- квадратные колонны с мужской головой и эрегированным половым членом, без рук и ног, таким гермам поклонялись как Божеству. В Древнем Риме маленьким детям вешали на шею фаллические амулеты-обереги, защищающие от злых намерений и «дурных» глаз. В Индии фаллос — «лингам» — выступает как религиозный символ. Женские половые органы символизировали источник жизни —

древнеиндийское «йони», они связывались с таинственным темным началом, с опасностью, угрозой, смертью. Возвращение юноши в материнское лоно в ритуалах инициаций означало смерть с последующим возрождением.

Шумерские тексты при изображении мужчины и женщины использовали упрощенные изображения гениталий, а женатый мужчина изображался в виде совмещенных половых органов.

В древности половой акт являлся синонимом и символом всякой деятельности и предполагал активность, действие, силу, волю, могущество, власть, удовольствие, инстинкт, желание. Иными словами, имеется универсальное отождествление Космической энергии с актом оплодотворения. Вот почему слово «эрос» означало не только любовь, но и универсальную силу, объединяющую первоначальные элементы мира, отсюда и универсальность значения любви как понятия созидания, творения, рождения. Поэтому и половой член мужчины представляет в этом процессе активное, динамичное, творящее начало, орудие труда.

Весьма интересно, что определенные музыкальные инструменты представлялись как чисто женские или чисто мужские, или же их сочетание. Например, барабан — женское начало, женский половой орган, а палочки барабана символизируют мужской половой орган. В данном случае палочки — тот активный деятельный элемент, который при ударе заставляет звучать с определенным чувством женский пассивный половой орган.

Женское влагалище отождествляется с пассивным началом, сосудом, долиной, пещерой, отверстием, дырой, ямой — с чем-то таинственным, неизведанным, в общем, с тайной, так как оно скрыто. В отличие от мужского полового органа Ян, внешняя часть которого открыта взору и Солнцу, женские половые органы Инь скрыты, обращены вовнутрь, в темноту, а потому загадочны и возможно, таят опасность.

Такое расположение мужских и женских половых органов, возможно, сыграло определенную роль в отношениях полов и в подсознательном олицетворении женщины с опасностью, тайной, а также объясняет неограниченную возможность женщины дебютировать в половом акте независимо от желания и ограниченность в этом аспекте мужского дебюта, непредвиденные провалы, срывы, которые очень травмируют мужскую психику.

Олицетворение фаллоса с «желанием» весьма характерно для индийской космогонической концепции, по которой в Ригведе «желание» было первичной космогонической силой, сотворившей мир.

* * *

Все сказанное есть вступление к большой теме Любви, к теме вечной и прекрасной, как мир, как сам Творец, создавший два начала, два противоположных пола, опыт такого совершенства, такой движущей силы, которая способна обеспечить жизнь — вечное существование и гармонию. Мужчина и женщина — вечная тема. Это две противоположности, столь необходимые друг другу, постоянно нуждающиеся друг в друге, их полярность обусловлена разностью задач, поставленных перед ними Творцом, они должны дополнять друг друга и в свете большой любви делать жизнь стабильной и прекрасной.

Если вспомним миф об Андрогине, то, вероятно, согласимся, что у каждого из нас живет в глубине души и в подсознании тот идеальный образ, который мы утратили когда-то — когда произошло разделение полов. А, возможно, мы ищем ту половину себя, того возлюбленного, с которым мы изведали все прелести любви в прошлых воплощениях, вполне вероятно. Но абсолютно определено одно, жизнь — это поиск любви, поиск счастья, той птицы с прекрасным оперением, которую каждый окрашивает в свои любимые цвета. И счастлив тот, кто находит свою любовь и свою птицу счастья.

СВЕТ ЛЮБВИ — УНИВЕРСАЛЬНАЯ ЦЕЛИТЕЛЬНАЯ СИЛА

Древнекитайский философ и учитель Лао-Цзы причислял любовь к семи главнейшим эмоциям, тем самым определив ее роль в жизни отдельного человека и мироздания в целом. Можно смело утверждать, что ни одному из чувств в мире, ни одному из явлений не посвящено столько вдохновенных и пламенных строк, столько произведений искусства всех жанров и направлений, столько трактатов и исследований. И, наверно, как все в мире подчинено Великому пределу Тай-цзи, Инь и Ян, в любви наряду с прекрасными и трепетными мгновениями, радостью и светом, счастьем и экстазом существует огромное количество разбитых сердец, поломанных судеб, несостоявшихся надежд, неосуществленных грез.

А ведь если вникнуть в историю мира, в историю человеческих отношений, в историю падений, несчастий и преступлений, во всем этом прослеживается одно обстоятельство — неумение любить, сублимация любви, замена ее ненавистью, яростью, выводящей из строя внутренние органы и замыкающей круг патологических чувств, поддерживающих патологию внутренних органов. Любовь — это эмоция Сердца-Души, тонкая материя, вибрирующая с огромной частотой, на уровне Духа, и на пике этой вибрации излучающая ослепительный свет. Такова сила любви к Богу, к сотворенному им миру, ко всем стихиям и тварям, к мужчине и женщине, к своим детям и близким. И пока мы воспринимаем мир только через пять органов чувств, мы не в состоянии будем дать научную интерпретацию этому удивительному феномену, имеющему глубокую энергетическую основу.

Попытки объяснить любовь с чисто материалистических позиций биологии и химии сделал американский журнал «Таймс»: «Влюбленные часто говорят о состоянии любовного опьянения, и это не эмоции... Оказывается, взгляд, касание рук, запах вызывают целый поток различных химических веществ, который расходится по крови, вызывая румянец на щеках, учащенное дыхание, состояние эйфории. Происходит это из-за того, что выделяемые мозгом вещества являются природными амфетаминами. Однако их действие невелико...» Ученые определяют еще одно химическое вещество — окситоцин, также причастное к чувству любви. Выделяемое мозгом, оно делает нервные окончания более чувствительными и стимулирует мышечные сокращения, побужд1ая к интимным контактам.

Но подобный химизм любви не объясняет, почему мы любим именно этого мужчину и именно на этом мужчине «сошелся клином белый свет», он для нас единственный и неповторимый, свет в нашем окне, а ведь амфетамин и окситоцин выделяются всеми. Возможно, эти вещества выделяются позже, после того, как найден Он, твоя судьба, и эти вещества просто поддерживают определенный уровень «счастья» от близости. Загадка и тайна любви в лабораториях найдены не будут, их надо искать в глубинах эзотерических знаний, в древних мистериях, в законах работы тонких энергий, еще не доступных современному человеку. Да и нужна ли анатомия любви? Людям необходимо знание о подключении к высокой энергии духовной любви, т.к. «низшая любовь» подпитывает лишь сущностей низшего астрала.

Вот что по этому поводу говорил Омраам Микаэль Айванхов: «Все те, кто изучали проблему сексуальности — физиологи, психиатры, сексологи, — никогда не касались того, что происходит во время сексуального акта в тонкой эфирной сфере. Они знают, что происходит возбуждение, напряжение, эманации, и они их даже классифицировали. Но они не знают, что, когда речь идет о сексуальности в чисто физическом, биологическом, эгоистическом плане, о в тонких планах происходят разного рода вулканические извержения, проявляющиеся в грубых формах, очень плотные туманные испарения тусклого цвета с преобладанием красного, скорее грязно-красного цвета...

И все эти эманации обрушиваются на Землю, где темные создания ждут, чтобы напитаться и насладиться этими жизненными энергиями. Именно слабо развитые создания часто питаются около влюбленных. Вы удивлены, но это правда: влюбленные задают пир в невидимом мире...» Далее он продолжает: «Когда мужчина или женщина увлечены друг другом, любят друг друга и соединяются, они тоже задают пир, открытый для многих созданий. Даже если их союз остается тайным, им наносят визиты из невидимого мира и, к сожалению, именно злые духи, элементарные существа приходят угощаться и все поглотить, потому что в этих излияниях влюбленных очень мало элементов для Души, для Духа, для Божественной сферы. Вот почему взаимообмен влюбленных не всегда приносит им пользу: напротив, они даже обедняют себя; в их взглядах, в цвете лица, в движениях, во всем их облике появляется что-то неживое, померкшее, потому что низшие проявления их любви привлекли темные существа. Почему они не пригласили духов природы, ангелов и всех светящихся существ, которым тоже нужно питаться?»

И не только низшая любовь привлекает темных существ, но и алкоголизм, наркомания и другие пристрастия. Природа этих явлений, неизвестна науке, которая безнадежно пытается лекарственными методами лечить эти недуги и пороки, разрушающие Дух, Душу и тело. Синтетические лекарственные средства воздействуют только на физическое тело, причем не всегда благоприятно. Для лечения этих патологических пристрастий, где к астросому такого зависимого человека присасываются сущности бывших алкоголиков, необходимы методы воздействия, направленные на астральное тело — гомеопатические средства, обращение к Высшим силам и «кодирование» с их помощью. Такой комплексный метод: травы, гомеопатия, акупунктура и обращение к Богу и светлым силам дали мне возможность вернуть «заблудшие души» их семьям и обществу. Пациенты, прошедшие такой курс лечения, не пьют уже более 10-15 лет.

Вернемся после этого краткого отступления снова в мир Любви и обратимся к мыслям Великого учителя О. Айванхова — к его утверждению об истощенности, обесточенности партнеров, занимающихся только эротической стороной любви, лишенной ее духовного компонента. Мне хочется поговорить и предостеречь от «прилюдной» — мне кажется удачным такое определение — любви. Речь идет о любви в поездах, других видах транспорта и общественных местах. Мне плохо верится, а я не ханжа, что такая «любовь» искренна, а не есть некая работа на публику, этакий вызов обществу, ложная распущенность. И абсолютно точно подметил великий философ — в облике этих «любящих» есть нечто поблекшее, неживое. Реакция же пассажиров и прохожих на такую «выставку-продажу» чувств всегда негативна и очень часто, по моим наблюдениям, враждебна. К великому сожалению, эти молодые люди, вероятно, не осведомлены о сильнейших энергоотрицательных воздействиях на их судьбу, на их половые органы таких недоброжелательных взглядов. Это то, что в народе называют «порчей», «сглазом», а в оккультной науке — «отрицательным энергетическим воздействием», следствием которого могут стать заболевание женских половых органов и мужская импотенция, внезапные, немотивированные запои ранее не пивших ребят, необъяснимые вспышки агрессии и многое другое, с чем встречаются сведущие в этих вопросах целители.

Мне очень хочется еще раз привести высказывание О. Айванхова, чтобы довести до вашего сознания мою и его глубокую озабоченность будущим наших молодых людей: «Мужчин и женщин не научили защищаться от темных сил, и это побудило меня однажды высказать нечто очень смелое: в основе происхождения всех несчастий человечества лежит низшая форма любви мужчин и женщин. Да, все войны и эпидемии совершались из-за тех, кто вершит любовь, как животные, тупо, безвкусно, ужасно. Ибо таким образом они способствуют всем духам, желающим принести зло всему человечеству, питают и укрепляют их. Если бы мужчины и женщины знали это, то они почувствовали бы отвращение к тому, что они делают и постарались бы научиться, как надо любить.» Это вовсе не значит, что из любви надо исключить ее весьма важный сексуальный компонент, к этому могут призывать только в чем-то ущербные люди. В любой любви, даже в платонической, присутствует обязательно сексуальное начало, ведь платоническая любовь не абстрактна, она направлена на вполне определенный объект.

Когда вашу любовь вы наполняете чистотой, светом, вечной жизнью, трепетным восторгом, молитвой, когда любовь движет вашими помыслами и творческими взлетами, когда вы обращаете свой взор к Творцу со словами благодарности за его милости и дарованное счастье, вы генерируете Божественные энергии, вы одухотворяете Любовь и создаете условия для прихода Царствия Божьего.

И не любовь повинна в страданиях человека, а сам человек, не сознающий, что любовь — это бесценный дар, талант, умение отдавать, одаривать этим чувством других. Постигнув это, вы обязательно будете получать больше, чем отдаете. Мы же в большинстве умеем любить только тогда, когда получаем что-то взамен, причем всегда требуем больше, чем отдаем, и в тех формах, которые приемлемы для нас.

Весь мир состоит и пронизан из энергий самого различного диапазона вибраций и частот — любой предмет, действие, слово, звук, цвет и т.д. есть энергии. Все семь чувств древней натурфилософии Китая суть энергии, и любовь — это энергетическая субстанция, которая имеет множество цветов и оттенков. Именно с этой позиции, через эту призму, что любовь важнейшее из энергетических начал, мы будем рассматривать это состояние, чувство, ощущение.

Учитывая, что половая любовь лежит в основе соединения двух начал, двух энергий (женской Инь и мужской Ян), имеющих разную окраску и разные нюансы своих проявлений, можно сделать вывод о том, что результат любви есть стремление соединиться и пойти вдвоем дорогой Жизни — иными словами, любовь есть основа современного брака. Прежде чем остановиться на аспекте брака, мы с позиций энергии взглянем на любовь и ее проявления.

Платон, который был Великим Посвященным, один из первых сделал попытку классифицировать любовь. Он выделил низшие аспекты любви, в основном с чувственным компонентом, и возвышенную, духовную. Согласно Платону, первое чувство, или первая ступень любви, начинается с ощущения красоты тела, восторга перед ним и любви к нему. Затем наступает второй этап — способность любить всех; влюбленному хочется обнять весь мир, возникает умение оценить красоту души, укрепляется идея прекрасного. Это можно представить как вызревание, эволюцию чувств от низшего к высшему проявлению, от восторга перед одним объектом любви — до любви ко всему Мирозданию. Иными словами, на смену чувственному компоненту низших сфер в результате энергетической переориентации и включения Высших центров, верхнего треугольника приходит возвышенно-духовная энергия с определенной цветовой палитрой ауры. И надо ли сегодня сомневаться в истинности заключений Платона? Великий Посвященный видел ту гамму энергий, которые формируются вокруг двух людей, объединяющих свои ауры в самом высоком из планетарных чувств. «Сексуальная сила — это дар Творца, надо только уметь им пользоваться», — учил Омраам Микаэль Айванхов. Природа и Творец заботятся о продлении вида, и Любовь является инструментом для этого. Вот почему так прекрасны и талантливы дети, зачатые на гребне большой и возвышенной любви. На этом очень важном вопросе мы остановимся в следующих главах. Следует помнить, что секс в энергетическом аспекте должен быть взаимно обогащающим, а не опустошающим и истощающим. Каждый из любящих должен заботиться о том, чтобы насытить ликованием, восторгом и счастьем своего партнера — тогда возникает резонанс и гармония Инь-Ян. Настоящая любовь и ее энергетическая основа — это прежде всего мысль о счастье другого, это прежде всего умение жертвовать самым дорогим и ценным во имя этой любви. Истинная любовь — это не сожженные мосты и пепелища, не разбитые сердца близких, которые тебе верили и которых ты предал(а), наобещал(а) и исчез(ла), это не любовь, а суррогат любви, дешевый сиропчик копеечной стоимости, но не нектар Богов, которому нет цены. Если в любви вы достигаете счастья только для себя, идя по трупам близких, — это не жертвы во имя Любви, а жертвы во имя своего эгоизма. Миру не известна любовь, основанная на страданиях других, найдите этому чувству другое название, не порочьте любовь, не оскорбляйте это слово!

Возвращаясь к взглядам Платона на любовь, любопытно будет познакомиться с обобщениями Апулея, великого «сказочника» любви: «Существуют, учит Платон, две богини Венеры; каждая из них владычествует над своим особым родом любви и над различными влюбленными. Одна из них — общедоступна; возбуждаемая любовью, свойственной низменной толпе, она толкает к сладострастию души не только людей, но и скот, и диких зверей, с безмерной и грозной силой сжимает в объятиях покорные тела потрясенных ею живых существ. А другая, небесная Венера, проникнута благороднейшей любовью, она печется только о людях, да и среди них — о немногих; никакими понуждениями, никакими соблазнами она не толкает своих приверженцев к безнравственности. Ибо любовь ее не похотлива, не разнуздана; напротив, простая и серьезная, она красотой добродетели укрепляет в подчиненных ей влюбленных высокие нравственные качества, а если и наделяет когда-нибудь прекрасные тела очарованием, то вовсе устраняет всякое желание причинять им бесчестье.

Ведь только в той мере достойна любви физическая красота, в какой она напоминает божественным душам о другой красоте, истинной и чистой, которую они видели когда-то среди Богов».

Разные категории и свойства, разные уровни энергий видел великий Платон в характеристике этих двух богинь — утренней и вечерней зари. Он видел стремление к возвышенному, к прекрасному, к кристаллизации душевного богатства, а не к душевному опустошению и бедности. И вслед за Платоном Ф. Достоевский провозгласил, что «красота спасет мир». И сегодня, когда в преддверии Новой Эпохи идет ожесточенная борьба сил Света и Тьмы, мир может спасти платоновское видение любви.

Некоторые другие философы также делали попытки разделить любовь на иррациональную (низшую) и рациональную (высшую). Их попытки имели целью «вынести» чувственные переживания за пределы контроля со стороны психики. Справедливость такого деления можно рассматривать только с точки зрения энергетических характеристик в свете эзотерических знаний. Чисто чувственная любовь низшего плана, стремящаяся только к получению эротических ощущений, не важно с кем и где, принимается за любовь истинную. Весьма трудно бывает отделить сексуальность от настоящей любви, ведь сексуальная энергия универсальна, и мы уже обсуждали пути ее трансмутации. Даосские маги через систему каналов и киноварных полей показали, что одна и та же энергия, проходя через разные области нашего тела, приобретает разные окраски и ощущения. Поступая в различные центры — чакры, она энергизирует их функции. Приток энергии в сексуальный центр и половые органы возбуждает в человеке желание к сближению, к половому удовлетворению, но это не любовь. Такие же ощущения испытывает животное, когда приходит время случки, брачных контактов для продолжения вида.

Сексуальный компонент любви может быть полностью

реализован и объяснен только совместно с социальным, эстетическим, психологическим и морально-нравственным компонентами, только в таком целостном, интегральном аспекте он может называться любовью.

Говоря о сексуальном проявлении любви, нельзя забывать, что именно ему мы обязаны продолжением вида, репродуктивной функцией и жизнью на Земле. Но какую энергетическую окраску мы придадим сексу, чем и какой энергией насытим это чувство, зависит от нас, от нашей духовной организации, от нашего воплощения, от работы наших главных центров, от нашего желания летать или ползать. Это очень важно понять и осмыслить каждому.

Великая сексуальная сила неизменяема, такой она была с момента разделения полов, такой она осталась и сейчас. Изменяемся мы и наша любовь — в зависимости от того, какие формы, какой цвет мы ей придаем, какой энергией и силой мысли наделяем. Если мы обожествляем и одухотворяем эту силу — нам сопутствуют счастье, удача, прекрасные дети. Если же пропиваем ее в кабаках, совокупляясь с кем попало, продаем ее в бардаках за деньги, мы «накручиваем» себе карму и будем платить по полному счету! И каждый должен знать, за что испытывает страдания, а не обвинять Отца Небесного, — Господь не карает, каждый наказывает себя сам!

Говоря о структуре любви, необходимо отметить одно очень важное обстоятельство. Когда в любви делается акцент на ее сексуальный компонент возникает ситуация, когда партнер ищет пика наслаждения исключительно для себя, абсолютно не заботясь об ощущениях своей половины. Более того, чисто сексуальное удовольствие побуждает его (ее) к поиску все новых и новых источников этого наслаждения. Меняя партнеров, растрачивая ценнейшую сексуальную энергию семени Цзин, не зная тайн ее сохранения, он дряхлеет, наживая физические и психические болезни, преждевременную старость. Даосская йога и алхимия предупреждают: «Большинство людей предаются страстям и сексуальным наслаждениям, укорачивая тем самым срок свой жизни. Они причиняют таким поведением вред жизненности» (жизненной силе — *Э. Г.*).

Очень образно передает ощущение целостной, всепоглощающей любви Э. Хемингуэй в романе «По ком звонит колокол» — только большой мастер и тонко переживающий человек, умеющий пропустить через себя все тонкие вибрации любви, может написать о ней такие вдохновенные строки. Мы не будем цитировать здесь отрывки из романа, желающие могут прочитать сами это произведение.

Исходя из основополагающих принципов Инь-Ян, из тех особенностей, которые характеризуют полярность психологических типов, надо сделать вывод о том, что и любовь имеет различие в Инь-Ян энергиях.

Не будем останавливаться на проявлениях или выражениях чувств у различных представительниц женского энергетического потока, в любви, как и в жизни, мы все разные — и это прекрасно, так как позволяет выжить, создавать многообразие видов, способствует улучшению и сохранению генофонда. Таков был замысел Великого Творца. О главных принципах любви настоящей, истинной мы уже говорили. В качестве же обратного примера можно только привести любовь Анны Карениной — любовь иступленную, самосжигающую, не приносящую радости ни ей, ни возлюбленному, оставляющую во имя собственного эгоизма — пепелище, обездоленность близких и поставившую такую ужасную точку в конце своей любви. Я привела этот пример не случайно. Когда в школе преподаватель литературы освещал историю этой любви как подвиг, как вызов обществу и т.д., мы все буквально стонали от восторга перед величием этой любви. И тогда гостившая у нас актриса В. Евстратова подарила мне свою фотографию с надписью: «Когда тебе будет 28 лет, перечитай Анну Каренину». Но я значительно раньше этих лет переосмыслила образ Анны, поняла эгоистичность ее любви, а также тот большой смысл, который вложил великий русский писатель в этот образ, и всю обсурдность толкования его в средней школе. В любви главным и ведущим должен быть принцип — умей отдавать и одаривать своим чувством близкого человека и не торгуйся, сколько получишь взамен. Научись любить — это самое большое счастье, и тогда будут любить тебя, так как большое чувство притягивает в свою ауру ответное.

Но вот на особенностях любви мужской и женской, их Инь-Ян отличиях, на выраженности тех или иных признаков мы остановимся подробнее.

Даосы отмечают: «Когда половой канал расширяется, молодые девушки готовы потерять свою девственность, в то время как мужчины легко подпадают под власть сексуального желания и совершают аморальные поступки». В. М. Бехтерев интерпретирует это состояние как напряжение в сфере половых органов, которое формирует побудительные эротические эмоции. По сути дела, это стремление к половой близости, дающее разрядку и душевное успокоение. В основе его лежит половой инстинкт, заложенный в генах, стремление к реализации воспроизводства. Но в основе этого инстинкта и желания половой близости у мужского и женского начал доминируют разные чувства; объединяясь, они дают гармонию звучания, единый ансамбль ощущений.

Если мы условно выделим в феерическом танце любви два компонента — чувственно-эротический и нравственно-духовный, то, соответственно этому, будет преобладать в одном энергия Ян, в другом — энергия Инь. Для Ян будет характерен первый компонент, для Инь — второй. Это в общих чертах. Так, у женщин Инь-любовь характеризуется более выраженной привязанностью к объекту своей любви, устойчивостью и прочностью в отношениях, умению лавировать, гибкостью, романтичностью, мягкостью. Женщина в основном «любит ушами», нежные слова, уверения в любви для нее являются главным, а сексуальный компонент выкристаллизуется уж впоследствии, в процессе половой жизни. Но даже для сексуально зрелых женщин, с достаточным опытом половой жизни в любви, в конечном итоге духовный фактор отстается более значительным, чем физическое наслаждение.

Природа определила Янскому началу роль первооткрывателя в половой любви, т. к. первый сексуальный дебют мальчика, свидетельствующий о его половом созревании, проявляется через поллюции. Именно во время поллюции мужской организм переживает оргазм, и эта не испытанная никогда ранее сила наслаждения запечатлевается в сознании и побуждает к поиску повторного сладостного переживания, но уже не в одиночку, а посредством нормального полового акта. Девочка же пребывает в мире розовых грез и мечтах о принце, неясные токи и томления пронизывают ее тело, смутные ожидания будоражат создание — но сила половой страсти ей еще неведома.

Естественно, имеется в виду нормальное общество и нормальный процесс становления истинной духовной любви с ее возвышенностью и красотой, а не те ситуации, когда совсем юные девочки «тусуются» возле отелей и богатых пожилых мужчин, чтобы сразу получить все, а потом остаться ни с чем, не совсем точно «ни с чем», а скорее с разрушенной психикой и опустошенной душой, физическими болезнями и большой негативной кармой.

При появлении полового инстинкта на сцену выступают различные формы поведения у юношей и девушек. Сексуальное возбуждение с чувством наслаждения при виде объекта своего влечения и при приближении к нему — это Янский аспект чувств. Ощущение счастья от близости, от присутствия, от взгляда, от касания рук, от созерцания предмета любви — это чисто женский Иньский аспект любви.

Желание половой близости, обладания предметом любви, подчинения себе и властвования — мужской Янский аспект чувств, преклонение перед силой, ощущение сексуального счастья от чувства подчинения, защищенности, безопасности, желание оказаться как «за каменной стеной», за «широкими плечами» характерны для женской, Иньской любви.

Удовлетворение от своего влияния на партнера, которое вызывает у него половую страсть, неистовство, гордость за свои сексуальные возможности, свою неотразимость, привлекательность, «половое могущество» присущи обоим полам, но больше выражены у «слабого» пола. Однако такие особы, у которых ярко выражен такой комплекс чувств, как правило, используют его не только для получения наслаждения от любви и радости, от сознания, что такое же наслаждение испытывает и другое существо, но, к сожалению, и для достижения эгоистичных обывательских целей (карьеры, выбора выгодного партнера для брака и др.). В этом плане весьма интересна точка зрения знаменитого оккультиста, большого знатока эзотерических учений Элифаса Леви. Вот что он пишет: «Когда магнетическая атмосфера двух лиц настолько уравновешена, что притяжение одного вдыхает расширение другого, происходит влечение, называемой симпатией, — тогда воображение, вызывая все лучшее или все отражения, аналогичные тому, что оно испытывает, создает себе поэму желаний, увлекающих волю, и, если лица противоположного пола, в них или гораздо чаще в более слабом, происходит полное опьянение астральным светом, называемое собственно страстью или любовью...» и далее: «Любовь — один из великих инструментов магической силы, но она формально запрещена магисту, по крайней мере как опьянение или страсть. Горе Самсону Каббалы, если он позволит Далиле усыпить себя... Половая любовь — всегда иллюзия, т.к. она результат воображаемого миража». И еще одно мудрое изречение великого мистика Э. Леви, подтверждающее верность принципа гармонии Инь-Ян во всем мире, и в половом подборе в частности: «Тайные законы часто диаметрально противоположны общераспространенным понятиям. Так, например, толпа верит в симпатию подобных и войну противоположных; верен противоположный закон».

Те же принципы Инь-Ян в притяжении полов и подборе партнера как для любви, так и для дальнейшей совместной жизни, но в западной интерпретации, были даны H. J. Eysenck в его книге «Секс и личность». Эта работа — серьезная попытка исследования зависимости сексуального поведения от типа личности.

На основании своих многолетних исследований автор выделяет 4 показателя, или измерения, различающие главные характеристики личности: E — экстраверсию, N — невротизм, P — психотизм и L — лживость или притворство.

В определение экстраверсии входят такие свойства личности, как общительность, импульсивность, живость, активность, выраженное чувство юмора, веселый открытый нрав и т.д. Лица, набирающие значительное количество очков по этой шкале, относятся к экстравертам. Читатель без труда может убедиться, что это личности с преобладанием Ян-энергии.

Противоположный полюс составляют так называемые интроверты. Справедливо считать их лицами с преобладанием Инь-энергии. Далее Eysenck выделяет обибивертов — группу с объединяющими, усредненными свойствами — то, что в китайской натурфилософии носит название «Дэн».

Весьма интересна группа, названная невротизм. К ней относятся субъекты с высокой эмоциональной возбудимостью, подвижностью главных эмоциональных реакций, весьма подверженных стрессовым ситуациям, которые манифестируют такие проявления, как уныние, бессонницу, повышенную разражительность, чувство неполноценности, переходящее в комплекс и т.д. Наши пациенты с такими симптомами, как правило, оказываются обладателями A (II) группы крови с повышенной функцией щитовидной железы.

P-психотизм — согласно этой шкале свойств по Eysenck, сюда относятся здоровые люди с такими чертами личности, как неконтактность, отсутствие чувства сопереживания чужой беде, жестокость, враждебность, агрессивность. Практически перечисленные черты выявляют антисоциальную личность, которую весьма трудно причислить к здоровым людям.

И последняя группа L-притворство, лживость: она включает в себя людей, характеризующихся ложью, фальшью, неискренностью, изворотливостью, приспособленчеством.

Из этой классификации можно по их отношению к жизни четко выделить две категории людей: экстравертов и интровертов. Психотип Ян-экстраверты, Инь-интроверты, согласно китайской медицине, больные с Ян-синдромами любят общение и холод, больные с Инь-синдромами предпочитают одиночество и тепло. Дополнительные черты, по шкале H. J. Eysenck, могут быть как у экстравертов, так и у интровертов в равной мере.

Теперь посмотрим, как коррелируются эти типы личностей с их сексуальными проявлениями. Eysenck выделил 12 основных форм сексуального поведения: терпимость, удовлетворение; невротический секс-конфликт между желанием и его внутренним подавлением (концепция З. Фрейда), безличный, не имеющий индивидуальной окраски; порнография (как средство стимуляции); застенчивость, стыдливость; идея доминантности в сексе; негативность, отвращение к сексу; сексуальная возбудимость; физический, телесный секс; агрессивный.

Психотики отличаются сильным половым стремлением к физическому (эротическому) сексу, у них отсутствуют всякие сдерживающие моральные факторы. К психотикам можно смело отнести лиц с девиантным (извращенным) сексуальным поведением, склонных к насилию, групповому сексу и т.д.) — одним словом, это сверх Ян-психотипы, сексуальные маньяки.

К невротикам относятся лица с различными нарушениями вегетативной нервной системы, куда органически вписываются и сексуальные переживания, имеющие ту или иную окраску в зависимости от основного заболевания. Здесь могут быть и личности с сильным либидо, но не способные его реализовать из-за своей психологической скованности, комплекса вины, стыдливости. К этой группе относятся многочисленные пациенты сексопатологических кабинетов: женщины, жалующиеся на фригидность (холодность), мужчины — на импотенцию либо на преждевременную эякуляцию (семяизвержение).

Сексуальное поведение притворщиков многогранно и зависит от ситуации. Чаще они вживаются в образ и играют какую-либо роль. Как правило, они отличаются слабым либидо, умело разыгрывают половой сценарий и удовлетворены своей ролью. Сюда относятся, в основном, женщины, т.к. сильному мужчине не нужна маска, а сексуально слабому достаточно сослаться на то, «что кто-то идет». Женщина же, зависящая от секса в решении каких-то своих жизненных проблем, в состоянии сыграть свою роль на уровне талантливых актрис. Это еще одна женская тайна.

Сам Eysenck различие между экстра- и интровертами связывает с уровнем возбудимости коры головного мозга, надо полагать, что эти особенности являются генетически обусловленными.

Обобщая свои исследования, ученый предлагает в связи с особенностями сексуальных чувств и переживаний выделить 4 главных типа людей:

1. Лица со слабыми сексуальными потребностями, но вполне удовлетворенные своей половой активностью и не желающие ее улучшения; это устойчивые интроверты, в своем большинстве обеспечивающие основу брачных отношений, их устойчивость и прочность. Они являются главной опорой морали.

2. Устойчивые экстраверты, у которых сильное либидо реализуется в высоком удовлетворении, но характеризующиеся нестабильностью в половой жизни.

3. Неустойчивые интроверты со слабым либидо в сочетании со скованностью, запрещенностью, комплексом вины, затрудняющим общение, — результатом такого «букета» является сексуальная неудовлетворенность.

4. Лица с повышенным либидо, с выраженными психотической структурой личности и сильной экстраверсией и

невротизмом, испытывают постоянную сексуальную неудовлетворенность. Такие психотипы представляют угрозу для окружающих. Это потенциальные сексуальные преступники, одна из опасных форм проявления которых — глава семьи, не проявляющий патологических черт дома, а выслеживающий своих жертв на стороне.

Подводя итоги интересным исследованиям Eysenck, можно еще раз отметить, что выделенные типы отвечают энергетическим характеристикам, которые мы проводили в отношении психотипов Инь и Ян.

Более того, мы привели данные этих исследований в чисто практическом аспекте с целью использования их при выборе партнера и оценке его качеств на надежность и прочность отношений.

Еще несколько слов в отношении различий по этим психотипам в плане сексуальных ролей.

1. Женщины-интроверты, как правило, удовлетворяются одним (но не всегда) сексуальным партнером, а мужчины-интроверты, в зависимости от темперамента, могут вести себя как экстраверты (по принципу «в тихом болоте...») и наоборот.

2. Экстраверты более любвеобильны, в то время как интроверты, возможно, пребывают в ожидании «подлинной любви», их отношения носят характер неуверенности, боязни ошибиться, потерять достоинство и т.д.

3. Женщины-экстраверты, в отличие от женщин интровертных, получают от секса удовлетворение, а порой и не довольствуются только одним партнером — это зависит от воспитания и отношения к моральным ценностями.

Все перечисленные формы четко могут быть сгруппированы в два сексуальных проявления: желание сексуального сближения, сексуальная активность и низкая сексуальная активность, сексуальная закрепощенность, либо отсутствие «либидо»; сексуальная удовлетворенность — и ее противоположность.

Нам представляются важными также данные Eysenck, характеризующие особенности сексуального поведения в зависимости от типа личности. По мнению ученого, экстраверты рано начинают половую жизнь, чаще меняют партнеров, предпочитают эротическую сторону любви, в любви они полностью раскрепощены, получают и стремятся ко всей гамме сексуальных переживаний, нуждаются в сексуальных стимулах, легко вступают в сексуальные контакты с лицами противоположного пола, делают это без сомнений и колебаний.

Интроверты сдержанны, трудно идут на сексуальный контакт, у них преобладает личностный, если так можно выразиться, фактор секса, они более склонны к тонким, духовным и прочным отношениям, что создает для них психологические проблемы и трудности.

Мы не будем далее углубляться в особенности того или иного психотипа, т.к. в жизни нет готовых рецептов, и поведение человека во многом зависит от той среды, в которой он родился, вырос и живет, от уровня нравственности его семьм и общества, от религиозных установок, а также очень часто от возникшей ситуации, которую трудно было предвидеть и просчитать и т.д. Эти данные приводятся для того только, чтобы, зная психологический тип, его энергетическое обеспечение и установки, можно было проанализировать возможный стиль его поведения, надежность в любви и браке. В любом случае для решения этих ключевых вопросов необходимы длительный контакт и продолжительные встречи.

Особенности в проявлении половой любви мужчин и женщин, которые составляют стержень биологического закона продления жизни, должны знать молодые девушки в тех ситуациях, когда юноша, увлеченный ею, домогается интимной близости, произнося при этом клятвы в верной любви. Эти клятвы и заверения могут развеяться, как дым, после серии (а продолжительность этой серии может быть различной) половых сближений. Не будем торопиться клеймить его и обвинять, он шел на поводу у своей природы. Ведь временной фактор, т.е. время для развертывания мистерии любви, тоже имеет Янские и Иньские спекты: сексуальный компонент «пришел, увидел, побе- дил» — Ян-составляющая, а развитие эмоциональности, насыщение любви духовностью — процесс истинный и более длительный —Инь-составляющая. Поэтому, молодые девушки, будьте бдительны, не торопитесь с сексом, он от вас не уйдет. А если юноша очень нетерпелив и грозит разрывом в случае вашего отказа или сопротивления — значит, это не ваша судьба. Выбор партнера для брака — вопрос самый серьезный и ответственный, от которого зависит все счастье вашей жизни. И если кому-то пока- жутся такие рассуждения старомодными, а привлекательно утверждение, что сейчас все упрощено, а чистота и целомудренность не имеют никакого значения, — задумайтесь и поверьте, что сломанные жизни и судьбы были на протяжении всего существования человечества, а также неразборчивость являлись причиной физических и психических недугов, причиной страданий, озлобленности и неверия в себя, в свои силы и возможности. Один из главных источников комплексов неполноценности — это неудачная любовь и несчастный брак. Подтверждением этому — мой большой врачебный опыт, мои откровенные беседы с пациентами и пациен- ками, выяснение их эмоционального фона и коррекции его в связи с имеющимся физическим недугом. Поэтому знание законов природы, знание особенностей поведения в любви мужчин и женщин, разнополярности их проявления, последствий «низшей», незрелой любви могут предостеречь вас от опрометчивых решений «объ- единить одеяло».

Мы привели главные отличительные свойства Инь-Ян энергий в половой любви, но из предыдущих глав вы уже знаете о бисексуальности, о том, что в каждом индивиде есть и те, и другие качества, а потому как мужчина, так и женщина будут проявлять в любви свои чувства в зависи- мости от доминирования этих энергетических начал. Ти- кая, стыдливая Инь, нежная и мягкая, больше подойдет стремительному сильному партнеру, который будет поко-

рять и восхищать ее бурными ласками, страстными поце-
луями и заверениями в любви, и, напротив, неистовая Ян-
натура найдет гармонию в любви с романтичным утончен-
ным мужчиной с сильным Иньским компонентом, мечтате-
лем и поэтом. Пример тому — союз Жорж Санд, в которой
было очень много Ян, с Шопеном — мечтательным и
женственным. Таковы законы притяжения, таковы полюса
магнита и основы притяжения полов.

Давайте разберемся в выражении «от любви до ненависти один шаг». О какой любви, которая может мгновенно
перерасти в ненависть, идет речь? Естественно, не о
духовной любви, где все помыслы любящего, все его
устремления направлены к желанию дать счастье, блаженство любимому существу, видеть его счастливым, слышать его радостный смех, гордиться его успехами, любо-
ваться сиянием его глаз. Такая любовь предусматривает
прежде всего душевную щедрость и готова к самопожертвованию, она основывается на доверии и подпитывается
им. Это тончайшая светящаяся энергетическая субстанция, творение Бога, его искусство, которое воспринимает
сердечная чакра. Это очищение Души посредством этой
энергии и возможность осуществлять и изливать на других
Высшую Божественную Благодать. Вполне естественно,
что трансформация такой энергии в ненависть, которая
состоит из энергий грубых, низковибрационных, произойти не может. Ненависть подпитывает души темные и
неразвитые. Животная любовь таких душ базируется на
эгоизме, ревности, такой любящий смотрит на предмет
своей любви как на источник наслаждения для себя, и если
ему покажется вдруг, что «предмет его любви» смотрит
«налево», он готов убить, задушить, приходит в неистовство и ярость.

Такова любовь алкоголиков, характеризующаяся глубокой деградацией личности, ее ущербностью. Здесь патологическая ревность манифестирует как синдром низменной, одержимой, расстроенной психики. Это, естественно, не любовь, а оскорбление ее, жалкий суррогат! Такая

«любовь» действительно граничит с ненавистью. Мы уже писали о темных сущностях, собирающихся на карнавале разнузданных, низменных сил Эроса.

В обыденной жизни среднеразвитый человек заключает в себе сочетание Духа и материи в разумных пределах, в колеблющихся взаимоуравновешивающихся пропорциях. Это равновесие страхует его при расходовании энергии, рассчитанной на данный земной путь, позволяет решать задачи воспроизводства в избранной сфере своего проявления. Такой воплощенный Дух может повысить личную «планку» за счет утилизации Духовной энергии через контроль над своими мыслями и поступками, расширить сознание, «набрать больше очков» и тем самым ускорить свой эволюционный Путь. И наоборот, утяжелившись, погружаясь в материю, он застревает в «младших классах средней школы» на несколько воплощений, предпочитая кратковременность «земных наслаждений» вечному и истинному счастью, которое испытывают, очищенные от низкоматериальных привязанностей, души.

Нам следует четко знать, что наша планета Земля, по мнению и учению многих Посвященных, является планетой искупления, и потому, согласитесь, нам не доводится наблюдать абсолютно счастливых семей, народов, государств. Если вы проанализируете жизнь ваших друзей, знакомых, родных, истории и рассказы, повествующие о жизни людей вам знакомых, а порой и незнакомых, наконец, множество книг, содержание которых посвящено проблемам человеческой жизни и взаимоотношениям между людьми, вы сможете еще раз убедиться, что не существует абсолютно счастливых людей и семей, что каждый из нас испытывает в течение своей жизни те или иные потрясения, разочарования, неудачи и т.д. И даже тогда, когда мы встречаем на наш взгляд счастливых людей, это, как правило, только внешнее поверхностное впечатление, если заглянуть глубже, то у всех имеются проблемы, лишь острота и масштабность их различна. И, естественно, возникает мысль, что каждый, преодолевая те или иные затруднения, невзгоды, несчастья, приобретает опыт. Как образно выразился древнегреческий философ и баснописец Эзоп, «человек учится на своих ошибках, но, к сожалению, за одну жизнь нельзя совершить всех ошибок». А потому мы приходим на Землю не один раз и продолжаем свое образование, пока не научимся любить, используя для этого высокодуховную материю любви, отказавшись от грубоматериальной ее формы, пока не изживем эгоизм, ненависть, зависть, злость, недоброжелательность, лицемерие, ложь, фальшь, алчность — все то, что тяжеловесно, темно и цепко держит нас в плену низших слоев Мира.

Стержневым пороком из перечисленных является эгоизм, себялюбие. Если мы попытаемся анализировать перечисленные выше пороки, то увидим, что в каждом из них имеются характерные черты эгоизма, который и является тем побудительным механизмом, вокруг которого формируется данный порок. Желая изжить в себе любой разъедающий порок, прежде всего необходимо устранить в себе эгоизм — любая попытка нравственного совершенствования должна начинаться с анализа своей личности на присутствие элементов эгоизма.

Чем опасен эгоизм?

Структура этого ведущего порока основана на себялюбии и личной выгоде, поэтому человек, ориентированный в этом направлении, готов использовать, не брезгуя никакими средствами, все возможные пути для их осуществления.

Эгоизм, несомненно, большое зло, так как в силу своей универсальности он пронизывает все сферы деятельности человека. Он придает определенную окраску любви, влияет на деловые отношения, направляя их в выгодное для себя русло в ущерб партнеру, это может иметь место в любой сфере, в науке, в литературе, особенно в сфере бизнеса и т.д. Развитие цивилизации, и вместе с ней новых многочисленных форм деятельности, к сожалению, содействует эгоизму, расширяет его границы, закрывая вери милосердию, добру, благотворительности, самопожертвованию, выражая принцип «своей рубашки». Причем, если этот принцип порой бывает полезен и необходим, когда это касается своего производства, предприятия, земли, где осуществляется принцип «живи сам и давай жить другим», то чистый эгоизм живет по принципу «живи сам», не интересуясь, как живет другой, более того, стремясь жить за счет другого, обирая его в свою пользу. Учение о перевоплощении, которое дает каждому пищу для глубоких размышлений, переоценивает в умах людей нравственные категории, доказывая приоритет духовной жизни над материальной. С великим удовлетворением можно констатировать, что сегодня огромное большинство людей уже лишено этого чувства и по мере последовательности воплощений и очищений будет и далее освобождаться от эгоизма, как и от других порочных свойств. К сожалению, человеческие законы, воспитание, общественное устройство содействуют и подкармливают это чувство, незнание фундаментальных законов Мироздания, уверенность, что «живем только раз», постоянно подпитывают и реанимируют его. Но по мере духовного роста и нравственного совершенствования, по мере освоения человеком великих тайн и истин Природы, эгоизм будет редуцироваться и исчезать, заменяясь отношениями братства, принципами милосердия, справедливости, соблюдения подлинной законности. Когда человек ощутит на себе истинную заботу, почувствует, что о нем думают, испытает добродетельное отношение, он в состоянии будет ответить тем же, а для этого, помимо изменения природы самого человека, необходимо изменение общественного устройства. Только тогда, когда одновременно с расширением сознания отдельного индивида начнут функционировать справедливые законы и знания, Царствие Божье будет открыто. Как говорил Фенелоп, «перед лицом такого разгула эгоизма, как сейчас, надобна подлинная добродетель, дабы отречься от своей самости ради других, которым зачастую неведома никакая благодарность, и

Царствие Божие. Прежде всего, кто обладает тако
добродетелью, им прежде всех уготовлено блаженств
избранных, ибо говорю вам истинно, что в день справед
ливости тот, кто думал только о себе, будет отложен
сторону и пострадает от своей покинутости». Уходящи
век дал мощный импульс развитию интеллекта, новый ве
поднимает человечество на новую ступень духовно-нрав
ственного совершенствования. Человек стремится
счастью, это стремление заложено в его природе, в ег
генах, поэтому он непрестанно ищет пути улучшени
своего статуса на Земле, анализируя причины своих не
удач, прорывов, бедствий с целью их устранения. Д
сведения современного человека необходимо постоянн
доводить знание того, что эгоизм является причиной
порождающей гордыню, зависть, ревность, ненависть
раздоры, что эгоизм разрушает доверие между людьми
убивает любовь, превращает пылких друзей в закляты
врагов, что эгоист практически обкрадывает себя, лишае
себя счастья, платит колоссальные моральные издержки
долги в действующей ныне земной жизни , а также
будущей. Важно помнить, что источником всех пороков на
Земле является эгоизм, аналогично тому, как милосердие
— источник всех добродетелей и побед.

ЛЮБОВЬ В СВЕТЕ ВОСТОЧНОЙ НАТУРФИЛОСОФИИ

Учитывая восточные акценты в понимании энергети
ческой гармонии двух начал, нельзя не остановиться на
восточных философских концепциях половой любви. Мь
не будем излагать сексуальные практики, желающих же
освоить и использовать их в своей интимной жизни
целью оздоровления, продления жизни и омолаживания
адресуем к книге Чжан Чжунланя «Дао любви». Что касает
ся сексуальной части философской системы Тантра-Йоги
то мы не рекомендуем эти занятия без предварительной
очень серьезной подготовки по философии, так как они
могут обернуться большой бедой и несчастьем, вплоть до

линики для душевнобольных.

Много тысяч лет назад учителя Дао-любви провозгла-
или наличие тесной связи между душевным здоровьем и
ормальной половой жизнью. Эту же идею, на основании
воего большого клинического опыта, выдвинул гениаль-
ый З. Фрейд применительно к людям Запада.

В прошлом западная мораль, обычаи и воспитание
репятствовали пониманию и медицинскому толкованию
аосских учений о любви. В настоящее время отношение
любви и сексу на Западе резко изменилось, кроме того,
роисходит общее сближение культур, их взаимное обога-
ение и сотрудничество, что характерно для Новой Эпохи.
ольшинству восточных цивилизаций чужда христианская
ифференциация материального и духовного начал.
десь, видимо, имеется в виду полное разделение на Дух
материю, которое трудно себе представить, т.к. речь
ожет идти лишь о степени одухотворенности материи,
ольшей и меньшей, что определяет уровень развития
уши и ее воплощение. Однако и вполне развитые
ультуры трактуют сексуальность по-разному. Одни куль-
уры видят в сексуальности только средство для продолжения вида, другие отдают должное миру чувств, положи-
ельных эмоций, распределению энергии, которое дает
ексуальное единение двух людей, двух начал. А потом
адо глубоко понимать и ощущать, что порой телесное
сближение, контакт двух людей имеют не только эротичес-
ий смысл, но являются также языком эмоционального
епла, поддержки, ободрения, утешения, энергообмена.
десь необходимо заметить, что человек духовно разви-
ый может использовать любовь как средство обогащения
вой Души, ее подпитки энергиями света и тепла, и ему не
трашны всякие «теоретические разглагольствования и
онцепции свободной любви». Идея «сексуальной рево-
юции» в некоторых странах начинает принимать доволь-
о распространенные формы, а для «незрелых умов» и
молодых душ» она может быть чрезвычайно опасной. Я
умаю, что идеями революций мир уже сыт, примеров их

разрушительной силы предостаточно, последствия их для развития наций и их культур оказались гибельными. Надо полагать, что суть и перспектива революции сексуальной аналогичны. Пропаганда распятия любви, как и само распятие, кармически равнозначны.

В отличие от всевозможных концепций западных «идеологов» любви, Дао само по себе есть мудрость природы и если мы находимся в гармонии с этим источником бесконечной силы, то можем рассчитывать на долголетие и процветание. Даосизм всегда привлекал к себе философов Запада, но его медицинские и научные воззрения стали изучаться и разрабатываться сравнительно недавно.

К. Г. Юнг, отличающийся своими широкими разносторонними взглядами и оставивший после себя богатое научное наследие, в 1939 г. написал о Дао: «...необходимо каждому, кто пытается развить внутреннюю культуру, объективизировать воздействие со стороны «анимы» (Души Anima Mundi — Мировая Душа), постараться понять, что скрывается за этими воздействиями, таким образом он приспосабливается и защищается от невидимого. Никакое приспособление невозможно без уступок обоим мирам». На основе китайской натурфилософии К. Г. Юнг построил некоторые свои психиатрические приемы.

На принципе древнекитайской философии, утверждающей, что каждое человеческое тело содержит в себе и мужское, и женское начало — в женщине доминирует Инь, а в мужчине Ян, и соответственно этому все органы человеческого тела имеют ту или иную энергетическую окраску — основывается вся китайская медицина. Исходя из этих представлений, К. Г. Юнг утверждал, что в коллективном бессознательном каждого человека присутствуют два разных архетипа: персонифицирующая женское начало «Душа» (анима) с ее манифестирующим спектром проявлений, тонкой интуицией, неясностью настроений и чувств, обостренной восприимчивостью к иррациональному, умением и способностью к любви, к пророческим редчувствиям, экстатическим отношениям и любовью к природе — и «Дух» (анимус), олицетворяющий рациональность, физическую силу, активность, инициативу, организацию, форму, духовную основу и глубину. Только сочетание Души и Духа, считал Юнг, обеспечивает гармоничное развитие индивида. Философия и взгляды Юнга, тесно переплетаясь и органически сливаясь со взглядами натурфилософов Древнего Китая, составляют основу всего мироздания, всех его проявлений и сфер. Как даосы, так и величайший ученый Юнг искали пути для гармонизации жизни. Большинство заключений и выводов, сделанных много тысячелетий назад древними китайскими учеными в результате умения наблюдать за явлениями природы и жизни, сегодня подтверждены современной наукой, а многие еще будут признаны в Новой Эпохе и составят основу медицины будущего.

В этом плане хочется упомянуть, что серьезные и глубокие исследования двух американских ученых Мастерса и Джонсона, которые провели серию экспериментальных исследований с оценкой физиологических параметров человеческих сексуальных реакций (ЭКГ, ЭЭГ, пульса, артериального давления) и выводами об управлении эякуляцией (семяизвержением), удовлетворении женщины и обособлении двух понятий — мужского оргазма и эякуляции — имеют огромное значение в науке о сексуальном поведении человека. Но их работы лишь подтвердили знания, открытые даосами много тысячелетий назад и развитые ими до совершенства.

Основы Дао-любви — это достижение гармонии Ян-Инь, в результате которой наступает удивительное спокойствие и здоровье, источником которого является состояние настоящей и радостной любви.

В Дао-любви китайские женщины играли огромную роль, они владели тайнами философии и основами практики, являясь учителями Дао-любви и советницами императора.

Роль женщины как одного из энергетических начал

Мира постоянно провозглашалась в текстах и руководст вах по Дао-любви и поэтизировалась с присущей Китаю цветистой метафоричностью. Идея даосов о том, что сексуальная гармония приводит нас в единение со всей природой и Вселенной, находит аналогию в сексуальной основе самой природы: Земля — женщина, плодородие почва, элемент Инь; Небо — мужчина, активное оплодот воряющее начало, элемент Ян; их взаимодействие и гар мония, синхронизация из резонансных частот создают единство, мир в целом. Взгляды на половой акт как на часть природы, не оскверненной никакими грязными по мыслами и словами, создали предпосылки к тому, что половая жизнь в Китае оказалась застрахована от патоло гических извращений и ненормальности, которые имели и имеют место в других культурах, и рассматривались как одна из важных ветвей медицины, что совершенно обос нованно и справедливо. Поэтому неудивительно, что уже в глубокой древности существовала обширная литерату ра, посвященная проблемам интимных отношений людей. Ряд трактатов на эту тему органически входит в собрания медицинских сочинений. Здесь очень важно отметить, что поиски эликсиров бессмертия и долголетия органически сочетаются с рекомендациями по интимным отношениям. Согласно предписаниям даосских авторов, с помощью сексуальной практики надлежало увеличить количество жизнетворной эссенции Цзин, всячески стараться избе гать ее расходов, и тем более ее непроизвольных растрат.

Даосы считали, что систематическое питание силы Ян в мужчине за счет женской силы Инь обеспечивает мужчи не долголетие, здоровье. Считалось, что можно достичь бессмертия, овладев тайнами сексуальной практики.

В медицинском трактате известного даосского врача Сунь Сымло (601-682) «Бесценные рецепты» специальный раздел посвящен здоровой половой жизни, в нем сказано: «Лечение одного человека за счет другого — вот истинное лечение». Бессмертный патриарх Пэнгу рекомендовал питать жизненную силу с помощью Инь и Ян, избегая сексуального единения двух любящих людей в следующих случаях: 1) во время больших ливней, сильного ветра, грома и молний, затмений и землятресений — это запрет Неба; 2) запрет человека — при опьянении, отягощении пищей, чрезмерной радости или грусти, будучи в страхе или гневе; 3) запрет Земли — избегать мест, где есть гора, река, алтарь Бога Земли, очаг.

Даосы признавали исключительную важность роли женщины в достижении бессмертия. Они допускали, что женщина, которой были известны тайны питания жизни с помощью Инь и Ян, имела возможность продлевать молодость и достигать бессмертия.

Учитель Дун-сюань, знаменитый врач, директор медицинской школы в Чанчани (VII в.) в своем руководстве советовал благоприятные дни и космические циклы для благоприятного соединения Инь и Ян. Четные дни месяца — это Инь-дни, они неблагоприятны для сексуальных контактов, а нечетные Ян-дни благоприятны и дают насыщение энергии и устремление ее потока вверх. Время от полуночи до полудня (до утра) он считал благоприятным, а от полудня до полуночи — неблагоприятным. Весной сексуальная сила обогащается при слиянии Инь-Ян в дни первоэлемента дерева, летом — дни, относящиеся к первоэлементу Огонь, осенью — дни металла «гэн-синь», зимой — дни элемента Воды «жэнь-чуй». Огромное значение для максимального энергообмена при сексуальной интимной практике имело положение тел соответственно пространственной ориентации: весной надлежало ложиться головой на Восток, летом — на Юг, осенью — на Запад, а зимой — на Север. Практически в этих рекомендациях представлены основы энергообеспечения и энергообмена для достижения полной гармонии любви Инь-Ян. Эти рекомендации обоснованы и серьезны, равно как вся философия и медицина Китая. Глубокое знание законов Земли и Неба, биоритмологии, особенностей китайской астрологии, тонкое знание общей анатомии, и оккультной в частности, ансамблевость в работе органов позволили

китайским мудрецам, философам и врачам умело дирижи-
ровать циркуляцией энергий в организме, в том числе
обменом энергий при сексуальном контакте, с цель
поддержания жизненной силы и здоровья.

Проблеме притяжения полов уделялось огромное внимание не только в древнем Китае. Эта проблема была н
менее актуальна и в древнеиндийской культуре. Взгляд н
партнерскую любовь как на систему энергообмена и оздоровления, забота об улучшении вида и его сохранени
изложены в жемчужине древнеиндийской культуры — трак
тате о любви «Кама Сутра». Кама-любовь дает наслаждение, получаемое от других объектов посредством пят
органов чувств. Здесь очень важна мысль о том, чт
любовь является интегральной энергией, которая вовле-
кает в этот процесс весь организм, заставляет вибриро-
вать все органы и клетки, и, следовательно, характер эти
вибраций может быть созидающим или разрушающим
зависимости от мысли, управляющей этим ансамблем
энергий. Сознание удовольствия, наслаждения, возника
ющие от такого контакта двоих, называется любовны
наслаждением, или Камой. Индусы считают, что игнориро
вание этой естественной потребности человеческого ор
ганизма сломало судьбы многих женщин.

«Кама Сутра» — это, буквально, руководство по искус
ству любовных отношений, где используется опыт боле
зрелых и сведущих в этих вопросах людей, т.к. Кам
практикуют все. Риши Индии считают, что знания в облас
ти любви, которые обычно игнорируются массами, помог
ли бы молодым людям, и не только молодым, обрест
счастье и смотреть на сексуальные вопросы как на естес
твенные акты природы, а не как на постыдные, помогли бы
освещать таинство любви, а не срывать с него чисты
одеяния, заменяя грязными. Кама — это составная част
нашей жизни, цветок, на котором тычинки и пестик творя
великий гимн жизни.

До появления «Кама Сутры» в Индии уже существовал
учение «Тантра-Йоги» (Тантра «Шастры») — о любви, кото

рую практикуют Йоги. Тексты и практики Тантры некоторыми воспринимаются как нечто вульгарное. Такой взгляд на Тантру глубоко ошибочен. В этой главе мы более подробно остановимся на искусстве Тантры.

Индия, также как и Китай, избежала осквернения любви, ее унижения тем, что включила саму любовь и ее проявления в высшие ипостаси человеческого существования. Так, например, в священных храмах Индии вместо иконостаса установлен лингам — каменный символ детородного органа. Все, что создано Творцом, имеет великий смысл и наполнено созиданием. А уж как люди распоряжаются этим, как используют великие творения, то они и пожинают. Великий Творец Вселенной не только создатель, но и огромная регулирующая сила. Когда дети Божьи начинают не в меру расходиться и шалить, законы регулирования приводят все в соответствие. Отсюда четкая волнообразность в проявлении всех процессов на Земле. Кама — это не просто способ воспроизведения жизни, это сама жизнь, приковывающая к себе внимание на протяжении всего периода существования человека. Любовь — это энергия, субстанция энергий, присущая всему живому и «неживому» (неживой мир — это весьма условный термин, т.к. все в мироздании наделено духом). Любовь присуща растениям, и их расселение на Земле обусловлено симпатией и сходством свойств. Опытный естествоиспытатель, знающий свойства и душу растений, может засвидетельствовать, что сборы и букеты растений можно формировать, используя принцип соседства. Точно так же на примитивном уровне существует симпатия между человеком и растением, между растениями, между человеком и минералом. Прочная дружба, а иногда — это зависит от человека — и вражда. Сильный минерал может «извести» слабого и недостойного человека. Хочется заверить вас, «что мы все под одной крышей», старшие и младшие, и единый у нас Творец, который все создал и разместил нас соответственно для сотрудничества и взаимной помощи. Спасибо Ему и хвала! Аминь.

Древнеиндийский трактат о любви «Кама Сутра» утверждает, что любовь нужна так же, как и пища, но так же, как вредно переедание, вредны и любовные излишества, как не может организм существовать без пищи, так не может он существовать и без любви.

Мужчины Индии овладевают «Кама Сутрой», искусством и наукой любви, в течение жизни, а также постигают Дхарму (свой путь, добропорядочный, справедливый и высокоморальный). Даже молоденькие девушки должны познать до замужества законы «Кама Сутры». Одновременно с этим девушкам и женщинам необходимо освоить 64 вида искусств, которые охватывают практически все сферы деятельности, как распространенные, так и редкие среди них: кулинарное искусство, шитье, знание драгоценных металлов, минералов, умение с их помощью грамотно украсить одежду, изготовить украшение для ушей, знание косметики и приготовление кремов и мазей, сценическое искусство и даже знания о войнах, оружии, армии и т.д. Овладев всеми науками и знаниями, женщина сможет обеспечить себе будущее даже в чужой стране. Во всем этом сквозит удивительная и тонкая забота о женщине, желание возвысить ее и дать ей опору в жизни, а также убеждение, что только знание, умение и наш опыт мы заберем в иной мир, когда покидаем этот.

С точки зрения законов любви, согласно «Кама Сутре», существуют разные типы мужчин и женщин.

Типы мужчин: «жеребцы», «буйволы» и «зайцы». «Жеребцы» обладают ненасытным сексуальным желанием, у этих людей широкая грудь, длинные руки, крупные ноги, громкий голос, длинные волосы и сверкающие глаза. Мужчины этого типа предпочитают толстых и здоровых женщин, не гнушаются кровосмешением и прелюбодеянием.

«Буйволы» обладают крупной головой, широкой грудью и мускулистыми конечностями. Мужчины этого типа во время интимного контакта сильно сжимают женщин в своих объятиях, при этом издают резкие гортанные звуки.

и т.д. Их интеллект невысок, у них красноватые глаза, толстая кожа, крутой нрав.

У «зайцев» низкая половая потенция, небольшие половые органы, внешне они женственны, в половом контакте лидером «зайцев» является сильная женщина, она разжигает в них страсть и обучает их «искусству любви». Такие мужчины нуждаются, чтобы их любили больше, чем они могут любить сами.

Весьма интересны описанные «Кама Сутрой» типы женщин: помимо чисто половой дифференциации в зависимости от глубины и размеров влагалища, древнеиндийские мудрецы отмечали в женщинах их высокие духовные качества и особенности, врожденные черты и определенные свойства характера.

По чистой анатомии половых органов женщины, согласно этому трактату, делятся на «ланей», «кобылиц» и «слоних». Высшей формой женского совершенства являются «лани», к низшей форме относятся «слонихи», промежуточной формой являются «кобылицы».

Лицо женщины «лани» круглое, как луна, прекрасные формы тела сочетаются с пропорциональной фигурой, тело ее на ощупь мягкое, нежное, кожа гладкая, как лотос, грудь упругая и полная. Зубы блестящие, нос острый, прекрасные тонко очерченные губы, длинная, как у лебедя, шея. Голос слабый, походка изящная, осанка очаровательная. «Лани» обладают острым умом, умеренны в сне и еде. Этот тип женщин идеален в любви.

«Кобылица» — среднего объема женщина, с высоким лбом, обладательница длинных ног, плоских ягодиц и прекрасной фигуры. Это весьма темпераментные женщины, объятия которых жаркие, а поцелуи страстные. У них стремительная и быстрая походка, они отдают предпочтение красным цветам в жизни и одежде.

«Слонихи» — это, как правило, тучные, толстые женщины с пышными губами, толстой и короткой шеей, рыжеватыми волосами, с хриплым и низким голосом. Они гурманки, любят обильную еду, пряности и кислую пищу. Они весьма сексапильны, неразборчивы в своих желаниях, могут удовлетворить свою половую страсть с кем угодно. Чаще всего они занимаются проституцией. Счастье «слонихи» может составить мужчина «жеребец».

Восемь категорий женщин, согласно «Кама Сутре»:

1. Божественные.
2. Демонические.
3. Прославленные.
4. Гандхарвы (певуньи).
5. Женщины-змеи.
6. Женщины-ослицы.
7. Женщины-обезьяны.
8. Женщины-вороны.

Приведенные типы выделены древними в зависимости от врожденных качеств и особенностей. Несколько слов об этих качествах.

Божественные женщины отличаются доброжелательностью, великодушием, милосердием. Они могут составлять счастье любого мужчины, мало едят и пьют.

Демонические женщины хитры и изворотливы. Всем они приносят зло и тревоги, хозяйство и дом у них в запущенном состоянии, они любят острые блюда и вульгарные шутки и разговоры.

Прославленные женщины любят вино и мясные блюда, это весьма страстные и вульгарные женщины, легко отдаются за деньги и вещи.

Женщины-певуньи обычно без ума от музыки и цветов. Они обожают деликатесы, сладости, изысканно одеваются, обладают чудесной фигурой, любят комфорт и спокойный размеренный образ жизни.

Женщина-змея обладает деловой хваткой, капризна и подозрительна, склонна к лени и бездеятельности. Ее характеризует непостоянный ум и бегающие беспокойные глаза.

Женщина-ослица характеризуется недалеким умом, неуверенностью и нелогичностью своих поступков, имеет склонность краснеть и смущаться. Готова по первому же зову разделить ложе с мужчиной. Прожорлива и сонлива.

Женщины-обезьяны непостоянны, хитры и изменчивы, обожают флирт и не отличаются постоянством в любви.

Женщины-вороны необычайно хитры, недоверчивы, обладают острым умом, предприимчивостью и быстрой реакцией.

В заключение мы приведем рекомендации «Кама Сутры» о наиболее благоприятных соответствиях и несоответствиях вышеприведенных типов мужчин и женщин.

В трактате приводятся три равных варианта соединения типов, а также шесть неравных.

Рассмотрим соответствующие друг другу типы:

Типы мужчин	Типы женщин
Зайцы	Лани
Буйволы	Кобылицы
Жеребцы	Слонихи

Не соответствующие друг другу типы:

Типы мужчин	Типы женщин
Зайцы	Кобылицы
Зайцы	Слонихи
Буйволы	Лани
Буйволы	Слонихи
Жеребцы	Лани
Жеребцы	Кобылицы

Приведенные характеристики типов мужчин и женщин и их соответствие друг другу весьма интересны, но учтите, что в природе не существует абсолютно чистых типов, имеющих только описанный набор черт, здесь также, как в характеристиках Инь-Ян, надо опираться на доминирующие черты.

Несмотря на это, наблюдательность древних психологов удивительна и поражает своей точностью и очерченностью образов. Наверняка, познакомившись с этими психотипами, вы без труда отыщите знакомые образы в вашем окружении.

Интересно исследование древними мудрецами Индии причин, толкающих женщину на путь порока и греха. Они считали, что такими причинами могут являться несчастная любовь, страх перед кем-то, жадность, стремление к наслаждениям, желание отомстить кому-то, любопытство, постоянные любовные связи с мужчинами, стремление иметь друга, эйфория от того, что нравишься многим, склад характера, нацеленного на авантюризм, стремление избавиться от переживаний и воспоминаний, связанных с несчастной любовью и т.д. Но главной причиной, толкающей девушку на панель, древние считали стремление к наживе. «Кама Сутра» — трактат древний, с тех пор мир изменился, изменились люди, но жрицы самой древней профессии сохранили много общих черт, объединяющей же и главной среди них является жадность, стремление к наживе. Сегодня наши рестораны в вечернее время напоминают мясные лавки, где на прилавок выставляется мясо разной категории и идет бойкая торговля — кто заплатит больше, и вовсе не забытье от несчастной любви толкает их на панель.

Индия и многогранность ее культуры очень значительны, вклад Индии в транскультуру мира огромен и свидетельствует о том, что путь обособления культур — это путь «изоляции опухоли», а не процветания и выживания. Объединение культур, их взаимное обогащение — есть путь развития.

Лучшие мыслители, философы, ученые, врачи черпали и черпают из истоков индийской культуры живительные знания и мысли.

Поражает, как гармонируют в ней необыкновенные контрасты: с одной стороны, высокий культ Матери, культ женского начала Мира, с другой — тонкое знание мира, сексуальных чувств и необыкновенное умение показать эти отношения как один из аспектов природы, как часть целостного мира. Отсюда и красота мужских и женских образов, столь характерных для изобразительного искусства Индии, и многое другое. В разных подходах к вопросам любви и всем ее аспектам просматривается разность мировоззрений Востока и Запада с его христианской моралью греха.

Разговор об Индии мы продолжим экскурсией в Тантра-Йогу, мир которой окрашен для нас легендами и тайной. А там, где тайна, как правило, нагромождено много домыслов и догадок, субъективных толкований и оценок.

Что же такое Тантра? Весьма простым определением, но достаточно понятным будет: Тантра — это система знаний об энергии, которая вызывает сексуальную силу. Основным принципом сексуальной части Тантра-Йоги является мысль о том, что отказ от желаний возможен только через их удовлетворение. Подавляемая сексуальная сила, не реализуемая в сексе и не перешедшая в область других энергетических процессов, является источником разнообразных неврозов и связанных с ними психосоматических заболеваний.

Те же идеи западному миру предложил З. Фрейд, чем вызвал огромный взрыв общественного мнения, т.к. сексуальная культура и ее значение в жизни человека всегда считались «табу», сюда вечно набрасывалось ханжеское покрывало лицемерной добродетели, а за фасадом здания скрывалась гниющая свалка пороков. В результате Запад оказался абсолютно неподготовленным к появлению литературы об основах секса и способах сексуального удовлетворения, всевозможных руководств по эротическому массажу и самомассажу и т.д., что повлекло катастрофическое обесценивание самого святого в мире чувства — любви.

Вернемся к Тантре — к любви йогов, наполненной высоким духовным содержанием. Тантра в переводе с санскрита означает «действие, активность, расширение». Под практикой Тантры понимают духовную практику, заключающую в себе, помимо молитв и чтения священных текстов, активную работу человека по самосовершенствованию. Одним из таких методов является сексуальное взаимодействие.

Каждый из нас индивидуален, и, несмотря на характерологическое объединение по типам, индивидуальность каждого неповторима. Но, находясь постоянно в одном обществе, мы стандартизируемся и становимся похожими друг на друга. Каждое общество имеет массу общих проблем, плюс к этому у каждого накапливаются проблемы личного плана. Это блокирует наше подсознание, подобно тому, как сорная трава заглушает жизненно необходимые культуры ценных растений, в результате чего прекращается их рост и развитие. Освобождение подсознания от всех сорняков дает свободу и рост всему творческому, талантливому. Человек видит главное, почувствовав свое раскрепощение, свое освобождение, он живет уже по другим законам и правилам. Он больше не раб стереотипов, он творческая личность, наделенная Богом набором индивидуальных черт и желаний. Секс является одним из комплексов, подавляющих индивидуальность и лишающих личность ее творческой реализации. Теория Тантры имеет много общего с теорией Дао-любви.

Согласно науке о тантризме, потеря энергии Цзин, ее квинтэссенции — это смерть, тогда как ее возвышение, чистота окраски означают вечную жизнь. Соединение в Тантре, получение всей гаммы чувственных наслаждений доступно только очень чистым и сильным личностям, достижение такого состояния возможно после длительных практик.

Если вы уверены в себе, если вы считаете и чувствуете, что любовь есть высшая энергетическая субстанция Самого Бога, вы можете позволить себе заняться Тантра-любовью. Но если вы не подготовлены духовно, не уверены, что тантрический секс не обернется просто половым актом, не рискуйте — такие опыты могут кончиться слишком печально, вы можете вызвать такие энергии, которые не сможете реализовать и станете их жертвой. Для сублимации сексуальной энергии на Западе существует много других методов, значительно более безопасных, чем Тантра.

После беглого знакомства с восточными практиками

любви необходимо понять, что в их основе лежит идея достижения энергетической гармонии Инь-Ян с помощью определенных действий (прикосновений, ласк, сексуального контакта), приводящих к максимальному энергообмену и насыщению с целью оздоровления, раскрепощения, снятия блоков, продолжения жизни. Секс в жизни человека Востока органически входит с систему жизнедеятельности и составляет неотъемлемую часть представлений о целостности мироздания — как творящая и воспроизводящая сила. Благодаря таким взглядам и такому отношению к любви, восточному человеку удалось сохранить свое физическое, психическое и нравственное здоровье.

СЧАСТЬЕ: ЧТО МЫ ПОД ЭТИМ ПОНИМАЕМ?

Давайте порассуждаем о счастье. Каждый из нас стремится к счастью, но так и не может четко сформулировать, что же это такое? Сейчас, если задаешь вопрос: «Что вы понимаете под счастьем?» — слышишь стереотипный ответ: «Счастье — это состояние души». Но... души ведь у всех разные , и возраст этих душ разный, зависящий от количества воплощений и опыта, полученного в этих воплощениях. Следовательно, понятие о счастье у каждого из нас разное. И о счастье мы, к сожалению, можем судить только тогда, когда выходим из какой-то темной полосы нашей жизни и входим в светлую. Ведь когда у нас в жизни все благополучно, а это значит, что мы с радостью встречаем каждый новый день, открыв глаза, приветствуем Солнце и Творца, благодарим его за работу, заботу и пищу, за здоровье детей и близких, торопимся на работу, а не в больницу, где лежит кто-нибудь из родных, вечером в кругу семьи за ужином обсуждаем события дня или совсем мелкие происшествия, перед сном снова благодарим Творца за прожитый день, мы считаем, что это в порядке вещей. Задумайтесь, пожалуйста, может быть, это и есть счастье, и, наверно, не надо трагедий, чтобы это понять и оценить! Но мы, к сожалению, слепы и глухи, мы собственными руками разрушаем семью, а потом испытываем огромное счастье, если нам удается ее восстановить. Мы совершаем аморальные поступки, попадаем в тюрьму, а потом счастливы, когда оттуда выходим. Мы лжем близким, обманываем их и счастливы, что нам удается это скрыть, мы обижаем своих родных и счастливы, когда они нам прощают. Мы привыкли жить на контрастах, очень быстро прывыкаем к хорошему, а потом не умеем ценить это хорошее. Когда нам плохо, мы скулим и стонем, ноем и просим Творца о помощи, когда же нам хорошо, мы забываем поблагодарить его за эту помощь.

Мы спрашиваем «за что, Господи?» только, когда нам скверно, но забываем спросить «за что же?», когда нам хорошо. Великий ученый И. М. Мечников перечислил в своих этюдах о природе человека все дисгармонии современного человека, но главная дисгармония таится в нашей психике — это неумение оценить и понять ту категорию, которая именуется счастьем, о котором на протяжении всех веков мечтало человечество, так и не выяснив, что же это такое.

Прежде всего, это состояние и ощущение будет существенно отличаться в зависимости от возрастных категорий. Счастье ребенка, молодого и зрелого человека, старика ассоциируется с совершенно различными ощущениями. Правильно будет себе представить, что ожидаемое ощущение счастья, в том плане, как мы себе его рисуем — это постоянно влекущая нас, но неизбежно исчезающая иллюзия, майя, но без этого ожидания, без этого миража жизнь наша была бы просто бессмысленной. И если связать понятие счастья с биологией, то оно самым тесным образом связано с нашими органами чувств, с их подвижностью и лабильностью.

Желание счастья, пути и цели его достижения составляют многие побудительные механизмы человеческого поведения. Для того, чтобы избежать целого ряда неврологических комплексов и срывов, каждый из нас должен определить для себя, какого счастья он хочет в жизни и как он может реально его достичь. Мы уже говорили, что жизнь напоминает ткань со светлыми и темными полосами, чередующимися практически равномерно; еще гениальный К. Э. Циолковский в своей статье «Нирвана» математически представил эти полосы в соотношении 50/50. Наша карма может изменить это соотношение, но это строгий и справедливый закон, а поэтому счастье не может быть непрерывным, так же, как не существует вечного праздника. Оптимальное состояние для уровня сегодняшнего человечества и его возможностей — полосы чередующихся удач со спокойной размеренной жизнью. Обретение счастья для каждого индивидуально. Один счастлив взобраться на Эверест, другой — спуститься в пещеру. Один обожает жару, другой счастлив на Крайнем Севере. Но общее для всех людей — это состояние пребывания между желаемым и действительным, и это стремление является побудительным стимулом к движению вперед, так как полное удовлетворение жизнью значило бы всякое отсутствие прогресса. А потому «покой нам только снится», и в этом тоже элемент счастья. Если у человека существует побудительный механизм к постоянной деятельности, если ему неведомо такое состояние, как скука, этому человеку есть за что благодарить Творца.

Счастье есть умение не только радоваться и наслаждаться состоянием нахождения в «светлой полосе», но и умение спокойно, с философским пониманием относиться к событиям и существованию в серо-темных полосах, а также уметь приближать взлеты и посадки на светлые аэродромные площадки. Необходимо понять, что Земля — планета искупления и приобретения знаний, а истинное блаженство — на Небесах, о чем будет сказано позже. Когда мы четко определяем свою позицию и намечаем пути к ее осуществлению, мы всегда притягиваем ту ситуацию, которая нам нужна — нам следует только определиться и откорректировать шкалу жизненных ценностей. Я вспоминаю образный язык моей матери и мечтаю выпустить книгу ее афоризмов. Когда разговор заходил о счастье, она всегда говорила: «Один плачет, что у него суп жидкий, другой — что жемчуг редкий». Один считает счастьем максимальное приобретение материальных ценностей, не отдавая себе отчета, что когда человек здоров и бодр, он в состоянии быть счастливым и при меньших материальных богатствах, но если он надорвал свои жизненные силы в стремлении к богатству, он вряд ли ощутит состояние счастья от своих приобретений.

Что же составляет счастье? Может быть, счастлив «наездник-алкоголик», гарцующий на белом коне, или распутник, не помнящий даже имен и лиц всех женщин, с которыми спал, или скупец, дрожащий над каждой копейкой, талантливо изображенный Н. В. Гоголем в рассказе «Портрет»? Все они жалки в своей темноте и заблуждениях, в своем пути в никуда. Известный йогин, философ и ученый Карма Нгван Иондан Чихамдо очень мудро высказался на этот счет: «Пагубные деяния ведут к мучительным состояниям существования, благотворные — к счастливым. Не позволяй себе впустую растрачивать эту человеческую жизнь. Неважно, как ты это осуществляешь, но самое главное, чтобы ты утвердил все, что ни есть в тебе благотворные тенденции».

Счастье заключается в обладании разумом, который может отличить истинные ценности от ложных, тогда мы избежим очень многих страданий как в этой жизни, так и в последующих. Все страдания, на которые мы себя обрекаем, имеют единую причину – недисциплинированный разум, не справляющийся с потоком наших желаний. Контроль и дисциплинированность своего сознания есть тот краеугольный камень, тот фундамент, на котором держится наше счастье.

Счастье или страдание всецело зависят только от нас самих, от наших реальных действий, от того, как мы оцениваем ситуацию: возводим ли мы ощущение в суперэмоцию или переводим стрелку на отметку «норма», «гоним ли волну», или переводим в положение «штиль». В учении Будды очень ясно представлено, что все наши действия, будь они благие или пагубные, обусловливают появление соответствующих следствий. Он гениально вскрыл связь между причинами и их результатами, а свободу выбора наших действий предоставил нам самим. И на основе этого свободного выбора мы совершаем поступки, делающие нас счастливыми или глубоко несчастными.

Свобода личности — это свобода от отрицательных эмоций, умение самостоятельно убирать осколки и блоки прежних стрессов, комплексов, обид.

В этом аспекте очень важно разобраться в структуре такой эмоции, как обида, важно потому, что обиды являются одним из главных пусковых механизмов многих соматических заболеваний, а вытесненная в подсознание, она становится угрожающим взрывным механизмом с непредсказуемым действием.

В зависимости от своей психологической организации, вернее своего психотипа, каждый из нас переживает это чувство по-своему. Один реагирует бурно, страдает, проигрывает происшедший сценарий во всех вариантах, детализирует все нюансы и вновь огорчается, ведет внутренние страстные диалоги, обесточивает себя энергетически, так как накрепко связан с обидчиком единой цепью и практически его подпитывает. В другом случае обида сопровождается бурным негодованием, злостью или ненавистью, при этом наносится вред как своему здоровью и психике, так и находящемуся в этой «связке» человеку одновременно.

Другой психотип выражает свою обиду не так бурно, но испытывает тягостное состояние, трудно поддающееся описанию. Как в первом, так и во втором случае существует энергетическая ущербность, представляющая опасность для здоровья. Опасность усугубляется тем, что, как правило, эта эмоция неуправляемая: чем больше мы пытаемся с ней справиться, тем больше она завладевает нашим мышлением. Огромный удельный вес обид возникает (о чем мы уже упоминали) из-за нашего желания видеть аналогию своих поступков в поступках других, моделирования поведения окружающих по своему собственному образцу. Обида связана, как правило, с семейными проблемами, причем характер обид может быть самый разнообразный, со взаимоотношениями с друзьями и близкими, отсюда и самый разнообразный повод для обид. Реакция на обиду у каждого человека реализуется по-своему, в зависимости от его восприятия. Существуют люди трезвые, рассудительные, которые воспринимают жизнь проще, а если и обижаются, то для этого нужны весьма веские обстоятельства. Вторая же категория людей, не в меру «обидчивых», это очень трудные в быту люди, с которыми практически невозможно общаться, они держат окружающих в постоянном напряжении. Общаясь с ними, испытываешь какой-то страх от того, что твои слова будут истолкованы превратно и ответной реакцией могут быть либо агрессивность и злоба, либо подавленность и слезы. При этом возникает чувство собственной вины, что «обидел» хорошего человека. Психологические типы и в первом и во втором случае представляют собой разновидность энергетического вампиризма. Таких людей обычно избегают, они составляют главный процент одиноких, так как взаимоотношений с ними избегают даже самые близкие им люди. Как правило, обида следует за нами с раннего детства: обида на друзей, родителей (более стойкая) — она вытесняется в подсознание, где сохраняется и подпитывается, обрастая новыми. Это напоминает чем-то процесс образования жемчуга, когда попав в раковину, маленькая песчинка обрастает слоями, пока, в конце концов, не превращается в жемчужину. Правда, разница заключается в том, что жемчужина прекрасна, а обида безобразна, темна и с колючими шипами, ранящими душу. Не умея избавиться от обиды, мы никогда, ни при каких обстоятельствах не сможем энергетически изолироваться от источника этой обиды, не обретем возможности истинной свободы и обрекаем себя тем самым на цепь бесконечных, изматывающих переживаний. Живой человек с живой душой, не изолированный от внешнего мира, не может не обижаться. Обиду можно купировать, предотвратить, если знать ее механизм и уметь этот механизм нейтрализовать. Все зависит от того, как мы воспринимаем мир, насколько объективны в оценке окружающих нас людей. Необходимо принимать во внимание свой уровень развития, ведь обидеться можно и на человека, одинакового с вами менталитета, при этом важно оценить состояние этого человека, возможно, он переживает драму личного плана или же у него проблемы на работе, а вы в этот момент буквально подвернулись под горячую руку. Ситуаций может быть много, все не перечислить, но ясно только одно – чтобы избежать тяжелых последствий обиды, надо уметь их нейтрализовать, в этом сказывается глубокая внутренняя культура.

Мне известен такой случай, когда два крупных бизнесмена стали злейшими врагами с длительной тяжбой и последующим разрывом всех отношений из-за того, что один из них в затянувшемся разговоре по телефону грубо, бестактно оборвал другого. Потому необходимо умение выключить из сферы обращения мыслей мысль обидную, проанализировать и пронаблюдать ее со стороны, разложить на составляющие — и ее яркая окраска начнет заметно бледнеть и тускнеть. Ведь мы так умеем убеждать и утешать других, но когда дело касается нас самих, маленькая песчинка обиды превращается буквально в холм.

Во всех случаях необходимо прежде всего анализировать свое поведение и твердо помнить, что на доброе, спокойное обращение последует аналогичное, на окрик — соответственно то же. Наблюдается очень важная закономерность: приветливое, спокойное обращение не требует продолжительного времени для решения вопроса. Грубый и бестактный диалог затягивается, обрастая, как снежный ком, выяснениями, взаимными обвинениями, оскорблениями, формируя обиду, недоброжелательность, озлобление.

Умейте контролировать свои эмоции, не разжигая собственных страстей, а главное, не делайте громоотводом своих близких. Нам, женщинам, действительно, тяжело приходится в сегодняшней жизни (об этом особый разговор), но если свою усталость, неудовлетворенность, раздражительность мы будем нейтрализовывать дома на своих близких, мы значительно усугубим ситуацию и погрязнем в выяснениях и разборах. Каждая из нас — личность, причем личность уникальная, и может позитивно все изменить, надо только захотеть.

Практика анализа «стороннего наблюдения» за собственными проблемами дает объективное впечатление о характере этих проблем и намного снижает их остроту. Если вы уж действительно решили кому-то «излить» душу, не ищите «друзей», которые бы вам поддакивали и вместе с вами «ужасались» непонравившемуся поступку. Истинный друг объективен, выслушав вас и оценив ситуацию, он может ответить:

1) Да, имярек неправ, он тебя обидел, но вспомни, сколько он сделал тебе добра! Вспомни все хорошее и забудь эту выходку.

2) Да, имярек неправ, но ведь ты сама его вынудила, ты вела себя так, что ему очень трудно было сдержаться, я уверена, что он глубоко раскаивается, но и тебе не мешало бы извиниться и быстрей все забыть.

И главное, мы не умеем прощать, а от этого страдаем сами на одном конце, а на другом конце этой энергетической цепи страдает другой человек. И у обоих возникают неудачи, срывы, недомогания, болезни, а причина их — в неумении контролировать и нейтрализовать негативные эмоции, в неумении прощать, в отсутствии христианских идеалов любви и прощения.

Мысленно сожгите возникшую негативную связь, представьте, что от вашего сердца к сердцу другого тянется темная дорожка обид, непониманий, озлобленности, страданий. Поднесите к ней мысленно горящую свечу и наблюдайте, как эти эмоции сгорают – связь порвалась. Вздохните с облегчением, если можете, поплачьте — вы расстались с тяжким грузом отрицательных энергетических накоплений, они сбивали нормальный ритм работы ваших желез внутренней секреции, вызывали боли, влияли отрицательно на работу нервных центров — чакр. Поблагодарите

Великого Творца за помощь! А затем представьте на сердечном чакре кристалл розового кварца — талисман любви, и посылайте потоки его розового излучения к серцу человека, которого простили. Ждите самых неожиданных ситуаций и решений! Храни вас Бог!

Во 2-й лунный день необходимо проанализировать все дела за месяц, и если что-то вас смущает в ваших поступках, совершите искренне покаяние.

В 9-й лунный день, именуемый сатанинским, надо совершить очищение через огонь и простить всех, даже самых злейших врагов. Вы объективно почувствуете освобождение и удивительный душевный покой.

Привычным стало для современного человека, а может быть, для людей уходящих, ставить во главу угла свои личные обиды, порой даже незначительные, не замечая глубоких страданий других. А ведь сравнения с истинным горем страдающих рядом людей, которые потеряли близких, дадут вам верный критерий в оценке ваших чувств. Будьте корректны и тактичны, ибо в стрессовых ситуациях человек теряет свою энергию, и если вы в сердцах сказали что-то очень обидное членам вашей семьи, сотрудникам или друзьям, вы лишили их значительной части энергии. Если вы отрицательно отозвались о близком вам человеке, для него это стресс: всякое оскорбление, всякое унижение — это стресс, и если он поверил, что это правда, вы совершили тяжкий поступок, так как пройдет время, а он будет все еще носить в памяти эту занозу. Не забывайте, что слово — это сильнейшее энергетическое воздействие. Потому так страшны обиды — они цепко держат вас в когтях прошлого, забирая энергию, которая в нормальных условиях должна расходоваться на процессы жизнедеятельности. Обида — это утечка энергии, и резонанс потом скажется на слабом звене. Будьте благоразумны, дифференцируйте ситуации, не растрачивайте на ничтожные конфликты божественную энергию своего организма.

Наше пребывание в прошлом, привязка к нему, всегда действует негативно на наше настоящее, оттягивает в ретроситуации наши силы, нашу энергию. А на двух фронтах сражаться очень трудно.

ГЛАВА 4

СОЮЗ ДВОИХ — ОСНОВА МИРОЗДАНИЯ

Мир устроен на основе полярности, и человек в нем не исключение — аналогию мы наблюдаем во всех формах проявленного и непроявленного мира. А потому нормальный человек со здоровой психикой не может быть счастлив в одиночку: для гармоничного развития и реализации своего творческого потенциала, своей земной и космической миссии ему нужен союз с лицом противоположного пола. Причем, что очень важно для лиц обоего пола, длительное одиночество невозможно, оно вызывает страх и безнадежность, которые побуждают их к поиску своего дуала.

Человеческое общество в своей эволюции переживало разные формы половых отношений, вырабатывая такие взаимоотношения полов, которые способствовали бы сохранению жизни на планете. Историческое развитие половой любви проходило через групповой секс, через полигамные семейные брачные отношения и эволюционно-генетически сформировало тенденцию к моногамии. Как оптимальный опыт, накопленный человечеством, выделяющий его из мира животных, моногамные брачные отношения вытесняют полигамию и становятся доминирующей формой брака. Случайность ли это или мудрые законы природы, обеспечивающие через семью человеческому индивиду широкие возможности для своей реализации? Но для этого должна быть семья, это слово обладает огромным энергетическим потенциалом, это энергетическая батарея, это оплот и опора, необходимость поддержки и коррекции. Это предусматривает возможность услышать правду и соответственно ей изменить то, что требует немедленного изменения, а иначе может возникнуть тупик. Это та правда, которая преподносится корректно, тактично, не причиняя боли, но открывая за блокированные каналы, давая выход энергиям, искажен ным представлениям, заблуждениям. Такая семья – надежный алтарь, а не мертвый очаг, где изредка вспыхи вают тлеющие угольки, которым уже нет пищи, и послед ний раз вспыхнув — все обращается в серый пепел остатки которого может разнести даже очень слабый порыв ветра.

Наш разговор о браке, о любви в браке, о глубокой привязанности двух человеческих существ друг к другу об их лебединой верности, когда один из них уходит и жизни, а второй его переживает, но ненадолго, потеряв опору и смысл. Или, возможно, все это мираж, иллюзия и ничего этого не нужно, проще одному, как кот у Киплин га, который «сам по себе бродит», может, лучше полная «свобода» и независимость вне семьи и ее оков? В чем же правда? Этот вопрос возник не случайно! В мире широко известно имя Бхагавана Ошо Радниша, чьи весьма инте ресные мысли и идеи будоражили и будоражат умы его многочисленных последователей, а у остальных вызывая бурное возмущение. Провозглашенный Раднишем путь Богу через секс вряд ли согласован с Великим Творцом и возникает опасность, что эти его посланцы могут не дойти до Бога, а будут перехвачены по пути сущностями противоположного к Господу лагеря.

Мы не случайно затронули тему о взглядах на любовь и брак Ошо Радниша, каждый имеет право высказывать свою точку зрения и отстаивать ее, запреты и преследо вания приводят только к тому, что ажиотаж вокруг этих идей усиливается, а вместе с ажиотажем растет и число последователей. К сожалению, количество последовате лей тех или иных взглядов не определяет правильность этих взглядов и идей, история фашизма и всех тоталитар ных режимов, столь опасных для общества и его развития отравляющих и разрушающих мозг и сознание, имела достаточно много последователей.

Попробуем объективно разобраться, что предлагал Бхагаван Ошо Радниш человечеству взамен укоренившихся традиционных представлений о любви, сексе и браке. Вот одно из высказываний Радниша о сексе: «Ничего нет неправильного в чистом, простом сексе, это естественно. Нет нужды прятать его за прекрасным словом любовь. Нет нужды создавать вокруг него ореол романтики».

За высокими словами о любви, за гимнами в ее честь, за ее возвышением и прославлением ощущается какой-то вакуум, дорога, ведущая в никуда, так как вслед за всей этой радостью и восторгом ощущений, непередаваемой мелодией сердца не видно финала, завершения, а следуют резкие нападки на брак. Он пишет: «Не случайно, что брак создает большие несчастья в мире, чем что-нибудь еще, потому что он разрушает единственную возможность счастья, счастья любви». «Сердце никогда не танцует, — восклицает он, — люди рождаются и умирают, не зная любви...»

Миллионы любящих людей, которые соединяют свои жизни и свои сердца, видят в браке возможную реализацию счастья, опровергают эти взгляды Радниша.

«Причина появления брака — страх, что завтра, может быть, ваш любимый или ваша возлюбленная покинет вас, поэтому заключаете контракт перед обществом и перед законом. Но это гадко, совершенно мерзко, отвратительно. Заключить любовь в контракт — значит поставить над любовью закон, то есть наложить оковы на вашу индивидуальность и принять поддержку суда, армии, полиции, юстиции, чтобы сделать ваше рабство абсолютно определенным и надежным», — утверждает Радниш. «Мир, состоящий только из свободных индивидуальностей, будет действительно свободным миром», — продолжает свою мысль Радниш. Такая неоспоримая вещь, как статистика, утверждает и свидетельствует, что продолжительность жизни одиноких людей намного короче, чем семейных. Как можно объяснить этот факт с позиций уважаемого Бхагавана? Для человека семья — это опора, но это справедливо, если это настоящая семья, семья может быть поистине творческой мастерской для всех ее членов, где каждый может стать индивидуальностью, проявлять и реализовывать свои творческие возможности, свой космический путь, свои задачи, где каждый оказывает другому поддержку и помощь. Наверное, именно потому семья и брак, несмотря на любые течения, носящие циклический, волнообразный и непостоянный характер, и утверждения любых философов и психологов, все же остаются столь привлекательной формой для существования большинства населения планеты и опорой государства.

Но, когда семья из творческой мастерской превращается в тюрьму, в кладбище всех надежд и устремлений, когда ноги буквально не несут домой, а есть желание подольше задержаться на работе, и когда вместо покоя и заслуженного отдыха нарастает глубокое раздражение, отравляющее собственное существование, и когда уже перепробованы все рецепты и использованы все советы, а улучшения не наступает, возникает самое страшное из одиночеств — одиночество вдвоем! Эта семья уже не подлежит реанимации, и супруги должны честно это признать и красиво разойтись. Тут совершенно прав Ошо Радниш — такие оковы и цепи никому не нужны, они убивают любовь, они убивают жизнь, такая семья ничего не дает ни мужу, ни жене, ни детям, более того — она не дает ни одному из ее членов возможностей своей творческой реализации, выполнения программы своего воплощения, своего земного задания. «Жизнь с женщиной, которую вы не любите, жизнь с мужчиной, которого вы не любите, жизнь для надежности, для безопасности, жизнь

...я финансовой поддержки, жизнь по любой причине, ...ключая любовь, делает это ни чем иным, как прости-...цией», — с глубокой убежденностью заявлял Радниш. ...здесь он абсолютно прав.

Действительно семья является опорой и крепостью, ...гда, когда создается единый энергетический генера-...р, подпитывающий всех ее членов, и интенсивный ...оровый энергообмен, когда человек спешит домой с ...достью и надеждой укрыться от забот, тягот, обсудить ...опросы дня и пересказать его события и т.д.

Давайте попробуем разобраться во всем этом. ...ожно смело утверждать, что существуют только две ...тегории семей — благополучные и неблагополучные.

С неблагополучными все ясно, там что-то сломалось, ...ло или было изначально ошибкой, трудно определить ... сами супруги не в состоянии были разобраться, а ...омощь извне не сработала — ясно, что в этих тяжелых ...онически неблагоприятных ситуациях любви уже нет, ... ней уже и говорить не приходится, нет и чувства ...ривязанности друг к другу, работает только стереотип ...траха перед разводом и хлопотами, с ним связанными, ...атериальной незащищенностью и стереотип страха ...еред одиночеством, кажущимся, на самом же деле ...авно реальном. Такая семья — это мираж, иллюзия, но ...е проституция, так как проституция создает за деньги ...ть видимость любви, продажной, но любви — здесь же ...е создается даже видимость. Здесь ничего не ...родается, равно как ничего и не покупается.

Сложнее решать вопрос с ситуацией в семьях благо-...олучных, имеется ли в них элемент проституции?

Надо полагать, что само состояние сохраняющегося ...лагополучия свидетельствует, что брак состоялся ...десь по любви, по взаимному влечению и по ...трастному желанию сделать это влечение, это ...елание, эту любовь длительной, стабильной, на «всю жизнь». Сохранилась ли в таких семьях изначальна любовь или она переросла в глубокую привязанность диагностика этих чувств весьма сложна, а, скорее всег просто невозможна. Не существует такой лаборатори которая дала бы это заключение, такие оценочнь критерии, такую лакмусовую бумагу, которая пр контакте с субстанцией любви, привязанности верности изменила бы окраску.

Мне не удалось уяснить, знакомясь со взглядам Радниша на любовь и брак, — хотя последний он кате горически клеймит и отрицает — какой способ рождени детей предлагает Бхагаван? И кто их должен воспить вать? Правда, Ю. М. Лотман пишет о взаимосвязи пр роды и культуры: «Простейшая форма биологическог размножения — деление одноклеточных организмов. этом случае каждая отдельная клетка полность независима и не нуждается в другой...» Что ж, вернемс к этой форме, тогда мы будем развиваться в банках будем абсолютно независимы.

В связи с этим как не вспомнить слова классик французской литературы Стендаля, который утвержда что не может быть счастья в любви иначе, чем в брак И действительно, любовь, не стремящаяся длительному союзу, неопределенна, расплывчата, н имеет будущего. Далее Стендаль замечает, что, пока ж «нервно, истерично ищем мы большую, настоящук идеальную любовь, наши дела страдают от постоянно смены декораций, соответствующих этим чувствам».

Ведь сама любовь имеет разные этапы своего прояв ления — первоначальная пылкость и страсть сменяютс нежной теплотой и стабильностью, а, возможно глубокой привязанностью, уважением и преклонением И, конечно, глубокого уважения заслуживают пары пережившие вместе все перипетии судеб от ситцево свадьбы до бриллиантовой, сохранившие глубокое дру другу уважение, а, может быть, и любовь. Ко мне обратились пациенты — два пенсионера, оба больные, о муж мало просил о помощи себе, будучи на 7 лет тарше своей жены, он с глубоким беспокойством оворил о том, что жена больна, у нее повышается резко ровяное давление. И умоляюще просил меня: «Доктор, омогите, пожалуйста, моей жене, если с ней что-то лучится, я этого не переживу, я согласен отдать все вое имущество, лишь бы помочь». Кто скажет, что это е любовь? Или, по образному выражению Андре Моруа, «искусство брака состоит в умении перейти от юбви к дружбе, не жертвуя для этого любовью». Кто ожет ответить, что нас связывает, какая сила притяги-ает двух людей друг к другу, а также какова длитель-ость этого притяжения?

Как выразился наш отечественный философ К. Ва-ильев: «Любовь связывает зарождение белка с соци-льными отношениями, с тайнами психики, бытия». Но во сяком случае проституции здесь нет, ни в первом лучае, где выбор оказался удачным, ни во втором — где ыбор был ошибочным.

Но вот третья категория семейных отношений, воз-ожно, и «тянет» на указанную проституцию. Это те, к ожалению, довольно многочисленные браки, где изна-ально нет никаких чувств, но они просто декларируются ля приличия, а браки заключаются на финансовой снове, как со стороны женщины, так и со стороны ужчины. Это могут быть ровесники, а чаще один из упругов намного старше другого. Иногда из-за атериального преимущества претендента продается астоящая любовь, и предпочтение отдается атериальному положению, такое предательство и лепота очень строго наказываются кармически, часто то сказывается на детях и их судьбах. Каждый рожда-ется с только ему присущими качествами, особенностями характера и поведения, один действительно мо жет исполнить свой танец любви, меняя партнерш каждом новом танце, а другой стремится записать сво песню любви на долгоиграющую пластинку и проигрыват ее всю жизнь. Мы все разные, рецептов счастья много, каждый должен выбрать то, что ему подсказывает сердц самый верный советчик и критик, но мы не любим совето и не признаем критики, а потому страдаем, а уже чере страдания находим верный путь. И весьма опасным являются лжеучителя и лжесоветчики, выдвигающие сво теории, где под вывеской любви и заботы можно обнару жить жажду самоутверждения, амбиций, супертщеслави а порой и просто черноту. Более зрелые души, имеющи опыт, как правило, не попадают в эти сети, зато молоды души летят, как бабочки в сачки, как мотыльки на огон сжигая свои еще неокрепшие крылья и судьбы.

«Танцуйте в одиночку свой танец любви», — призыва Радниш, но ведь самым тяжелым наказанием даже тюрьме является одиночная камера. Реализация може быть только в паре, это доказано философами и психоло гами всех культур. Мелодия, зарожденная в одном сердце должна найти резонанс в другом — тогда возникает песн именуемая любовью, и такая песня бывает услышан Богом, и в награду за этот несравненный дуэт на све рождаются прекрасные дети и звучит божественное трис квартет, квинтет, или хор... и жизнь на земле продолжа ется. Так задумал Великий Творец, а человек реализует выполняет этот его великий проект жизни. С ростом духовности, с расширением сознания в Новую Эпох человек сможет разобраться во многих вопросах быти самостоятельно, опасность лжепророков должна значи тельно уменьшиться: знания законов природы, познани самого себя в синтезе с этой природой позволят выделит главное и избежать многочисленных ошибок и заблужде ний.

В связи с этим мне припомнился мой пациент, весьма сохранивший свою импозантность, алкоголик, докто

аук, результатом его запоев явилось полное одиночест-
о, жена его бросила, а детям было не до него, они
анимались своими проблемами. В одной из наших бесед
- надо отдать ему должное, это был неглупый человек,
аже тот интеллект, что ему удалось сохранить и спасти,
ыл далеко не заурядным — он с глубокой горечью мне
казал: «Знаете, Эмма Иосифовна, что больше всего меня
гнетает? Когда кто-то в компании тревожно смотрит на
асы — это значит, что его еще кто-то ждет, а меня уже
икто и нигде не ждет». И такая глубокая тоска звучала в
го словах, что мне стало очень тоскливо и не по себе.
огда мы в семье, мы часто мечтаем о покое, об одиноче-
ве, о желании передохнуть, но поверьте, это хорошо как
ременный фактор, но постоянное одиночество — состо-
ние очень тяжелое и непредсказуемое. Ведь недаром
рактически каждая девушка мечтает выйти замуж, как бы
на это ни отрицала, недаром существуют в мире службы
накомств, и доход этих фирм значительный.

Следует твердо себе уяснить, что любовь, самая боль-
ая, самая возвышенная, не является единственным ком-
онентом такой сложной организации, как брак и семья,
се инструменты этого удивительного оркестра должны
вучать в унисон, а если что-то или кто-то выпадает — это
же не оркестр. А потому каждому из нас необходимо
охранять звучание своего оркестра, тогда этой музыкой
удут наслаждаться не только члены семьи, но и окружа-
щие. Так позитивные энергии подпитывают пространст-
о, и чарующая музыка одного оркестра сливается с
армоничной мелодией небесных сфер. Уже в древней
реции существовало различие между телесным влечени-
м, чувственными ощущениями и потребностью в душев-
ой, психической близости, а также между страстной,
еистовой любовью, граничащей с одержимостью, и нежной любовью, трепетной и восторженной, где преобла-
ает потребность в самоотдаче, желание постоянно ви-
еть любимого, раствориться в нем.

Как часто мечтающие о свободе супруг и супруга,

получив ее, долгожданную, не знают, что с ней делать, ка ею распорядиться, и вдруг начинают понимать, что своб да должна быть внутренней, а не внешней, что от себя н убежать, и что оптимальным аэродромом для взлета долж на стать собственная семья, где царит мир и взаимопони мание, не опека, выдаваемая за заботу, а истинное пони мание и условия для «отращивания крыльев» у каждог члена этой семьи.

Вероятно, абсолютно оправданным была глубокая за бота о браках граждан в древней Спарте. Существова строгий закон о трех наказаниях: за безбрачие, за поздни брак и за дурной брак. Желание видеть граждан своег государства физически и духовно гармоничными свиде тельствует о глубоком понимании вождями Спарты осно могущества общества. Подбору партнеров в браке прида валось огромное значение. Древнегреческий филосо Демокрит говорил: «С хорошим зятем приобретешь сына с дурным — теряешь дочь». Мудрость и глубину этог утверждения трудно переоценить. То же относится и невестке, которая может стать дочерью, а в противно случае теряется сын.

Великий Фемистокл шутя говорил: «Главный человек Греции — мой крошка сын. Как это? Грецией во все командуют Афины, Афинами — я, мною жена, а ею сыниш ка». Этой шуткой Фемистокл приоткрыл покров над истин ной ролью женщины в семье, мире и обществе. Опасени церкви в связи с грехопадением абсолютно оправданны, возвращение брачной жизни под власть Божью началос с наказания и покаяния Адама и Евы. Преодолевая всяко искушение к прелюбодеянию и греховности, древние пат риархи стремились к браку: Авраам и Сара, Иаков Рахиль, Соломон и Суламифь и др. Причем, история любв мудрого царя иудеев Соломона к девушке из виноградни ка Суламифь — этот потрясающий гимн любви — н ограничивается, на мой взгляд, пламенной любовью дво их, эта легенда есть утверждение моногамных отношени над принципами полигамных. Великий царь иудейски

...мел 700 наложниц, не считая жен, и только любовь ...ставила его сделать выбор в пользу единственной своей ...юбви.

На брачном пиру Господь Иисус Христос превратил ...оду в вино, освятив традицию брака. Вода и ее стихия — ...имвол витальной силы человека, и чудо, которое Спаси-...ель явил на брачном пиру, есть пророчество о преобра-...ении воды в грядущей эпохе под воздействием Божес-...венной энергии. Преображенная вода Инь под влиянием ...ысших Божественных сил и энергий должна сыграть в ...рядущей эпохе огромную созидающую роль — таково ее ...редназначение, и к этой ее ипостаси будет направлена ...громная сила трансформирующих энергий Вселенной.

В заключение надо отметить, что к очищению и освяще-...ию брачной жизни была направлена вся многовековая ...еятельность христианской церкви, так как животный ин-...тинкт, постоянный поиск и жажда удовольствий, ложная ...ексуальность без духовной основы, служащая ложным ...огам, формирующая негативную карму не только у прак-...икующих ее, но и у ее лжеучителей и пропагандистов, ...азрушают человеческую личность, изгоняют ее духовную ...снову и ведут к смерти как физической, так и духовной.

Известный русский поэт А. Н. Апухтин в повести «Между ...мертью и жизнью», рассуждая о таинстве христианского ...рака, вкладывает в уста одного из своих героев следую-...щую мысль: «А знаете ли вы, что такое христианский брак? ... сказал вдруг старец. Это совсем не то, что совершают ...од видом брака испорченные светские люди, ставящие в ...тношениях к женщине впереди всего поклонение плоти, ...оклонение внешней красоте или превратив брак в сдел-...у, основанную на выгодах... Так знайте же вы, проснув-...ийся для духовной жизни христианин, что в браке выше ...сего христианское чувство любви и целомудрие, обере-...ающие чистоту этой любви... Только тогда плотское об-...щение становится в свое надлежащее место, только тогда ...но делается великим таинством воссоздания рода чело-...веческого, становится в гармонию, подчиняясь духу, а не во главу угла само по себе, не в поклонение плоти и е страстям, как это болезненно сложилось у многих. Эт многие не знают истинного христианского чувства. Он творят лишь подобие любви, каковое подобие тотчас ж гаснет вслед за удовлетворением страсти...»

И надо без сомнения признать, что великие христиан ские идеалы любви, касающиеся не только таинства бра ка, которые принимают и которым следует большинств населения планеты, спасли человечество от неминуемо гибели, как это в свое время сделал Великий Сын Божи Иисус Христос. Генерирование энергии любви — ест единственный способ выживания. Отец Небесный прояв ляет постоянную заботу о неразумных детях своих, посы лая лучших своих сынов зажигать факелы разума и нести свет людям.

Во второй половине XIX века в Иране возникла нова мировая религия, которая объединила все вероучени посланных на Землю Великим Владыкой пророков и свои сыновей Моисея, Кришны, Зароастра, Христа, Будды Магомета. Ее Великим пророком стал Баха-Улла, несущи свет учения Господа. Свет этого учения после смерт Великого пророка понес дальше его сын Абдул-Баха. Есл выразить кратко основы этого учения, можно сказать, что оно проникнуто любовью к Богу, любовью к людям глубокой озабоченностью судьбами мира.

К сожалению, в рамках этой книги мы не имеем возмож ности более подробно остановиться на основах учения, н главное — учение созвучно Новой Эпохе, надо полагать оно будет нести идеи равенства, идеи единения, иде устранения всяких барьеров между всеми детьми Земли идеи Вселенской любви. В соответствии с темой нашего изложения мы познакомим вас со взглядами учения Баха на брак.

Баха-Улла считает, что моногамия является единствен ной формой брака. При этом для того, чтобы брак был прочным, помимо согласия любящих и их желания идти п дорогам жизни вместе, необходимо согласие их родителей, их одобрение, так как это во многом укрепляет прочность брака. В книге «Агдас» Баха-Улла говорит: «Одно лишь согласие брачующихся было достаточно для совершения брака. Воодушевленные желанием укрепить дружбу, любовь и единение среди людей, мы поставили этот вопрос также в зависимость от согласия родителей, чтобы избежать вражды и дурных отношений между людьми».

По вопросу о браке сын Баха-Уллы Абдул-Баха пишет: «Брак Бахаи означает единство и сердечную привязанность обеих сторон. Они должны относиться друг к другу с большим вниманием, и каждый должен быть знаком с особенностями характера другого. Прочный союз между ними должен обеспечивать вечную связь, их стремлением должно быть родство душ, согласие и вечная жизнь... Брак Бахаи означает, что мужчина и женщина должны соединяться духовно и телесно так, чтобы их союз был вечным во всех Божьих мирах и чтобы они взаимно способствовали духовному совершенству друг друга» (Послание Абдул-Баха).

Церемония заключения брака очень проста — жених и невеста в присутствии, по крайней мере, двух свидетелей должны произнести: «Воистину, мы полностью согласны с Волей Божьей». Для того, чтобы брак был счастливым, согласно Воле Божьей надо уделять больше внимания выбору партнеров.

ИСТИННОЕ СЧАСТЬЕ ИЛИ ОДИНОЧЕСТВО ВДВОЕМ

В мире энергий и полярности Инь-Ян, объединяющих двух людей, важен уровень духовности, который может быть диагностирован по цвету ауры, зависящей от функционирования чакр. Если была совершена ошибка, не соблюдена энергетическая совместимость, то при желании быть вместе один из партнеров вполне может поднять другого на свой духовный уровень, до своей планки, соответственно этому будет изменяться цветовой спектр ауры и расти взаимопонимание, этого можно достичь развитием духовной силы. Разные уровни любовных ощущений во многом зависят от преимущественного включения тех или иных нервных центров в данном человеческом воплощении. Преобладание верхних центров, или треугольников силы, окрашивает любовь в розовый спектр сердечного чакра — это переливы розового с лиловым; работа нижних центров, нижних треугольников дает ярко-красные вспышки с темнокрасным и черным — цвет чувственности, цвет сексуальности и агрессии. Энергетические эмоции таких чувств угрожающие — через бурную страсть к разрушению. Это не звуки нежной флейты, сливающиеся со звуками природы, с мелодией нежной зелени, смягчающие душу и настраивающие на любовь и нежность, это разрушительная сила возбужденной рок-музыкой толпы, требующей хлеба, секса и зрелищ! В браке главный принцип — это одинаковый уровень развития чакр, до диафрагмы или выше ее, а уже проявления полярных свойств индивида может влиять на подбор партнера в браке — ведь духовность и порядочность имеют позитивную полярность.

Каждое общество, каждый век утверждает одни ценности и игнорирует другие, в этом плане барометром всегда является секс, его взлеты и падения характерны для меняющегося мира, и процесс этот регулируется какими-то тайными, недоступными человечеству механизмами. Бесспорно лишь одно, что эскалация секса неминуемо знаменуется его обвальной инфляцией и сопровождается возрастанием культуры и духовности с серьезной переоценкой нравственно-моральных ценностей. Одним из механизмов регуляции, как мы уже говорили, является бурный всплеск венерических заболеваний и манифестация практически неизлечимых болезней, таких, как СПИД.

Американский социолог Д. Рисмэн утверждает, что для многих молодых людей секс становится «последней границей», с помощью которой они стремятся утвердить свою индивидуальность. Вероятно, большинство последователей Радниша составляет именно эта категория молодых людей.

Владыка дал нам огромные возможности, в том числе, и способность генерировать любовь, призванную творить чудеса. Но для этого нужно терпение, знание законов и вера во всесильность универсальной космической энергии и ее Творца. Вы вполне в силах создать из своей семьи единую энергетическую систему.

Психологи разработали множество тестов и рекомендаций, связанных с поведением личности в социуме, ее реакцией на всевозможные ситуации, массой типологических характеристик с советами по выбору партнера в любви, для семейной жизни, в комплектовании служащих предприятия и т.д. К этой проблеме очень активно подключилась астрология с благороднейшей целью помочь современному человеку решить многочисленные проблемы с помощью гороскопа.

Однако с горечью можно констатировать, что этот ценнейший материал, наработанный лучшими умами эпох, в практической жизни мало используется, и люди делают грубейшие ошибки по всем перечисленным выше аспектам. Количество разводов и несчастных браков не уменьшается, а растет, сопровождаясь тяжелыми стрессами, выбивающими важнейшие звенья в организме, оставляя глубокие переживания в сознании детей, искажая их представления о любви, нравственности, терпимости, взаимном уважении, добре. Мне как профессиональному врачу и целителю, широко использующему в своей практике психотерапию и психологию, постоянно приходится в этом убеждаться и констатировать, что большинство заболеваний физического, астрального и ментального тел связаны с искривленной, уродливой обстановкой в семье. И, как правило, причина кроется в полной несовместимости типов личности, которых объединяет только общая крыша и общее одеяло, а подчас уже только крыша, где вместо любви поселилась неприязнь, вместо терпимости — взаимное раздражение, вместо уважения — его противоположность, вместо доброты — злость, и где третий — маленький человек, рожденный этими двумя — пытается безнадежно понять, что хорошо, а что плохо (прямо как у В. Маяковского), и порой решает примкнуть к тому лагерю, где выгоднее, и таким образом уже в этом ключе определяет свой дальнейший путь и судьбу. Сохранение такой семьи это зло, безнравственность и грубейшая ошибка, так как такой очаг — это культ зла, "реактор отрицательных энергетических выбросов", отражающихся не только на их носителях, но и отравляющих ауру окружающего пространства.

В такой ситуации надо делать выбор: либо поднять свой Дух к преодолению, к пониманию и терпению, либо ликвидировать этот очаг бедствия.

Важность этих вопросов и побудила меня сделать попытку, на основе знания восточной натурфилософии, истинность основных принципов которых находит подтверждение повсеместно в нашей жизни, с использованием подхода к разрешению ситуации на основании полярности Инь-Ян, дать каждой женщине шанс развития собственного интуитивного канала, и не только женщине, но женщине в первую очередь, т.к. именно она является создательницей и хранительницей семейного очага. От ее мудрости и интуиции, от ее гибкости и здравого смысла, от ее умения вовремя тактично вмешаться — брызнуть водой, чтобы загасить пламя, либо подбросить поленьев, чтобы его разжечь, — зависит не только огонь семейного очага, но и решение серьезных мировых и политических проблем. И пусть не обижаются на меня мужчины, но во все времена, во всех крупнейших исторических событиях, в любом государственном аппарате — из-за кулис любой сцены мелькала маленькая ручка и прелестное личико. Именно от женщин в Новую Эпоху требуется мудрость, тактичность, умение направить развитие процессов и событий в нужное русло, обеспечить расширение сознания, подъем Духовности, выживание. Иначе могут сбыться зловещие предсказания Нострадамуса о приходе очередного Антихриста и 27-летней кровопролитнейшей третьей мировой войне. Высшая планета Водолея — Уран — планета революционных взрывов и трансформаций, планета нового мышления и новых энергий, формирования шестой расы. И если современный человек сможет сгармонизироваться, войти в резонанс с ее великими перестроечными ритмами — он вполне может избежать страшной участи, предсказанной великим астрологом. В этом большом духовном подъеме, в расширении своего сознания и в формировании новой шестой расы ведущая роль принадлежит женщине, именно она должна позаботиться о тех и о детях тех, кому она дает жизнь.

ЭНЕРГЕТИЧЕСКАЯ ОСНОВА БРАКА

Обмен энергией между людьми служит основой жизнедеятельности любой семьи, коллектива, общества. Обмен энергией между супругами и другими членами семьи не является вампиризмом, поскольку вампиризм — это патологический, иждивенческий, эгоистический способ потребления чужой энергии. Нормальный же энергообмен — основа общения между людьми, но в семейной жизни он имеет свои особенности.

Вернемся вновь к неисчерпаемому источнику мудрости — китайской натурфилософии Инь-Янь, дающей равновесие двух божественных начал — мужского и женского — основе полярности и принципу всего Мироздания. Еще раз вспомним, что женское начало Инь, имеющее свои истоки в Природе, Земле, Луне, рождает формы материи и заполняет их. Мужское начало Ян формирует Дух. Инь-Ян — это Божественное единство Духа и Души, которые, сливаясь, создают новые качества и свойства. Благодаря этому постоянному взаимодействию противоположных начал, все в мире живет, воплощается, дышит, уравновешивается своей полярностью, обеспечивая жизнь в масштабах Вселенной. Только борьба противоположностей является формой возникновения и проявления жизненной энергии, гармонией или нарушением всех жизненных процессов. По этим законам функционируется и человеческий организм. Доля Инь и Ян определяет индивидуальность каждого из нас, наш темперамент; любое нарушение гармонии в саморегулирующейся и самовосстанавливающейся системе организма, которое организм из-за сверхсильного воздействия не может сбалансировать, ведет к изменению, выражающемуся в избытке или недостатке Инь или Ян. Согласно Лакомте, существует четкая характеристика психотипов Инь и Ян.

По принципу Инь и Ян создана Великим Творцом вся Вселенная и ее циклы перевоплощения, угасания, отдыха с последующим развертыванием для дальнейших целей эволюции. Это в полной мере относится и к нашей планете, входящей в единую систему Вселенной и находящейся под ее управлением. Не вдаваясь в подробности соответствия зон и регионов Земли определенным органам, аналогичным органам человеческого тела, только отметим, что части Света также следуют основным принципам Инь-Ян. Так, Восток является Инь-органом интуиции, пола, созерцания, наполнения знаний. Ведущие страны Востока, например, Индия, Япония, Китай в значительной степени больше, чем Запад сохранили нравственную культуру, духовность, знания жизни Вселенной, строения человеческого организма, законов жизни — рождения, смерти, бессмертия. В этих странах заложены основы медицины, в том числе медицины будущего, с использованием методов лечения через чакры, каналы и точки акупунктуры, железы внутренней секреции, основные звенья которых обеспечивают энергоинформационную связь нашего организма со всеми структурами Космоса через восприятие энергетических потоков разной длины волн. Запад представляет активное Янское начало с его динамичностью и подвижностью, с воплощением и реализацией жизненных программ. Их интеграция обеспечивает, по закону Творца, процесс эволюции.

По принципу Инь-Ян осуществляется полярность Земли — ее Северного и Южного полюсов. Полярность планеты делает возможным существование на ней всех жизненных и природных процессов.

В человеческом организме полярность осуществляется положительным энергетическим полюсом в области макушки головы и отрицательным в области подошв ног, а также депо отрицательной энергиии, сконцентрированной в районе копчика. Еще раз напоминаем, что понятие «отрицательный» не значит «плохой», а столь же важное, как и положительный, но имеющее необходимую энергию другого, дополняющего знака. В результате разности потенциалов возникает энергия, которая несет поток, обеспечивающий человеку жизнь во всех ее проявлениях. Всякое нарушение энергетического потенциала на макушке головы (связанного с духовностью и развитостью сознания) равно, как и нарушение энергии богини Кундалини, контролирующей резервы копчика, ведет к дисгармонии, к физическим и моральным нарушениям организма, к болезням Духа, души и тела. Чистота наших помыслов, действий, мыслей, поступков либо уравновешивает полярность и поток энергии, либо блокирует, создавая закупорки в циркуляции, блоки с выключением целых систем жизнедеятельности. Для ясновидящего тело человека представляется окутанным двумя спиралевидными тонкими энергетическими потоками — восходящим и нисходящим. В области темени и копчика энергетические вихри вращаются по часовой и против часовой стрелки, образуя поле, сила которого зависит от энергонасыщенности потока.

Чакры, или нервные вихревые центры, расположены в местах пересечения спиральных потоков. Поэтому работа нервных центров, обеспечивающих работу жизненно важных систем организма, его баланс и психосоматическое благополучие зависят от энергетических систем потоков, от полярности, которая возникает в верхней чакре Сахасраре и нижней Муладхаре.

Эти знания необходимы человеку, так как своими поступками и мыслями мы можем создать положительный Духовный баланс тонких энергий, связывающий нас с Абсолютом, обеспечить гармоничное накопление и использование великой энергии нижнего чакра и ее трансмутацию в другие виды энергии, о чем подробно говорится в главе об универсальной сексуальной энергии и путях ее трансмутации. Двое людей, решившись связать свои жизни, объединив усилия в трудном, искусительном земном пути, должны понимать, что их энергетический дуэт должен быть гармоничен, что они несут ответственность за дебют друг друга, за возможность реализации в этом союзе своих способностей и возможностей, данных Богом, а также великую ответственность за рождение, воспитание и судьбу тех, кому они дают жизнь. А посему выбор партнеров для энергетического союза весьма сложен, но, согласно Единому Вселенскому Коду, формирующему законы Мироздания, не безнадежен. (Глава об Инь-Ян, о дуальности.)

Согласно натурфилософии Древнего Китая, человек тождественен Небу и Земле, которые дают ему энергию разной полярности. Мужчина получает больше энергии Ян-Неба — энергия Отца, женщина получает больше энергии Инь-Земли — матери и Инь-Воды — Лунной энергии, дающей ей высокую интуитивность, душевность и эмоциональность. Следовательно, вибрации мужчины более активные, волевые, а вибрации женщины носят другой энергетический рисунок. Притягиваясь и соединяясь вместе, они гармонизируются. Это то, что мы в жизни называем притяжением полов, любовью или влечением, в зависимости от уровня этих энергий, от одухотворенности пары мы различаем любовь Духовную, любовь светлую и чисто плотскую.

Неся в себе Иньское начало Земли и Луны, руки женщины имеют полярные заряды — левая рука получает силу Неба, правая — земную, поэтому считают, что у женщины счастливая левая рука, а несчастливая правая. Эти данные по полярности рук и глаз проверены в Центре по методу кадемика Вейника. Сведя обе руки вместе, женщина бретает покой, равновесие в самой себе, а поэтому радиционный жест обращений к Небу, к Творцу вызывает нас состояние гармонии.

Поэтому, взявшись соответственно за руки, Небо мужчина) осуществляет связь с Землей (женщина). И огда, когда они стоят напротив друг друга, глядят друг ругу в глаза, по этому же энергетическому принципу озникает полярный ток, только вместо лампочек начина-от светиться глаза, выявляя высокий свет Души, тогда, бразуя гармоничную энергетическую цепь, они забывают бо всем. Но для этого необходима гармоничность энер-ий, как только между ними возникает дискомфорт, раз-огласия, неудовлетворенность, это свидетельствует о ом, что нарушена резонансность, и они интуитивно начи-нают ощущать, что этот дефицит нуждается в дополнении полярного знака. Поэтому, чтобы половые отношения были прочными, необходимо постоянное уравновешива-ние энергий Ян и Инь. Учение даосов и Тантра дают олкование взаимодействия полярных энергий во взаимо-отношениях людей. Силы Неба и Земли сообщают элек-тромагнитный заряд телу, обеспечивая процессы его жиз-недеятельности, проникая в кровь, эта сила передает энергетический заряд крови, стимулирует кровообра-щение. Восточная медицина эту важную функцию поруча-ет меридиану перикарда, который, осуществляя энергети-ческую подзарядку нервного центра сердца, продолжая этот маршрут по внутренней стороне руки к среднему пальцу, дает энергетический импульс кровообращению и секреции гормонов. Сопряженный с ним меридиан трой-ного обогревателя поддерживает энергии и тепло на постоянном уровне, обеспечивает гомеостаз.

В свете сказанного, наше тело имеет природу элект-рической батареи с массой проводов (нервных волокон), и его электрическая проводимость меняется в зависи-мости от эмоционального фона, возраста, воплощения, физического состояния, развитости Духа и сознания.

Медицина будущего сможет использовать различную качественную природу электрической энергии, вырабатываемой нашим организмом и зависящей от влияния Космоса, и соответственно настраивать ее в резонанс с этим влиянием.

Таким образом, любой человек вырабатывает энергию, отличную от энергии, вырабатываемой другим человеком. Это понятно: у каждого своя судьба, уровень воплощения, свои эмоции и болезни. Следовательно, мы находимся под воздействием и влиянием электромагнитной энергии, исходящей от всего, с чем мы контактируем, в том числе и от человека, с которым мы общаемся. Происходит нормальный энергообмен, который нельзя путать с вампиризмом. Обмен энергией между людьми необходим, и осуществляется он по принципу той же полярности, принципу Инь-Ян.

Восточные философы и астрологи делят людей на источники энергии, или любви, и поглотителей любви (не путать с вампиризмом). Это полюса любви Инь-Ян, которые абсолютно равноценны и могут, в одном случае, нести счастье и наслаждение, в другом — горе и печаль. Эти свойства являются врожденными, зависящими от года рождения и ансамбля стихий, а также от задач данного воплощения.

Источник любви «юань» обладает высоким энергетическим потенциалом, и его задача — поделиться, отдать, излить эту любовь, подарить ее другому человеку, который наполняется этой любовью, энергетически расцветает и, пропуская через себя, формирует ответное светлое чувство — подобно тому, как влага или солнечный луч, оплодотворяя Землю, дают рост прекрасному цветку, радующему глаз и несущему целительные силы.

Итак, нормальный энергетический обмен оказывает стимулирующее действие на тех, кто излучает энергию, и на тех, кто ее получает. Нарушение этого обмена приводит к нервной патологии, к внутриличностным срывам и стрессам, которые можно нейтрализовать восстановлением

елостности всей этой цепи. Убедительный пример такого
аготворного энергообмена — это мать и дитя, которое
е может гармонично развиваться без материнской ласки
любви и вырастает кривым и уродливым, как растение,
ишенное Солнца.

Счастливая и спокойная мать, состоящая в надежном
раке, может передать маленькому гражданину Вселен-
ой энергию благополучия и созидания, энергию уверен-
ости и оптимизма, равно как несчастливые браки с их
егативной аурой разочарований и сомнений создают
акомплексованных неудачников, а такие родители фор-
ируют себе негативную Карму. Велика ответственность
одителей за те души, которые воплотились в их детях.
менно поэтому так важна семья с ее практикой моногам-
ых отношений, которая является по сути сознательной
ейкой, нравственной основой общества и государства.
тсюда несостоятельность и недопустимость пропаганды
ак называемой «свободной любви», о которой мы уже
оворили.

Бездомные дети никогда не бывают счастливы, и никог-
а ребенок, лишенный одного из родителей, не развива-
тся нормально, так как ему нужен энергообмен как с
атеринской Инь-энергией, так и энергетическая мен-
альность отца, для его адаптации в социуме. Практически
евозможно заменить одну энергию другой, так как каждая
меет свои специфические особенности и окраску, как ни
транно, но заменить материнскую Инь-энергию легче,
ем отцовскую, так как мужская энергия несет в себе
увство не просто обожания, присущего материнскому
ачалу, а семейное достоинство, традицию, гордость за
воего ребенка, что дает поддержку и выбор направления
одростку, определяющему свой путь в жизни. Ребенку ,
ак и всему во Вселенной, для своего развития нужна
нергия обоих полюсов, и только эти влияния могут фор-
ировать гармоничную личность.

Обстановка согласия в семье закладывает именно та-
ой стереотип отношений, и дети развиваются дальше

гармонично, равно как и наооборот, и это также обусло
лено энергетическими взаимосвязями.

Энергетические связи обусловливают психологиче
кую обстановку в изолированном обществе женщин
мужчин. Атмосфера в женских изоляторах всегда небл
гоприятна и ведет, как правило, к психологическим ср
вам и неврозам. Мужские объединения в этом пла
намного благополучнее, безопаснее. Объяснение это
феномена заключается в том, что мужская Ян-энерги
подпитывает женскую энергию Инь, такая энергоподпит
пропорциональна степени симпатии, выражающейся
просто деловых отношений до любовных. Энергия Я
которую излучает мужчина, постоянна, поэтому они мен
ше страдают в изоляции, но, естественно, не бесконечн
Мы уже говорили о дуальности человека, отсутствие пс
хологического дополнения ведет к серьезным психологи
ческим срывам. Мужчинам необходимо определенно
время проводить в мужском обществе, «поработать н
себя», но если мужчина очень часто находится в чист
женском обществе, например, работает в коллективе жен
щин, он быстро истощается. Это надо иметь ввиду пр
формировании трудовых коллективов. Видимо, это явл
ется причиной всевозможных мужских объединений
клубов, и весьма редкое явление — чисто женские органи
зации, они, кстати, довольно нестойки.

Энергетически мужчина имеет больше физическу
потребность в женщине, а женщина больше духовную, ил
эфирную, потребность в мужчине. Очень часто весьм
непонятные и необъяснимые чувства и отношения связь
вают мужчину и женщину. Супружеские взаимоотношени
образуют энергетическую цепь, которая сохраняется д
тех пор, пока супруги живут вместе и прерывается тольк
в том случае, если кто-либо создал новую семью.

Счастливые супруги, у которых взаимная гармония ка
в физическом, так и в духовном аспекте, образуют практи
чески единую энергетическую ауру. Именно эта аур
обеспечивает крепость и надежность брака в отличие о

...учайных и беспорядочных связей.

Исследования показали, что стены «общего дома», ...зависимо от его величины, предметы домашнего обихо-..., мебель, картины и т.п. создают и включаются в общую ...ергетическую ауру семьи, защищая изнутри от возмож-...х внешних вторжений и влияний. Такая энергетическая ...ра обладает силой восстанавливать гармонию семей-...х отношений, а также нарушенный психологический ...меостаз одного из супругов, пострадавшего в результа-... каких-либо жизненных невзгод. Если в семье царят ...ажение, взаимная привязанность, любовь, достоинство, ...ергия такой семьи устойчива к любым невзгодам и ...трясениям, способна выстоять перед неожиданными ...итейскими катаклизмами — недаром англичане утвер-...дают: «Мой дом — моя крепость». Супруги могут проти-...остоять внешним нападкам, это абсолютно невозможно ...делать в одиночку. Домашний очаг создает энергетичес-...ую стенку защиты, поэтому знание человеком законов ...рироды и Космоса, и, прежде всего, закона энергетичес-...го взаимодействия людей как между собой, так и с ...кружающими их предметами и объектами, позволило бы ...збежать многих неблагоприятных жизненных коллизий, ...ало бы ориентацию и понимание многих явлений, жиз-...енных ситуаций, обеспечило бы правильный выбор парт-...ера, разумное и согласованное поведение в обществе и ...емье.

Достаточно проанализировать мудрую поговорку наро-...а «дома и стены лечат!». О чем здесь идет речь? В ...словиях больницы или госпиталя с 4-5-коечной системой ...ли 2-местной для привилегированных одно только слово ...койка» уже создает ощущение обезличивания больного ...еловека, хотя бы по сравнению с домашним словом ...постель», которое ассоциируется с теплотой и уютом ...омашнего очага. Во-вторых, сама «палата», где лечатся ...юди разного темперамента, воспитания, такта. «Психоте-...апия» такой палаты в зависимости от уровня ее времен-...ых жильцов способна свести на нет все усилия врачей. И не случайно больные хотят выписаться домой как мож[но] скорее. При этом произносится, как правило, именно э[та] фраза: «Дома стены лечат». Лечат потому, что ваш до[м,] наполняющие его предметы, близкие вам люди созда[ли] энергетическую ауру, помогающую вам подкрепиться д[у]ховно и физически, «зализать раны». И, пожалуйста, нико[го] не вините, а попробуйте разобраться в себе, в сво[их] мыслях и поступках, когда вас «не несут ноги в собстве[н]ный дом». Мысли о своем доме, о своей семье в норм[е] должны наполнять вас радостью и счастьем, а если эт[о] ощущение у вас утрачено, немедленно разберитесь: «По[че]му?» А главное, не надо начинать искать причину [в] окружающих, прежде всего, необходимо обратиться [к] себе, включить и прослушать свой интуитивный канал [—] голос сердца, он поможет вам объективно почувствоват[ь,] где вы были неправы, где можно было бы промолчать, те[м] самым погасив конфликт в зародыше, а затем опят[ь] вернуться к этому вопросу, когда обстановка будет разря[же]на и атмосфера будет послегрозовой, а не наоборо[т.] Когда ситуация, которую смоделировали двое, накален[а] до предела, тогда здравый смысл молчит, а бушующи[е] энергии перекрывают те сигналы и информацию, котор[ые] пытается передать вам интуиция. Никогда нельзя прини[ма]ть ответственных решений в таких состояниях, он[и] всегда несут только пагубные последствия — боль [и] страдания.

Вы никогда не найдете замены тем энергиям, котор[ые] излучаются счастьем и привязанностью, чувством досто[и]инства, защищенностью в ауре, создаваемой энергети[че]ским семейным кругом. Дети, воспитанные в тако[й] обстановке любви, достоинства, защищенности, уваже[]ния, имеют огромные преимущества перед теми, кт[о] рожден в семье конфликтов и раздоров, вечных ссор [и] выяснения отношений. А поэтому не обманывайте окружа[]ющих и самих себя, утверждая, что вы либо сохраняет[е] семью ради детей, либо ее разрушаете. Будьте правдив[ы] с собой — дети тут ни при чем — как в одном, так и в другом

чае вы преследуете свои интересы. Еще более неумес-
при родительских конфликтах советы детей, звучащие
ычно: «Как ты можешь терпеть, разведись, мы тебя не
жаем». Наш мудрый народ в таких случаях утверждает,
«соломенный муж лучше золотых детей». И не потому,
так плохи наши дети, просто, став на собственные
и, обзаведясь собственной семьей, они создают свой
ргетический очаг, решают многочисленные проблемы
том непростом мире житейских бурь, и у них просто не
тает времени и сил уделять внимание своим родите-
л. Одинокие родители, будь то мать или отец, являются
стоянным источником внутренних тревог и угрызений
вести. Представьте ситуацию: новогодний праздник,
приглашают в компанию друзей, где ожидаются при-
ное общение, праздничный стол, веселье. И я не думаю,
в этот вечер вас не будет удручать мысль, что ваши
ть или отец проводят его в одиночестве с глубокой
ской в сердце. Но Новый год бывает раз в год, а
инокие и тоскливые вечера ежедневно. Поэтому наши
ти не могут решать наши судьбы и давать нам советы.
ждый из нас греется у своего очага, для наших детей
всегда сохраняется тепло отчего дома, а родители
лжны рассчитывать только на свой очаг и стараться
ддерживать в нем огонь. Многолетний врачебный опыт
едил меня в этом, поэтому советы сводятся к использо-
нию всех средств для сохранения семьи, решение об
ончательном разрыве энергетического круга должно
иниматься только тогда, когда испробованы все воз-
ожности и в душе не остается и тени сомнений. Когда
шится семейный очаг, даже на его обломках сохраняет-
энергетическая способность защищать от внешних
сягательств, воздействий. Очень тонко было подмече-
, что третьему не стоит вмешиваться в семейные распри
"разборки", так как супруги быстро энергетически объ-
иняются, а такой «третейский судья», как правило, ока-
вается виноватым. Нужно всегда помнить, что «чужие
ла — потемки», и порой мы не в состоянии разобраться

в своих проблемах, а пытаемся налаживать чужие. Пр(...)
чный брак создает устойчивое энергетическое поле, гд(...)
двое ощущают себя одним целым, и всякое поползнов(...)
ние ущемить интересы одного неминуемо воспринимае(...)
ся второй стороной, готовой точно отразить атаку.

Мир энергий и его законы сложны и многообразн(...)
Даже в семьях, в которых не всегда царит мир и поним(...)
ние, а зачастую — конфликты и ссоры, энергетическа(...)
цепь, однажды возникнув, прилагает сама все усилия (...)
своему сохранению и всячески препятствует разрушени(...)
Нас очень часто удивляет та неподдельная скорбь, кото(...)
рую испытывает один из супругов при потере другог(...)
казалось бы, в абсолютно неблагополучной семье, гд(...)
были частые раздоры. Это связано с разрывом энергети(...)
ческой цепи, с взаимным энергетическим обогащением(...)
отсутствие которого в результате смерти одного из супру(...)
гов ощущается тяжелейшим дискомфортом с чувство(...)
своей вины, угрызениями совести, анализом своих пос(...)
тупков. Поистине энергетически объяснима пословиц(...)
«Что имеем — не храним, потеряем — плачем».

В этом аспекте необходимо еще раз обратить ваш(...)
внимание на весьма вредные воздействия случайны(...)
беспорядочных половых связей, их опасность — в энерге(...)
тическом разрыве общей брачной ауры. Пробоины в это(...)
цепи делают ее менее защищенной и весьма уязвимой(...)
Поэтому пусть вас не удивляют всевозможные неблагоп(...)
риятные ситуации, несчастные случаи, которые происхо(...)
дят в этих семьях. Мы сами оголяем наши границы, убира(...)
пограничные заставы на их протяженности, делая их уяз(...)
вимыми для внешних энергетических вылазок. Энерге(...)
тическая защита формируется нашими мыслями, имею(...)
щими вполне материальную основу, а потому граждански(...)
браки с совместным ведением хозяйства, общим бюдже(...)
том имеют такой же защитный энергетический пояс, как (...)
заключенные в ЗАГСе или в церкви. Именно здесь уместн(...)

ыражение, что «браки заключаются на небесах».

Общая супружеская энергетическая аура формируется остепенно, для этого требуется время, и очень часто естабильность, а порой даже отчаяние, связанное с евозможностью сразу наладить отношения, так харак-ерны для молодоженов. Наберитесь терпения, этот пе-иод проходят почти все, но терпимость и взаимное важение вознаградят вас прочной прекрасной семьей с адежной энергетической защитой. Очень просто и легко помощью родителей взять на себя заботы по организа-ии свадьбы, зарегистрировать брак, но пышная свадьба – еще не семья, это еще не энергетические наработки — то только проект дома, чертеж, а строительство впереди, как любое строительство требует прочного фундамента, сдача такого дома не должна быть с актами недоделок. огда в доме не будет протекать крыша, не будут рушиться тены. Обоим полам в сложном мире необходим прочный ом как убежище, и такой дом может дать только объеди-енная энергия обоих супругов. Женская энергетика за-исима от мужской, наверно, потому, что Ева была делана из ребра Адама и чувствует себя увереннее ядом с прародителем, мужчина же, несмотря на свое тремление к полигамным отношениям, видит в семье еализацию своих социальных задач и духовную основу. ак как реализация его социальных творческих планов озможна только в энергетических рамках семьи, то еобходимо учесть, что для сохранения своего личнос-ного энергетического потенциала мужчине необходимо ериодически бывать в чисто мужских клубах, парилках и т.д.

ВАМПИРИЗМ В СЕМЬЕ

В семье могут происходить самые разнообразные ситуации, связанные с различной полярностью энергий ее членов.

Нам уже известно, что жизнь — это энергия в различных ее формах, а потому при взаимоотношениях людей, при их общении везде и всюду, в любой ситуации, происходит обмен энергией. Этот обмен может быть благотворным, взаимообогащающим, тогда оба чувствуют подъем, состояние бодрости, удовлетворения, радости. Но каждый испытывал в своей жизни противоположное состояние, и довольно часто, когда собеседник утомляет, наступает тягостное состояние отупения, желание как можно быстрей расстаться, а после такого контакта ощущается опустошенность, разбитость, бледность. Когда мы говорим об усталости, разбитости, депрессии, тоске, плохом настроении — эти состояния сопровождаются дефицитом энергии. Когда нам в определенной жизненной ситуации (в городском транспорте, на работе, дома) бросили фразу, которая испортила настроение — это тоже связано с энергетической потерей, и наоборот, поддержка, доброе слово, одобрение дают позитивный энергетический заряд, радостное хорошее настроение — это удовлетворительная энергетическая обеспеченность. Весьма убедительно это продемонстрировали в нашем Центре немецкие мастера Рэйки; воздействие через наши органы чувств тех или иных впечатлений анализируется в головном мозге и проявляется на энергетическом уровне через силу или слабость мышечной системы.

Такое «откачивание» энергии принято называть вампиризмом. Но это очень оскорбительное слово, ассоциируется с кровососом, сказочным вампиром из мира усопших, который по ночам у намеченной жертвы пьет кровь. В данном случае речь идет об энергопотребителях, которые зачастую не знают, почему их избегают, в их присутствии раздражаются, часто при этом испытывая чувство вины от своей нетерпимости, несдержанности. Эти потребители чужой энергии бывают типологически различные, однако можно выделить несколько характерных типов таких людей. Прежде всего следует отметить, что эти люди обладают дефектной энергетической структурой, при которой,

...к правило, нарушен естественный энергообмен челове-
...с внешней средой. Нарушение происходит на уровне
...тайских каналов: изменение потока циркуляции энергии
...них и блокирование точек акупунктуры, корреспондиру-
...мых энергетическими центрами — чакрами, вследствие
...того в них нарушается энергетический баланс. Недоста-
...очно функционирующие чакры не в состоянии осущес-
...влять энергообмен с Космосом, поэтому происходит
...дпитка за счет другого объекта. Такой тип энергетичес-
...ого баланса корректировке извне не подлежит. Если
...еловек осведомлен о своей «ущербности», он может
...няться коррекцией своего энергетического обмена на
...овне своего сознания, Духа. Здесь необходимы медита-
...ивные практики с направлением на коррекцию и открытие
...акр. Следует еще раз напомнить, что человек может быть
...е осведомлен о своем недостатке и поступать именно так
...исто инстинктивно, испытывая энергетический дефицит
...потребность в энергоподпитке.

Виды потребления чужой энергии имеют ряд масок.
...аска скандалиста, грубияна. Такие энергопотребители
...тараются вызвать другое лицо на конфликт, а когда
...ертва начинает «выплескивать» энергию, возмущаться,
...ни благополучно подпитываются и спокойно удаляются.
...азавтра история повторяется и т.д. Это очень опасно в
...емье. Терапия состоит в умении абстрагироваться, в
...ходе от ситуации, тогда такой индивид срочно бросается
...а поиск другой жертвы. Полезен контакт с высокоэнерге-
...ическими деревьями типа дуба, клена, минералом пири-
...ом, но главное — духовная практика и работа с чакрами.
...аким иждивенцам обычно хорошо, когда кому-то плохо.

Прекрасная возможность для таких потребителей на-
...нергизироваться в очередях, в общественном транспор-
...е. Там они выявляют, изобличают, доказывают, наводят
...орядок, всех заводят и получают свой «паек» энергии
...есьма дурного свойства, так как она пропитывается
...егативными эмоциями. Именно такая энергия им нужна,
...они ее генерируют. Кроме того, это армия анонимщиков,

жалобщиков и т.д.

Маска зануды, нытика. Тягучие, заунывные, всем недовольные люди, вечно жалующиеся на жизнь, на болезни,
на недостаточное внимание, на обстановку в коллективе,
неудовлетворены семейными отношениями и т.д. В компании они скучны, мрачны, всех осуждают, из приличия с
ними пытаются общаться и очень быстро, с чувством
облегчения, освобождения покидают их, используя для
этого любой предлог. Очень часто на всевозможных дискотеках, чисто интуитивно, их не приглашают на танец или,
один раз пригласив и почувствовав себя неуютно, стараются «скрыться» на противоположной стороне зала. Энергетически они весьма слабы, а потому, в противоположность первому типу, много энергии «подсосать» не могут.
Их отрицательное воздействие объясняется еще угнетающим и тормозящим влиянием на нашу психику. Мы оказываемся с ними в диссонансе из-за разницы в амплитудах
вибрации. Они выводят нас из строя, как мост, по которому все идут в ногу. Мы испытываем перед ними чувство
вины из-за того, что мы такие счастливые, обласканные, а
они жалкие, несчастные, никому не нужные. Здоровьем
своим они занимаются только внешне, так как своими
болезнями спекулируют — болезни для них вроде вечного
упрека здоровым. Благодаря «болезням» они требуют от
близких повышенного внимания, на болезни ссылаются,
если хотят избежать какой-то нагрузки. Совестливая супруга или супруг испытывают чувство вины за свое благополучие и добровольно «переливают» свою энергию в
точки, чакры такого тихого зануды. И придраться ведь
нельзя: не скандалят, не конфликтуют, не взрываются,
просто монотонно ноют, как больной зуб, который и
вырвать не вырвешь, и терпеть невозможно. Спасение для
них — в нравственном совершенствовании, в поиске
цели, в молитвах, в исцеляющей силе кристаллов с большой энергоемкостью.

Энергетические иждивенцы тоже бывают двух типов —
экстраверты и интроверты..

Особая категория экстравертных как мужчин, так и женщин проявляет огромную активность (они просто агрессивно активны), они душа общества (вызывают объективно состояние заметной усталости при контакте). Другая категория в разгар какого-нибудь события вдруг шепчет таинственно о какой-то неприглядной ситуации, якобы касающейся собеседника, и все — «подключился» — человек начинает испытывать беспокойство, тревогу, порой даже страх, нервничает, и цель достигнута: начинается утечка энергии, бедная жертва теряет покой. Такой вид энергетического потребительства больше присущ женщинам. Это не обязательно должны быть встречи в компании, достаточно намека при встрече или звонка по телефону, и «клиент готов». Очень часто одной из форм потребления чужой энергии является в семьях создание одним из супругов по отношению к другому чувства вины, комплекса вины. Эти типы постоянно ищут виновных во всех своих истинных и мнимых бедах. При этом возникает чувство постоянного долга, который ты никак не можешь отдать, вроде бы расплатился — ничего подобного, вскоре возникают новые обстоятельства и обязательства. Помимо комплекса свой вины, который все-таки, разобравшись, можно отвергнуть, начинает накапливаться и выплескиваться негодование — это тоже на руку такому «сосуну». Такие люди выглядят голодными и аналогично тому, как человек, насытившись пищей, удовлетворяется, становится мягким и общительным, так же и такой «сосун» — напитавшись, довольный отваливается.

Нельзя не упомянуть еще об одной категории энергетических иждивенцев — это лица, которые с огромным удовольствием сообщают другому неприятные вещи, новости. Это явление может наблюдаться как в семье, так и вне ее. В семье это может быть желание разделить неприятность, а то и просто переложить ее на плечи жены или мужа, это весьма негативный альянс вампиризма с эгоизмом. Истинная любовь и дружба щадят чувство и эмоции другого. Естественно, в процессе жизни возникает

масса ситуаций и проблем, которые решить одному прост[о]
невозможно, необходим домашний совет, обсуждение [и]
совместные решения, как лучше поступить в интереса[х]
любого члена семьи. Но такой сценарий ничего общего н[е]
имеет с желанием любую неприятность, отрицательны[й]
инцидент «нести» домой. Здесь сценарий следующий: [в]
неприятной ситуации человек, естественно, переживае[т]
стресс с потерей энергии и чисто инстинктивно мчитс[я]
домой, чтобы пополнить ее за счет своих домочадце[в,]
демонстрируя при этом свою беспомощность и неумени[е]
справляться с обстоятельствами. И еще один очен[ь]
опасный вид энергососальщиков — это любител[и]
сообщать супругам об истинных или ложных изменах[:]
авторы анонимных посланий, подписывающиеся «Ва[ш]
друг или ваш доброжелатель»; устные информаторы, ко[-]
торые при встрече сообщают: «Твою жену или мужа виде[-]
ли с той или с тем, и знаешь это уже не в первый раз, о[б]
этом уже все знают, и я как друг…» и т.д. Уж в этом случа[е]
— успех полный. Такой информатор может, прямо н[е]
отходя от места, принимать целый энергетический душ[,]
впитывать чужую энергию всей кожей, купаться в ней[,]
жмуриться от блаженства. О таких «любителях правды»[,]
истинных «друзьях» есть прекрасная миниатюра у М. Жва[-]
нецкого, его тонкая наблюдательность вместе с уникаль[-]
ным чувством юмора позволили ему вылепить тип таког[о]
энергетического «сосальщика».

Очень серьезный аспект семейного вампиризма, при[-]
чем совершенно неосознанного, — это очень тесный кон[-]
такт бабушек и дедушек с внуками. Особенно недопустим[о]
совместное пребывание в одной постели ночью. Стары[е]
люди, безумно любящие своих внуков, не знают и н[е]
подозревают, что они от них энергетически подпитываю[т-]
ся. Единичные случаи при определенно сложившейс[я]
обстановке не представляют опасности, но, возведенны[е]
в систему, они весьма опасны, такие дети становятс[я]
вялыми, бледными, апатичными, начинают плохо есть и[]
т.д. Как правило, при обследовании у таких детей никако[й]

атологии не находят.

Весьма интересен анализ энергетических аспектов при браках с большой разницей в возрасте. Брак пожилого мужчины с молодой женщиной — это мезальянс. Начинается энергоперекачка от молодой женщины к пожилому мужчине, все говорят: «Посмотрите, как он помолодел, как отлично выглядит». А у молодой женщины развивается энергетический дефицит, она инстинктивно и интуитивно начинает искать общества молодого мужчины, в любви с которым она компенсирует этот дефицит.

Энергия управляет всеми процессами, и с этой точки зрения необходимо рассматривать все явления в мире проявленном и непроявленном. И. И. Мечников указывал на стремление пожилых мужчин к молодым девушкам и, наоборот, пожилых женщин к мальчикам, объясняя это явление как одну из дисгармоний человеческой личности. Эти особенности и стремления можно интерпретировать как энергетический вампиризм в чистом виде, но, как правило, такие союзы весьма недолговечны и кончаются глубоким разочарованием обеих сторон.

И. И. Мечников писал: «Врачи приютов для стариков замечают, что пациенты их главным образом поглощены вопросами любви. Слишком долгое сохранение половой чувствительности составляет также настоящее несчастье. Старики, не способные уже ни вызывать любовь, ни удовлетворять ее, часто становятся жертвами своей влюбчивости и неудовлетворенного полового чувства...»

Физический мозг является орудием или инструментом Духа, при его патологии или одряхлении он не в состоянии выполнять своих функций, но сохраняется более древний инстинкт, а именно сексуальный, который имеет материальное выражение в энергетической подпитке за счет более молодого, достаточно энергизированного человека.

В связи с этим не случайно возрождение глубокого интереса к духовной культуре Китая и, в частности, к даосской алхимии, направленной на долголетие, сохране-

ние здоровья как умственного, так и физического, благо
даря глубокому знанию законов, управляющих энергети
ческими процессами организма, обеспечивающих нор
мальную жизнедеятельность, в том числе и сохранение
глубокой старости сексуальной потенции. Даосская Йог
бессмертия предполагала «выплавление внутренней пи
люли бессмертия» в результате сложного процесса нако
ления и преобразования сексуальной энергии с участие
дыхания и сознания и ее переплавку в «бессмертны
зародыш». Даосы не без основания полагали, что весь ми
преображается по той же схеме, что и тело. Знание эти
особенностей исключает энергетический вампиризм. Та
работа с энергиями дает механизм очищения Инь за сче
Ян и наоборот, что взаимно энергетически обогащает.

Рациональное использование великой воспроизводя
щей силы энергии Цзин, ее трансмутации, умение целесо
образно ею распорядиться дают полнокровное существо
вание человеческому индивидууму и позволяют избежат
насмешек и злословий в связи с навязчивой мание
сексуальности в старости.

И последнее, вероятно даже неожиданное, но весьм
грозное и существенное, — это проживание в геопатоген
ной зоне. Многие уже знают, что расположение мебели,
особенности мест для сна, в зонах с патогенным энерге
тическим излучением не просто вредно, а опасно дл
жизни. Я уже говорила в своих предыдущих книгах об эти
скорбных примерах. Но в литературе очень мало уделяет
ся внимания воздействию этих излучений на атмосфер
семейных отношений, однако это факт и факт немаловаж
ный.

Перед тем, как построить святилище или храм, необхо
димо выбрать энергетически правильное место. Ведь
планеты тоже своя энергетика. Наверно, каждый из на
обращал внимание, на каких красивых местах стоят рус
ские церкви, буддистские и индуистские храмы. Это осо
бые места, где в результате опыта, накопленного челове
чеством, выбирается такое благое место. И каждый из на

наверняка ощущал, что при входе в храм Божий на душе становится легко и спокойно, исчезает суета мыслей, весь организм настраивается на высшие сферы. Происходит интенсивный процесс очищения и приобщения к святыне, к Господу.

А вот в наших квартирах, где никто не учитывает энергетические излучения при проектировании и строительстве, абсолютно утрачены знания, с учетом которых древние сооружали дома, храмы, пирамиды. Поэтому в современных городах при застройке жилых домов создаются аэродинамические трубы с постоянным, сбивающим с ног ветром, и вследствие этого наблюдаются частые простудные заболевания. В квартире может быть одна зона или несколько, а в неблагоприятных случаях и все жилье и даже весь дом энергетически негативен. Участковые врачи очень хорошо осведомлены о таких неблагополучных домах, где живут часто и долго болеющие пациенты и т.д.

Атмосфера семейных отношений может складываться неблагоприятно из-за наличия такой геопатогенной зоны. Симптомами, связаными с излучением, являются: беспричинная раздражительность, переходящая порой в агрессивные эксцессы, упорное немотивированное недовольство собой и остальными членами семьи, тревожность, беспокойство, эйфория или угнетенность, гневливость или депрессия. Для выяснения истинных причин неблагоприятного климата необходимы консультация и исследование вашего жилья оператором биолокации. В Центре мы очень часто при сомнении такого рода адресовали наших пациентов к услугам имеющихся у нас специалистов.

В качестве примера весьма иллюстративна история семьи одной моей пациентки. Семейная ситуация сложилась таким образом, что возникла необходимость в размене жилплощади и объединении. В старой квартире отношения в семье были нормальные. При размене была найдена квартира. Постоянные семейные ссоры и драки,

вплоть до сломанных дверей и мебели, заставили неза
дачливых супругов принять решение развестись и произ
вести размен жилья. Квартира большая, удобная, в цент
ре, понравилась моей пациентке — и две семьи согласо
вали вопрос об обмене своих жилых площадей. После
того, как новая семья переселилась на это «поле боя»,
них началась практически та же ситуация, что и у разъехав
шихся супругов. Она, правда, не носила столь разруши
тельный характер, до драк дело не доходило, но обстанов
ка постоянно накалялась. Специалист по биолокации вы
явил зоны геопатогенных излучений практически во всех
помещениях, кроме кухни и прихожей. Существует много
способов нейтрализовать эти излучения, но это не входит
в план данного изложения. Весьма интересным является
то, что уехавшие из этой квартиры супруги затем съеха
лись вновь, так как вдруг утратили озлобленность, нега
тивное друг к другу отношение и агрессивность.

Аналогичная ситуация происходила в молодой семье
где без серьезных принципиальных причин супруги устра
ивали отвратительные скандалы, драки со взаимными
оскорблениями.

Если в ваших семьях, особенно в связи с переменой
жилья, возникают непонятные моральные конфликты, не
имеющие никакой принципиальной основы, не пренебре
гайте исследованием энергетики жилья.

Существует еще одна причина постоянной вражды и
недоброжелательности в семьях между супругами, между
отцом и детьми, детьми и матерью, между братьями и
сестрами, комбинаций здесь предостаточно, а причины —
кармические.

СУПРУЖЕСКИЕ ИЗМЕНЫ ГЛАЗАМИ ЖЕНЩИН И МУЖЧИН

Я очень долго не могла решиться приступить к освеще
нию этой темы, хотя мысли и взгляды на этот счет сфор
мировались уже давно. Эта тема и все, что за ней стоит,
представляет огромный пласт человеческих страданий,
знакомых мне как врачу-целителю в течение многих лет

моей практики. Каждый раз, когда пациент или пациентка переступают порог моего кабинета и я вижу на их лицах следы перенесенных, оставшихся или имеющихся заболеваний, а очень часто и причины этих болезней, все равно я детально прослеживаю вместе с ними их жизненный путь, полный невзгод и страданий, ведь счастливые и довольные редко приходят ко мне на первый прием. Это состояние приходит позже, когда мы вместе разобрались и, как могли, привели моральную экономику к балансу. И мой огромный опыт позволяет сделать вывод, что супружеская неверность на шкале причин, вызывающих глубокий и тяжелый стресс, занимает первое место, конкурируя только со смертью детей и близких. Трудно об этом говорить, но на данном этапе развития нашего сознания, и я это подчеркиваю, очень многие женщины (80 процентов случаев) на вопрос, что бы они предпочли — смерть мужа или уход к другой женщине — 80 процентов не задумываясь выбирали первый вариант. Давайте вместе попытаемся разобраться в этом сложном вопросе, рассмотреть позиции двух равных начал — мужского и женского — именно равных, так как мы уже обсудили, «что птица человечества и счастья не может лететь на одном крыле», и что перекос и искривление этой гармонии ведет к неисчислимым страданиям и бедствиям человечества. Эта проблема на протяжении веков обросла теориями, взглядами, мнениями, научными концепциями, иногда абсолютно противоположных знаков. Попробуем и мы внести свой аспект в эту, наверно, никогда не разрешимую проблему, которая уходит своими корнями в прошлые жизни, где все перипетии наших прошлых и настоящих наработок лежат на весах Фемиды, а она справедливо, не взирая на личности, судит, кому надлежит наказание, а кому воздание.

Начнем с того, что браки действительно «заключаются на небесах», уже много раз было упомянуто, что живем в мире энергий и что брак есть действительно таинство, таинство энергий, где в принципе образуется энергетическая связь и каждый находится под воздействием энергий другого, ведь недаром в процессе жизни супруги начинают даже внешне походить друг на друга. Да что там супруги — хозяин и его собака становятся похожими друг на друга, проникаясь и резонируя в одних энергетических вибрациях. И очень важен, а мы так мало придаем этому значение, ритуал таинства брака — обет или клятва верности, и не имеет значения, произносится ли эта клятва у церковного алтаря (это усугубляет ответственность) или у стола при заключении брака в специальном государственном учреждении, и там, и здесь звучат слова клятвы в верности перед лицом Бога. К сожалению, мало кто понимает, какова ответственность за измену этой клятве, за клятвонарушение. Счастье это или несчастье — что мы так мало знаем о тех перипетиях наших судеб, в которых сами же и повинны. Наверное, несчастье — несчастье в том, что, зная об этом, мы, возможно, избежали бы многих бед, смогли бы увязать одни события со следующими за ними другими. Возможно, не сразу, но обязательно потом. Многие не верят в мир невидимых причин и следствий, однако это их не спасает. Они в роковой момент стереотипно, беспомощно, страдальчески разводят руками и обязательно задают один и тот же вопрос: «За что?».

Человечество на протяжении всей своей истории занимается тем, что придумывает всякие концепции для своего оправдания, в этом оно удивительно схоже с алкоголиком, который, изрядно набравшись, всегда найдет оправдание и причину своей очередной пьянки. Весьма «авторитетные» люди сейчас утверждают, что трагедия супружеской измены состоит в том, что мы, якобы, привыкли смотреть на жену или на мужа как на свою собственность. Позвольте, но человеческая личность никак не вписывается в категорию собственности. Если речь не идет о рабе. Каждому дается право свободного выбора, и каждый несет ответственность за свой выбор. Это вовсе не значит, что люди, потерявшие уважение друг к другу и любовь, должны оставаться скованными вместе цепью ошибок. Вовсе нет, они имеют право честного выбора. Жить в сотканном коконе лжи и страха — это недостойно и наказуемо.

Представим себе маленькую сценку семейной жизни, где муж вечером собирается в «полет» и заявляет: «Я иду спать к Жанне или к Лиле. Возможно, завтра после работы я заскочу домой» — и все протесты и обвинения жены парирует: «Я свободная личность, а не твоя собственность, дорогая, все твои упреки и наши осложнения связаны с отсутствием у тебя широты взглядов на семью и брак!» Не будем проигрывать ситуацию, где героиней этой сцены будет женщина. Можно ли говорить при таких отношениях супругов о наличии семьи? Думаю, что нет! Что касается собственности, человек по своей природе и есть собственник, и «его рубашка ему всегда ближе к телу», во всяком случае, на данном этапе нашей эволюции. На своем клочке земли он трудится намного усерднее, чем на колхозном поле, и на своем предприятии — значительно успешнее, чем на государственном. Тогда и брачные клятвы должны быть соответственно отредактированы и произноситься примерно так: «Клянусь любить тебя и всех остальных женщин и хранить вам всем верность» — и наоборот. И при этом обмениваться не обручальными кольцами, а пистолетами. Обет верности, даваемый у алтаря и скрепленный обручальными кольцами, является священным. Обмен кольцами во время брачной церемонии означает сближение, совершенство и бессмертие. Бессмертие потому, что кольцо из драгоценного металла не имеет ни начала, ни конца, и является символом вечности. Голова и хвост представляют положительный и отрицательный полюс космической жизненной цепи. Обручальное кольцо есть символ единства и гармонии и означает, что владеющий им и его семья достигнут в жизни своих целей.

Кольцо из золота, металла Солнца, несет на себе отпечаток союза Высшего «Я» (Бога) с низшим «Я» (Природой) и церемонии завершения этого неразрывного слияния Божественного и человеческого. А потому энергетический акт обмена кольцами имеет огромное значение в нашей дальнейшей жизни и судьбе. И если у вас не сложились отношения, несмотря на все попытки их урегулировать, и вы не можете склеить обломки разбитых чувств, снимите обручальные кольца, иначе в новую жизнь, в новые отношения вы потянете обломки старых.

В основном речь идет о мужской неверности, о женской же неверности говорят просто как о казуистике, и совершенно непонятно, с кем же тогда изменяют мужчины. В этом случае не мешало бы вспомнить слова Лопе де Вега:

«На сто обманутых красавиц,
Каков бы ни был средь людей их чин,
Всегда пятьсот обманутых мужчин!»

Возможно, цифры несколько преувеличены, но прекрасная половина человечества в долгу не останется. А ученые при этом рассуждают, «что в основе полигамического поведения мужчин, обусловленного общим законом биологической эволюции, лежит функция подвижного начала, которая создает поле для эволюционной изменчивости, а женский пол призван олицетворять устойчивость и стабильность». А поэтому самцы мигрируют по разным стадам, а самки никогда стада не покидают, и это, якобы, создало предпосылки для эволюционного прогресса. Другой «специалист» утверждает, что существует эффект Кулиджа, и сравнивает весь мужской род с быками (то есть с «бугаями»), в этом случае остается только предупредить население не выходить на улицу в красной одежде.

На мой взгляд, такое обилие различных точек зрения на неверность в любви, а также выраженная полигамность связаны со значительным превалированием плотского, чувственного компонента в человеческой природе над духовно-нравственным началом. Это соединение, впрочем, будет последовательно изменяться в пользу второго в Новую Эпоху. В связи с расширением сознания и включением чакры интуиции и ясновидения человечество будет реально видеть и оценивать свои действия и их последствия. И оправдание такой любвеобильности численным неравенством полов вряд ли может быть воспринято серьезно.

В жизни и в воспроизводстве этой жизни на Земле вряд

ли можно применить принцип «По порядку номеров рассчитайсь» и «каждой сестре по серьге». Надо полагать, что воспроизводство идет совсем по другим принципам. Вероятно, идет серьезный качественный отбор, при котором учитывается весь ансамбль ролей, который Душа должна сыграть при каждом своем земном «дебюте». А потому один женится или выходит замуж и имеет любящего или любящую супругу или супруга, а другой делает много попыток, которые заканчиваются неудачей, а иногда даже и попыток не совершает. Существует мнение, что Душе в данном воплощении могут быть определены какие-то другие задачи. Нас всегда удивляет внешнее несоответствие супругов, и мы восклицаем: «Ну что он в ней нашел или она в нем, а такая любовь и взаимопонимание». И во втором случае: «Ну куда эти мужики смотрят? Такая женщина!» Как в одном, так и другом случае разыгрывается на невидимой сцене наш жизненный спектакль, зрителями которого сегодня мы еще стать не можем. Аналогично тому, как женская яйцеклетка вырабатывается только в одном экземпляре в течение 28 лунных дней, мужская особь продуцирует миллионы сперматозоидов, но для того, чтобы произошло оплодотворение и наступила беременность, нужен всего один единственный сперматозоид. Но почему судьба отметила именно этот? А может, он именно один и соединил весь необходимый хромосомный набор и создал вместе с яйцеклеткой уникальное произведение. В другом же случае свою роль как раз сыграл сперматозоид с ущербным набором. Почему? Мы постараемся развить эту тему в другой части этой книги, а теперь продолжим разговор о проблеме воспроизводства и супружеской неверности.

Полагают, что возможность выбора для воспроизводства должна быть избыточной. Но вряд ли количественный фактор застрахует нас от ущербной яйцеклетки или ущербного сперматозоида: здесь количественный фактор, вопреки закону, в качественный не перейдет. Надо полагать, что в мире людей «бычьи» законы не работают. Но в связи с этим возникает одно очень интересное наблюдение. Мы очень мало наблюдаем за жизнью животных с тем, чтобы поучиться у них их тесной связи с природой: больное животное всегда находит нужную ему травку — а современный человек, даже живущий в селе, не знает самых распространенных лекарственных растений; не говоря уже о том, что больные животные отказываются от еды, экономя энергию на выздоровление — а человек старается во время болезни подкрепиться как следует. Такой опыт животных нам, к сожалению, ничего не говорит, а вот их сексуальные забавы для нас весьма привлекательны, при этом люди забывают, что животные, как правило, совокупляются только для воспроизводства рода. Но если уж нам импонирует в чем-то их опыт, так давайте подражать нашим младшим братьям во всем.

Наверно, нет смысла освещать все научные аспекты, выдвигаемые в объяснение супружеской неверности. Правильным будет вывод, что, как в случае мужской, так и женской неверности, все зависит от психологических особенностей личности, от доминирования гормонального фактора и связанного с ним нервного центра.

В предыдущих главах мы давали обстоятельную характеристику психотипов женского энергетического потока, мало останавливаясь на особенностях психотипов мужского потока. В связи с разбираемой нами темой мы вкратце остановимся на психотипе мужчины-повесы, дамского угодника, не способного на цельность чувства и прочную привязанность к одной женщине. Такой тип постоянно испытывает потребность в новизне своих ощущений, надеясь найти нечто особенное в каждой новой партнерше. Тут, как правило, нет зависимости ни от воспитания, ни от социума, скорее всего, это врожденная биологическая обусловленность. Ярким представителем этого психотипа является Дон Жуан. Что касается всемирно известного полового альтруиста Казановы с его многочисленными романами, с желанием дать несказанное наслаждение каждой женщине, с которой он был близок, — то здесь символически усматривается тенденция торжества моногамных (единобрачия) отношений над полигамными, так как Казанова, увлекшись одной женщиной и страстно ее полюбив, женился на ней и весь остаток своей жизни хранил ей верность.

Сама жизнь сегодня с ее требованием воспитания детей, общего ведения хозяйства, решения сложных экономических и социальных проблем в обществе и семье диктует моногамный тип брачных отношений.

И все-таки мужчины утверждают, что не может быть равенства в вопросах измены: еще с древнейших времен к изменам женщин относились строже в связи с тем, что в мужском мире, где законы, в основном, устанавливают мужчины, они хотят быть уверены в своем отцовстве, именно этот вопрос их волнует. Причем они убеждены, что женщину так же волнует, от кого у нее ребенок. Вот здесь они очень заблуждаются: женщина-мать будет любить своего ребенка с одинаковой нежностью и страстью, независимо от того, кто его отец — ее законный муж или любовник. И если мужчина изменяет своей жене из спортивного интереса, то женщина идет на внебрачную связь по ряду причин, из которых первая — оскорбленное изменой самолюбие после того, как она узнала об измене мужа, желание внимания со стороны другого мужчины и давно забытой нежности.

Первый побудительный импульс после перенесенного шока — месть, и если это желание реализуется, оно становится постоянным стимулом к внебрачным связям. Потому, что греха таить, любовник, не связанный бытом, которому не надо готовить еду и после этого перемывать груду грязной посуды, который не ворчит, что ему что-то не нравится, который принесет цветы, о чем муж уже давно забыл, — все это скрашивает жизнь женщины и вносит в ее жизнь тот лучик света, которого так недостает изболевшему сердцу. И так мы ходим с разными букетами по разным адресам. А может быть, есть смысл нести цветы в свой дом и воспитывать своих детей? Иначе получается, как мудро говорит народ, «каков привет — таков и ответ».

Исходя из своей практики, я могу выделить две категории женщин и мужчин, перенесших стресс по поводу семейных измен. Первый тип — ярость, супергнев, желание мстить — это более благоприятная реакция, с ней легче справиться. Вторая — пустые глаза, мертвое отчаяние, полная безысходность и тоска — это всегда сложнее, так как вслед за этим развивается комплекс неполноценности с психологической окраской: «Я никому не нужна и т.д.». Иногда ситуация осложняется тем, что муж не только изменяет своей жене, но уничтожает ее морально, оскорбляя ее женские достоинства, и убитая горем женщина, которая верила в счастье, в семью, любовь и верность, оказывается под обломками этих разрушенных иллюзий, растерянная, она не знает, как дальше жить. Здесь нужно срочное вмешательство извне, глубокая позитивная психотерапия — из букета эмоций, связанных с внутренними органами, выбираешь ту, которая может погасить бушующую или возбудить угасающую силу. Когда в эти безжизненные глаза возвращается блеск — думаешь, какое счастье, что ты врач, и возносишь слова благодарности Богу за то, что он дал тебе эту силу и эти возможности.

В США тщательно выясняют все нюансы биографии человека, которого принимают на ответственную должность и абсолютно справедливо не берут неразборчивых в половых связях. Измена есть измена, и не важно — жене ли, делу, обществу, государству, имеется в виду готовность предать и отсутствие барьеров для осуществления этого. Нельзя быть честным в одном и нечестным в другом — ложь есть ложь. Если ты умеешь лгать, выдумывая причины своих задержек прихода домой, ты сможешь солгать и в любом другом случае. Мне это напоминает разведчика, работающего сразу на два государства: ни одно из этих государств, естественно, не может быть в нем уверено. И вполне оправдано, что для всяких вербовок всегда выбирают морально неустойчивых субъектов.

Семья — это наша крепость и наш оплот, уверенность в надежности ее членов делает нас либо устойчивыми ко всем неблагоприятным воздействиям, либо абсолютно беспомощными.

Содержание

A Mystery and Carma of the Moon Goddess

Научно-популярное издание

Гоникман Эмма Иосифовна

ТАЙНА И КАРМА ЛУННОЙ БОГИНИ

Ответственный за выпуск

Редактор С.Старченко
Технический редактор Г.Василевская

Подписано в печать 6. 03.95. Формат 84х108 1/32. Бумага
типографская № 1.. Гарнитура Прагматика. Печать офсетная.
Усл.печ.л 12,5..   Уч.-изд.л. 21.
Тираж 5000 экз. Заказ 247
Научно-внедренческий многопрофильный центр медицины
"Сантана". Лицензия ЛВ № 88. 220040, Минск, а/я 366, ул.
Сурганова 47, к. 2.
Отпечатано с готового оригинал-макета в типографии
издательства "Белорусский дом печати"
220013, Минск, Пр. Скорины, 79

В издательстве
Центра народной медицины
"Сантана"

выходит серия фотофилософских этюдов Сен-Жермен, подготовленная творческой группой "Сантана-XXI век". В первой книге этой серии

"Круг судьбы"

впервые в мире сделана попытка использования фотографий в композиции с излучающими свойствами минералов для лечебного воздействия.

Помимо лечебного воздействия, подтвержденного большим клиническим материалом, фотофилософские этюды имеют огромное духовно-нравственное значение, так как освещают глобальные вопросы — жизни, рождения, здоровья, счастья, любви, материнства, Кармы.

Первая книга "Круг судьбы" рассчитана на широкий круг читателей, желающих приобщиться к вечным волнующим вопросам мироздания.

Телефоны для оптовых покупателей:
(0172) 31-97-22
29-08-28
факс (0172) 31-64-72